COLLECTION FOLIO

Laure Murat

L'homme
qui se prenait
pour Napoléon

Pour une histoire politique de la folie

Gallimard

À Amédée Germain Grêslon, 14 ans, amateur de livres de voyage, entré le 9 août 1826 à Charenton. « Dans son délire, il veut acheter un cheval et partir sur-le-champ pour défendre les Grecs. Si on lui objecte son âge, son impéritie, etc., il répond qu'il se sent capable de si grandes choses qu'il entraînera tous les esprits de son côté. Il veut aller découvrir des pays inconnus. »

« Qui cache son fou, meurt sans voix. »

Henri MICHAUX, *Face aux verrous.*

Préambule

Tout essai part d'une question qui le fonde, dont elle est à la fois le fanal et le fil rouge, le point de repère et l'axe directeur. Si absurde et vague puisse-t-elle paraître d'abord, la mienne a été : comment délire-t-on l'Histoire[1] ? Ce questionnement a surgi de ma fréquentation des bibliothèques et des centres d'archives psychiatriques, où je tombai un jour sur le cas d'un jeune homme qui se prenait pour le fils de Napoléon et que le docteur Ferrus, médecin de la Grande Armée puis de Bicêtre, avait guéri en feignant d'entrer dans son délire. Tous les fous, dit-on, se prennent pour Napoléon — ou pour son fils, semble-t-il. Mais le délire d'identification à l'empereur était-il avéré dans les registres des asiles et, si oui, que cela nous enseignerait-il sur les rapports de l'Histoire et du trouble psychique ? Très vite, ce point de départ s'est élargi à d'autres questions. Quel impact les événements historiques ont-ils sur la folie ? Dans quelle mesure et sous quelles formes

---

1. Par Histoire, j'entends le déroulement des événements, en particulier politiques, et non pas la discipline qui l'étudie et en fait le récit.

le politique est-il matière à délire ? Peut-on évaluer le rôle d'une révolution ou d'un changement de régime dans l'évolution du discours de la déraison ? Quelles inquiétudes politiques et sociales les délires portent-ils en eux ?

Pour le savoir, ou du moins y voir plus clair, il fallait remonter à la source, analyser les motifs d'admission et les diagnostics, reprendre un à un les dossiers médicaux et questionner la clinique. Pendant trois ans, j'ai interrogé les archives. *L'Homme qui se prenait pour Napoléon* est le résultat de cette enquête.

« L'influence de nos malheurs politiques a été si constante, écrivait le docteur Étienne Esquirol en 1816, que je pourrais donner l'histoire de notre révolution, depuis la prise de la Bastille jusqu'à la dernière apparition de Bonaparte, par celle de quelques aliénés dont la folie se rattache aux événements qui ont signalé cette longue période de notre histoire[2]. » Ce beau projet d'une histoire de France déduite, ou décalquée, à partir des délires, soit d'une « autre scène » qui recomposerait à sa manière les étapes du récit national, Esquirol ne l'a jamais accompli. Était-il seulement réalisable ? Il n'est pas sans évoquer, en tout cas, l'œuvre entreprise au siècle suivant par Charlotte Beradt qui, entre 1933 et 1939 à Berlin, collecta quelque trois cents récits

---

2. Jean-Étienne-Dominique Esquirol, *Des maladies mentales* [1838], 2 vol., t. I, Frénésie éditions, coll. « Insania. Les introuvables de la psychiatrie », 1989, p. 28 ; 1re éd. : « Folie », *Dictionnaire des sciences médicales*, Panckouke, vol. XVI, 1816, p. 182-183.

de rêves d'hommes et de femmes, véritable « sismographe[3] » des ravages du nazisme, dont l'action
« malmenait les âmes » jusque dans le sommeil.
Conçu comme un acte de résistance, *Rêver sous le
IIIᵉ Reich* illustrait pour la première fois, et au sens
le plus strict, ce que l'on appelle ordinairement, au
figuré, les cauchemars de l'Histoire.

La folie n'a-t-elle pas au moins autant à nous apprendre que la vie onirique, dont elle est une
secrète parente ? Les analyses de Frantz Fanon sur
la « psychose réactionnelle[4] » de ses patients victimes de la violence coloniale en Algérie, ou les
récits de Françoise Davoine et Jean-Max Gaudillère
sur « la folie des guerres[5] » apportent une réponse
circonstanciée de praticiens à cette question. L'élaboration d'une « théorie du trauma » par Cathy
Caruth, à partir d'une relecture de Freud et de
Lacan, a de même puissamment contribué à révéler un champ jusque-là négligé sur la verbalisation
des blessures, dont la littérature, d'*Adieu* de Balzac
à *1984* d'Orwell en passant par Kafka, a de longue
date exploré les arcanes[6]. Bien que la causalité de
la folie ne soit jamais réductible à un événement

---

3. Charlotte Beradt, *Rêver sous le IIIᵉ Reich*, trad. de l'allemand par
Pierre Saint-Germain, Payot & Rivages, « Petite bibliothèque Payot »,
2004.
4. Frantz Fanon, *Les Damnés de la terre* [1961], La Découverte,
2002. Voir en particulier le dernier chapitre, « Guerre coloniale et
troubles mentaux », p. 239-297.
5. Françoise Davoine et Jean-Max Gaudillère, *Histoire et trauma. La
folie des guerres*, Stock, « L'autre pensée », 2006.
6. Cathy Caruth (éd.), *Trauma : Explorations in Memory*, Baltimore,
The Johns Hopkins University Press, 1995 ; Cathy Caruth, *Unclaimed
Experience : Trauma, Narratives, and History*, Baltimore, The Johns
Hopkins University Press, 1996.

isolé, fut-il un traumatisme politique, l'Histoire a bien évidemment sa part dans l'étiologie des délires. Mais laquelle ?

« Qu'est-ce que le délire ? », demandent Deleuze et Guattari dans *L'Anti-Œdipe*. « C'est l'investissement inconscient d'un champ social historique. On délire les races, les continents, les cultures[7]. » Délire dont on peut dire, mieux que du bon sens, qu'il est sans doute la chose au monde la plus partagée. Qu'est-ce que le délire sinon, en effet, cet investissement inconscient des individus aux prises avec les guerres, les massacres, la violence, l'horreur économique ? Et qu'est-ce que le délire lorsque le docteur Samuel A. Cartwright invente en 1851 la *drapetomania*, concept forgé à partir du grec *drapetes* (fugitif) et *mania* (folie), pour stigmatiser la « maladie » des esclaves noirs du sud des États-Unis désireux de se libérer de leur servitude ou lorsque les médecins soviétiques remplacent le mot de dissidence par celui de paranoïa chronique[8] ? La

7. Gilles Deleuze et Félix Guattari, *L'Anti-Œdipe. Capitalisme et schizophrénie I*, Minuit, 1972/1973.

8. La *drapetomania*, cette « manie de la fuite » bien connue des planteurs, était, selon le médecin, un trouble mental répandu mais facile à guérir, à condition que le maître n'entreprenne aucune manœuvre de rapprochement et convainque l'esclave, références bibliques à l'appui, de sa condition naturelle d'être soumis. Incorporée aujourd'hui à la catégorie du racisme scientifique, cette « maladie » n'en connut pas moins à l'époque un vaste retentissement dans la communauté médicale américaine. Je remercie John McCumber d'avoir attiré mon attention sur cet inquiétant symptôme. Voir Thomas Szasz, « The Sane Slave : An Historical Note on the Use of Medical Diagnosis as Justificatory Rhetoric », *American Journal of Psychotherapy*, n° 25, 1971, p. 228-239. Pour la « paranoïa chronique », voir notamment Vladimir Boukovsky, *Une nouvelle maladie mentale en U.R.S.S. : l'opposition*, Seuil, « Combats », 1971, et le témoignage de Viktor XXX, in *La Folie politique*, Roger Dadoun (dir.), Payot, « Traces », 1971.

junte militaire argentine n'a-t-elle pas surnommé
« folles de la place de Mai », ces mères qui se réunis-
saient chaque semaine et tournaient en rond à ce
lieu de Buenos Aires pour protester contre l'enlève-
ment et la disparition de leurs enfants, engloutis
par la dictature ? L'histoire de la folie peut-elle
seulement éviter de prendre en compte la folie de
l'Histoire ?

En 1820, Esquirol revenait de manière oblique
à l'esquisse de son projet délaissé, en précisant :
« À l'époque où l'empereur peuplait l'Europe de nouveaux rois, il y eut en France beaucoup de monomaniaques qui se croyaient empereurs ou rois,
impératrices ou reines. La guerre d'Espagne, la con-
scription, nos conquêtes, nos revers, produisirent
aussi leurs maladies mentales. Combien d'individus
frappés de terreur, lors des deux invasions, sont
restés monomaniaques ! Enfin, on trouve dans les
maisons d'aliénés plusieurs individus qui se croient
dauphins de France, et destinés au trône[9]. » Qu'il y
ait concomitance entre les bouleversements d'une
société et la marche des esprits, voire homothétie
entre événements et délires, quoi, au fond, de plus
attendu ? On peut concevoir sans peine que le spectacle de la guillotine, par exemple, fasse, à bien des
égards, perdre la tête, et précipite momentanément
dans la déraison des esprits ébranlés par la Terreur.
Pinel lui-même, sensible aux idées nouvelles et
pionnier de la psychiatrie française, ne plaçait-il pas
en tête des causes d'aliénation mentale les « événe-

---

9. J.-E.-D. Esquirol, *op. cit.*, t. I, p. 199 ; 1re éd. : *De la lypémanie ou
mélancolie*, 1820.

ments de la Révolution[10] », qui auraient provoqué
une véritable épidémie de folie ? De même, au retour des cendres de Napoléon, orchestré sous Louis-
Philippe, le médecin-chef de Bicêtre notait l'arrivée
dans son asile de quatorze nouveaux « empereurs ».
Mais de l'analyse de l'événement déclencheur à
l'élaboration d'une « névrose révolutionnaire » ou
d'une nouvelle « monomanie » dite « orgueilleuse »
ou « ambitieuse » censée caractériser celui qui se
prend pour un souverain, quelles étapes franchit-on
dans la construction intellectuelle de la folie et de
ses rapports à l'histoire politique ? Comment ces
conjonctions très variées sont-elles vécues, analy-
sées puis, surtout, interprétées ? Car au-delà du
simple constat d'un impact de l'Histoire sur ses acteurs, ses témoins ou ses victimes, l'enjeu réside bel
et bien dans les discours produits et dans une glose
qui ira s'enflant au cours du XIXe siècle sur les rapports entre opinions politiques et trouble mental.
De l'adversaire bonapartiste au monomane qui rêve
d'un destin impérial, les yeux fixés sur l'horizon et la
main dans son gilet, de l'insurgé au dément dont il
convient de brider la fureur anarchiste par la camisole, de la pétroleuse à l'hystérique, la frontière est
souvent mince. Le fou serait-il, par essence, l'opposant ? Où est-ce l'opposant qui est systématiquement considéré comme un fou ? L'affaire n'est à
l'évidence pas si simple et la quête davantage celle-
là : comment délire-t-on l'Histoire et comment, en

---

10. « Tableau général des fous de Bicêtre », publié par Dora B.
Weiner in *Comprendre et soigner. Philippe Pinel (1745-1826) : la médecine de l'esprit*, Fayard, 1999, p. 143.

retour, s'invente ou se défait la nosologie en fonction des changements de régime ? Où les psychiatres et, partant, la société à l'écoute de ses *nouveaux experts*, placent-ils la frontière entre la passion politique et ses excès morbides, entre convictions personnelles et débordements maniaques — frontière dont il convient aussi d'analyser la mobilité et les variations dans le temps ? En d'autres termes : comment s'élabore et s'articule, au XIXe siècle, le discours entre l'idéologique et le pathologique ?

Déconstruire le logos scientifique et moral à l'œuvre, c'est en peser d'abord les termes précis et la structure, à la lumière d'un corpus théorique de plus en plus dense à mesure que la psychiatrie se constitue comme discipline à part entière. C'est aussi en examiner les écarts, les manipulations et les raccourcis — voyez la féministe Théroigne de Méricourt, soignée par un célèbre médecin catholique et libéral, pressé de justifier a posteriori la mélancolie très réelle *par* son engagement révolutionnaire. C'est encore en signaler les excès et les prolongements — voyez cette nouvelle vésanie, élaborée avec le plus grand sérieux après les événements de 1848 et dénommée *morbus democraticus* ou maladie démocratique, dont Charles Maurras exploitera par la suite le concept au sein de l'Action française.

Ce récit croisé de l'évolution de la psychiatrie et de l'histoire politique, rattaché à ce que l'ethnopsychiatrie désigne par la belle expression de « théorie des émotions politiques », relance inévitablement le débat sur les limites *saines* de la liberté d'expression, publique ou privée, communautaire ou indi-

viduelle, comme il peut éclairer, à l'occasion, la
notion d'inconscient collectif. Dissident réduit au
silence ou au contraire individu ayant conquis un
espace de parole, l'aliéné ou plutôt la figure allégo-
rique qu'il incarne, ne ramasserait-il pas au fond
les angoisses, et les écueils, du siècle de toutes les
révolutions ?

À elles seules, ces questions signalent l'ampleur
d'un sujet dont l'histoire et la géographie, a priori
l'une et l'autre sans frontières, réclamaient d'abord
d'être bornées. Le choix de prendre Paris pour épi-
centre et les dates de 1789-1871 répondait à des exigences historiques évidentes. Entre la Révolution
et la Commune, la France connaît au moins quatre
révolutions, révolutions chaque fois confisquées,
expression de la lente agonie du principe monarchique parallèle à la naissance douloureuse et à
l'instauration sans cesse reportée de la République.
Or dans un État aussi centralisateur que la France,
c'est dans la capitale que se joue l'essentiel des déci-
sions politiques, là que se produisent les événements promis aux plus fortes répercussions, là
aussi que s'élèvent les trois établissements spécialisés où seront longtemps envoyés la majorité des
aliénés : Charenton, Bicêtre et la Salpêtrière, auxquels vient s'ajouter Sainte-Anne à partir de 1867[11].

---

11. Une étude comparative avec des institutions privées ou/et provinciales de la même époque aurait sans doute apporté de fructueux
éclairages ; elle aurait surtout rendu le projet, déjà très ambitieux,
insurmontable. De même, étirer le « long XIXᵉ siècle » (Eric Hobsbawm)
jusqu'à sa traditionnelle date limite de 1914, aurait ouvert sur des
gouffres — l'instabilité européenne, la Première Guerre mondiale, la

C'est dans cette période scandée par l'insurrection et le retour à l'ordre que la psychiatrie connaît son âge d'or et étend sa puissance. La Révolution, avec l'abolition des lettres de cachet et l'instauration d'une médicalisation de la folie, marque sa naissance officielle, l'effondrement du Second Empire signe l'apogée — avant le déclin annoncé — de la grande époque des asiles. Entre ces deux dates s'écrit un étrange chapitre de l'histoire de la psychiatrie. Car la science nouvelle, qui lutte vigoureusement pour s'imposer face, notamment, au pouvoir législatif, judiciaire et religieux, s'avère dans le même mouvement stigmatisée par une forme d'impuissance clinique. Qu'a-t-elle en effet à proposer pour soigner les maux de ses contemporains ? Ni l'ellébore, ni les douches, ni les saignées et autres purges n'ont jamais rendu personne à la raison — les médecins en font eux-mêmes progressivement le triste constat, obligés qu'ils sont de regarder les chiffres dérisoires de guérisons, au cours d'un siècle où le nombre de malades décuple, passant de 5 000 à 50 000. La psychanalyse n'existe pas encore ; la pénicilline (qui aurait vidé les asiles de ses nombreux vénériens atteints, dans le dernier stade de la maladie, de paralysie générale, c'est-à-dire de méningo-encéphalite), les neuroleptiques, l'électroencéphalogramme et l'imagerie à résonance

mécanisation, l'invention de la psychanalyse — qui auraient fait changer le livre d'échelle et auraient obligé à une conceptualisation tout autre. Ajoutons pour être complet qu'un obstacle administratif et légal très simple aurait rendu la tâche tout simplement impossible : les archives médicales, en France, ne sont consultables, sauf dérogation, que cent cinquante ans après la naissance des patients.

magnétique non plus. La psychiatrie, dépourvue de tout, interne, classe, départage, théorise, ordonne ; symptômes et patients, elle isole ; elle administre, elle gère, et élabore une politique de santé. Comment cette politique, en équilibre sur le fil d'une rhétorique puissante, rencontre-t-elle et accompagne-t-elle l'Histoire ? Quel retentissement a-t-elle sur la clinique ?

Personne n'a mieux révélé et analysé que Jan Goldstein, dans *Consoler et classifier*, la formation de la corporation psychiatrique française, ses enjeux et son formidable essor au XIXe siècle [12]. La discipline est jeune, et elle doit, pour s'imposer comme spécialité dans le paysage social, engager une lutte sur tous les fronts : doubler la concurrence de la religion, en reprenant le monopole de la folie hier confiée au confesseur et aux ordres de la charité ; faire reconnaître sa nécessité au sein de la magistrature, en créant la notion « scientifique » de « monomanie homicide », que seul l'expert psychiatre saura diagnostiquer, justifiant ainsi sa fonction ; consacrer la supériorité de son « camp philosophique », soit un physiologisme matérialiste, localisant la folie dans les organes et promouvant l'anatomo-pathologie, contre une psychologie spiritualiste. Cette lutte victorieuse aboutira à la fameuse loi de 1838 sur l'aliénation mentale, qui restera en vigueur en France jusqu'en 1990 [13]. La nouvelle loi pose toute la

---

12. Jan Goldstein, *Consoler et classifier. L'essor de la psychiatrie française*, trad. de l'anglais (États-Unis) par Françoise Bouillot, Le Plessis-Robinson, Synthélabo / Les Empêcheurs de penser en rond, 1997.

13. L'intégralité du texte de la « loi sur les aliénés » de 1838 est disponible sur : http://www.ch-charcot56.fr/textes/l1838-7443.htm.

problématique de la folie et de son rapport au gouvernement. Elle exige la création, pour chaque département, d'un asile spécialisé, qui va détacher la folie de l'hôpital général ; elle définit les modalités de placements ; elle impose un certificat médical pour chaque internement et range tous les établissements, publics, religieux ou privés, sous l'autorité du ministère de l'Intérieur. L'asile, désormais perçu comme un mode de contrôle des classes dangereuses, est fondé sur une doctrine de l'isolement qui offre « un éclatant soutien médico-scientifique à la préoccupation policière du gouvernement[14] ».

Un homme est au cœur de cette bataille et de ce système : Jean-Étienne-Dominique Esquirol, médecin appartenant au mouvement libéral. Il a été lui-même l'élève favori de Philippe Pinel, le mythique libérateur des aliénés, acquis aux idées nouvelles, nommé à Bicêtre sous la Terreur. Aucune de ces informations n'est gratuite : il est peu de postes aussi politiques que ceux des psychiatres. Certains d'entre eux cumulent les mandats, comme Étienne Pariset, censeur officiel des journaux sous la Restauration et médecin de la Salpêtrière, ou Ulysse Trélat, son successeur dans le grand hôpital parisien, ancien adepte de la Charbonnerie et éphémère ministre des Travaux publics sous la IIe République. Au lendemain de la révolution de 1830, le directeur de l'asile d'aliénés de Rouen, qui avait suivi Louis XVIII à Gand en 1815, est remercié. La place reviendra à Lucien Debouteville, dont le dossier conservé aux Archives

---

14. J. Goldstein, *Consoler et classifier*, *op. cit.*, p. 372.

nationales précise qu'il fit la marche des volontaires sur Paris avec sa mère le 31 juillet[15]. À la mort d'Esquirol en 1840, la direction de Charenton que convoitait le très conservateur Brierre de Boismont échoit finalement à l'orléaniste Achille Foville — lequel sera débarqué en 1848. Et ainsi de suite.

La psychiatrie est une machine, et une machine politique. L'aliénation mentale, baromètre des nations, doit servir d'instrument de mesure au pouvoir en place : « Cette maladie associe en quelque sorte le médecin à l'administration publique, écrit Esquirol. Le médecin éclaire le gouvernement sur la tendance des esprits ; la connaissance qu'il a des causes des caractères des folies régnantes [lui] fournit les éléments les plus positifs de la statistique morale des peuples[16]. » Lumineuse indication, et rappel utile que la psychiatrie a intégré, selon le mot de Robert Castel, « l'appareil d'État ».

À l'intérieur de ce cadre, quelle est la place du fou ? Et que dit-il ? Dans le murmure conjugué du patient et du médecin, ou plutôt sous le discours officiel du psychiatre, ce scribe équivoque de la démence, est-il envisageable de discerner, en regard, un possible discours politique du fou ? La psychiatrie est une discipline politique, mais que dit la folie du politique ?

Ce sont toutes ces questions que ce livre aimerait analyser, à défaut de les résoudre. Il a été échafaudé,

---

15. AN, F[15] 2606-2607. Le nom du médecin y est orthographié de Bouteville.

16. Esquirol, cité par J. Goldstein, *Consoler et classifier, op. cit.*, p. 217.

et rêvé, à partir d'un matériau, énorme, fragile, mouvant, qui fait ma passion têtue depuis vingt ans : l'archive. Depuis vingt ans, j'en ai manipulé de toutes sortes. Des contrats conservés au Minutier central des notaires, des lettres d'Alexandre Dumas, d'André Gide ou de Gertrude Stein, des livres de comptes de librairies, des rapports de police sur de séditieux pédérastes, des fichiers consacrés aux prostituées, des correspondances politiques, des répertoires d'écrous, des journaux intimes, des bleus, des chartes, des comptes rendus administratifs. L'archive m'a donné des joies immenses et dérisoires, m'a persuadée d'avoir arraché des trophées lorsque je découvrais, incrédule, le diagnostic sur les derniers mois de Maupassant ou ce rapport d'un commissaire ayant interpellé, dans un bordel pour hommes, l'infortuné « Proust, Marcel, 46 ans, rentier, demeurant 102, boulevard Haussmann[17] ».

Dans cette galerie infiniment vivante et diverse, j'ai gardé un faible pour l'archive médicale, singulièrement la psychiatrique. C'est la plus sèche, la moins séduisante. Elle est abrupte, mécanique, et ne se livre qu'au terme d'un déchiffrage laborieux. Registres des asiles et des maisons de santé justement dits « livres de la loi[18] », dossiers d'observations médicales, certificats de quinzaine, ces documents dormant dans des bibliothèques ordi-

17.ʼ « "Proust, Marcel, 46 ans, rentier" », *La Revue littéraire*, nᵒ 14, Léo Scheer, mai 2005, p. 82-92.

18. Cette appellation doit son origine à la loi de 1838 régissant les établissements d'aliénés en France, qui imposait aux asiles de tenir et de conserver des registres consignant l'état civil des patients, leur date d'entrée et de sortie, ainsi que le diagnostic de leur maladie.

nairement peu fréquentées rassemblent une masse
considérable d'histoires, aussi frêles que décisives,
souvent rébarbatives car difficilement lisibles
— du point de vue du sens, technique ou ambigu,
comme de la graphie. Elles ont toutes trait à une
énigme intemporelle, la maladie mentale, et à la
vie quotidienne de ceux que l'on nomme, par
convention, les *insensés* : un monde en soi, très difficile à décrypter, où s'affrontent deux délires rhé-
toriques, celui d'un homme qui extravague — le
fou — et celui d'un autre qui l'enregistre — l'aliéniste.

Voilà quelques années, une revue littéraire nais-
sante inaugurait une rubrique qui proposait de
présenter divers centres d'archives dans le monde,
malicieusement nommée « Aux fonds [19] ». Heureux titre : les fonds d'archives proposent bien
d'aller fouiller au fond des choses. Avec ce paradoxe : la ténuité et le laconisme de l'information
(une date, un nom, un diagnostic) s'offrent, dans
toute leur sécheresse, à une spéculation infinie,
une rêverie sans bords, s'ouvrent à une multipli-
cité de possibles et de situations. Dans les fibres
de ce papier mort et négligé, à l'intérieur de ces
liasses poisseuses et ces registres rongés d'humidité qui s'effritent et se décomposent lentement
mais sûrement, prolifère une vie sans limite ; sous
la poussière s'entremêlent des drames, des épisodes drolatiques, des vies entières, en quelques

---

19. *Histoires littéraires*, revue trimestrielle consacrée à la littérature
française des XIXe et XXe siècles, Histoires littéraires (Paris) et Du Lérot
éditeur (Tusson), n° 1, 2000.

mots jetés dans l'exercice d'une fonction — la psychiatrie — qui ne se soucie pas, croit-on, de littérature. Chaque virgule, chaque rature compte. Les blancs sont d'une éloquence insoupçonnée, les marges bavardes. Ce paysage étique est un tableau foisonnant. L'archive, supposée en être l'antithèse, a tout à voir avec le roman.

Il y a une tradition « hystérique » de l'archive. Elle commence avec Michelet qui, lorsqu'il entre pour la première fois dans l'univers des liasses, voit un monde ressusciter sous ses yeux, des armées se lever, hommes et femmes se hisser des cartons et, dans une vision hallucinatoire, se trouve saisi par « la danse galvanique des archives[20] ». Elle se poursuit, d'une certaine façon, avec l'école des Annales, qui demandait à l'archive d'excéder son privilège de « savoir positif » pour devenir « un poème, un tableau, un drame : documents pour nous, témoins d'une histoire vivante, saturés de pensée et d'action en puissance[21]... », afin de contribuer, à la suite de Michelet, à la « *résurrection de la vie intégrale*[22] ». Elle culmine avec Michel Foucault, qu'un talent certain pour la « dramatisation de l'archive[23] » et qu'une prose aux accents hugoliens rattachent, stylistiquement du moins, au XIXᵉ siècle, le plus lyrique

20. Cité par Pierre Nora, « Michelet, ou l'hystérie identitaire », *L'Esprit créateur*, vol. XLVI, nᵒ 3, 2006, p. 6.

21. Lucien Febvre, *Combats pour l'histoire* [1952], Librairie Armand Colin, 1992, p. 12.

22. Jules Michelet, « Préface de 1869 », *Histoire de France*, in *Œuvres complètes*, éd. définitive, revue et corrigée, E. Flammarion, 1893-1898, p. IV.

23. Jean-Marc Mandosio, *D'or et de sable*, Éd. de l'Encyclopédie des nuisances, 2008, p. 181.

et « le plus rétrospectif des siècles[24] ». Cet usage de
l'archive au service de la poétique est une tradition
très française. Elle est indissociable de la « chose
littéraire » ou, si l'on veut, du pouvoir à la fois hyp-
notique et révélateur de la langue, qui enferme et
libère le sens historique dans le même mouvement,
à la façon d'un métier à tisser qui produirait son
étoffe en croisant la chaîne des documents et la
trame des mots, dont le choix et l'agencement, autrement dit le style, déterminent la passation d'un
savoir, la transmission d'une sensibilité.

Si je me permets d'insister sur cette poétique de
l'archive, c'est qu'elle a déterminé la méthodologie
de cet ouvrage et, peut-être, ses limites. Méthodologie qui se résume à quelques mots : commencer
par l'archive seule, et tailler dans la masse un plan
qui aura été exclusivement dicté par elle. C'est
armée d'une seule question (comment délire-t-on
l'Histoire ?), sans plan préétabli ni accompagnée
d'aucune glose, que j'ai donc dépouillé des centaines de registres et de cartons. On m'objectera
que partir de l'archive comme source non pas
unique mais *première*, avec des yeux neufs, vierges
(ou presque) de toute lecture commentée, c'est
commencer à l'envers, et se priver de l'enseignement introductif, herméneutique, des sources
imprimées censées baliser le terrain. C'est prendre
aussi le risque sérieux de découvrir des choses déjà
connues, et publiées. Rompue à la problématique
de l'inversion, j'assume ce choix, et le revendique.

---

24. Charles-Augustin Sainte-Beuve, *Portraits littéraires*, t. III, Garnier frères, 1864, p. 222.

Car rien ne peut se substituer au saisissement immédiat d'une information *primitive*, dont le pouvoir sensuel, pour dangereux qu'il soit, imprime une direction, une perception d'ensemble sur le cerveau. Lire, sans intermédiaires ni bagages, « elle a vu le soleil tomber à ses pieds[25] » ou « je lui demande s'il est malade, il me répond : "D'amour"[26] » me donne une connaissance vive, unique, irremplaçable, en même temps qu'une *imago* de la vie à l'asile. En face du document brut, seul l'effet ressenti à la lecture (malaise, perplexité, jubilation...) m'a guidée dans la sélection des citations — sélection sonore en somme —, pour la raison nécessaire et suffisante qu'elles m'ont frappée en tant que signes — à condition d'expliquer pourquoi, bien sûr. Le fait que le psychiatre utilise le style direct (« elle a vu le soleil tomber à ses pieds » plutôt que « elle *croit ou s'imagine* que le soleil est tombé à ses pieds », ce qui aurait été plus logique) m'autorise à penser que le médecin, dans ce raccourci certes commode, accrédite *aussi* le délire et légitime en quelque sorte l'hallucination à l'intérieur de son propre discours — d'autres exemples, nombreux, viendront par la suite étayer cette hypothèse. L'idée qu'une « maladie d'amour » soit, sans objection, passible d'internement me donne, mieux que n'importe quel manuel, la mesure du rapport de la psychiatrie avec la théorie des passions.

25. AAP-HP, la Salpêtrière, Registre d'observations médicales, 5e division, 4e section, 1870-1873, 6R61, fo 354.
26. AAP-HP, Bicêtre, Registre d'observations médicales, 5e division, 1re et 2e sections, 1871-1872, 6R34, fo 85.

En quoi cette analyse grammaticale, poétique, aurait-elle souffert de la lecture préalable d'ouvrages imprimés, de l'époque ou postérieurs ? Cette question exige tout de même une précision. Il y a dix ans, je consacrais un livre à *La Maison du docteur Blanche*, qui m'avait fait me plonger dans les eaux profondes de la littérature psychiatrique. De ces lectures j'avais certes gardé un substrat et quelques notions élémentaires, partiellement reprises dans un livre plus récent, *La Loi du genre. Une histoire culturelle du « troisième sexe »*. Mais, au moment d'entreprendre *L'Homme qui se prenait pour Napoléon*, j'ai privilégié la « candeur[27] » de la découverte et me suis refusée, dans un premier temps seulement, à revenir à ce corpus dont il ne faut pas négliger les forces d'influence. D'un côté, les psychiatres, pris du démon de la classification, formatent la nosologie, arrêtent les définitions, gèlent le délire, en le dénudant pour parvenir à fixer la vésanie. De l'autre, les historiens de la psychiatrie, essentiellement depuis la thèse de Michel Foucault, s'affrontent dans un tribunal où l'on est sommé de prendre partie pour ou contre, pris dans les tenailles d'un mauvais procès qui oppose, pour grossir le trait, les procureurs

---

27. Expression citée par Alain Corbin, « Ne rien refuser d'entendre », entretien avec Alain Corbin, *Vacarme*, n° 35, disponible sur http://www.vacarme.org/article492.html : « L'historien part à la rencontre de ceux qui l'ont précédé, il essaie de revivre avec eux, il cherche à enfiler leur peau. Or, il est évident que cette démarche implique la *candeur*. Alphonse Dupront a dit, à juste titre : "face à un document, attendez et laissez monter le sens en faisant preuve de *candeur*". Quand il se rend aux archives, un historien doit commencer par tenter de faire le vide en lui. Faute de quoi, sa démarche risque de n'être qu'illustrative, et de le conduire à ne découvrir que ce qui pourra conforter son hypothèse. »

de l'aliénisme et les avocats de la médecine philanthropique, selon que l'on considère l'asile comme
un lieu d'exclusion ou comme une « machine à so-
cialiser » et le traitement moral comme une réduction au silence ou comme la première étape d'une
réinsertion du sujet dans la société démocratique[28].
C'est dire à quel point cette histoire de la folie est,
d'abord et avant tout, celle de l'aliénisme.

Une histoire de la folie est-elle possible ? Pour
comprendre l'enjeu d'un tel problème, force est de
revenir à *Folie et déraison. Histoire de la folie à l'âge
classique*, publié en 1961. Le livre de Foucault repose sur une hypothèse : l'exclusion de la folie, depuis le Moyen Âge, se construit à travers sa
capture progressive par la raison. Cette prise de
pouvoir, Foucault la trace en suivant l'évolution
des structures d'enfermement. Errante sur sa nef
médiévale, repoussée aux portes des villes, la folie,
dont l'horizon toujours se réduit, est parquée, au
XVIIᵉ siècle, dans les anciennes léproseries, où se
mêlent vénériens et criminels. Cette assimilation
du fou au malade contagieux et de l'hôpital à la
prison, dans une incestueuse collaboration de la
charité avec la répression, culmine en 1656 avec
la fondation par Louis XIV de l'hôpital général,
destiné aux pauvres, aux délinquants, aux vagabonds et aux insensés. Le « grand renfermement »

---

28. Michel Foucault, *Folie et déraison. Histoire de la folie à l'âge
classique*, Plon, 1961 ; Marcel Gauchet et Gladys Swain, *La Pratique de
l'esprit humain. L'institution asilaire et la révolution démocratique*, Gallimard, 1980.

est né, qui exile définitivement la folie pour la cantonner aux murs de ce qui va devenir l'asile.

La raison n'a pas seulement immobilisé la folie, elle a rompu son dialogue avec elle. Peu à peu dépouillée de son statut sacré et de sa dimension tragique célébrée par Shakespeare et Cervantès, passant d'un rapport de réciprocité avec la raison à une forme de mise à distance puis d'exclusion, la folie, hier détentrice d'une obscure vérité et d'une sauvagerie féconde, s'est trouvée lentement rejetée du monde des vivants, qui ne tolère plus sa voix. Tel serait « l'étrange coup de force » de la raison : la réduction de la folie au silence. Elle doit son origine à une « certaine décision » proférée dans la première des *Méditations métaphysiques* (1647), où Descartes aurait, selon Foucault, réservé à la folie un statut différent de celui de l'erreur des sens. Dans la veille — soumise à l'illusion — ou dans le sommeil — peuplé d'images fausses — demeurerait toujours un « résidu de vérité » quand la folie serait, d'emblée, « exclue par le sujet qui doute[29] ». L'abusé ou le dormeur finit toujours par se réveiller, quand le fou est enfermé sans retour dans sa folie — ce que traduit son incarcération physique à l'âge classique. L'auteur des *Méditations* aurait ainsi opéré une rupture déterminante dans l'histoire des idées : « Si *l'homme* peut toujours être fou, la *pensée*, comme exercice de la souveraineté d'un sujet qui se met en devoir de percevoir le vrai, ne peut pas

---

29. Michel Foucault, *Histoire de la folie à l'âge classique*, Gallimard, « Tel », 1976, p. 57.

être insensée[30]. » La constitution du sujet pensant, et donc qui est, naîtrait même de cette ligne de partage entre folie et raison triomphante. La folie est renvoyée à sa nuit, hors du *cogito*.

Cette césure inaugurale, Foucault y insiste, de façon patente ou latente, tout au long de son livre. C'est la clé de voûte de son projet, comme il le souligne dans la préface, en revenant sur ce divorce entre raison et folie, symbolisée par une parole anéantie :

> De langage commun, il n'y en a pas ; ou plutôt il n'y en a plus ; la constitution de la folie comme maladie mentale, à la fin du XVIIIe siècle, dresse le constat d'un dialogue rompu, donne la séparation comme déjà acquise, et enfonce dans l'oubli tous ces mots imparfaits, sans syntaxe fixe, un peu balbutiants, dans lesquels se faisait l'échange de la folie et la raison. Le langage de la psychiatrie, qui est monologue de la raison sur la folie, n'a pu s'établir que sur un tel silence.
>
> Je n'ai pas voulu faire l'histoire de ce langage ; plutôt l'archéologie de ce silence[31].

Admirable formule, indéfiniment reprise mais qui pose plus d'un problème. C'est ce qu'a démontré Jacques Derrida dans un texte implacable publié une première fois en 1963, où il s'interroge sur ce projet « fou » — « je le dis sans jouer », précise-t-il — de faire, non pas une histoire de la psychiatrie mais une archéologie de la folie, *de la folie elle-même*

---

30. *Ibid.*, p. 58.
31. Michel Foucault, *Dits et écrits I*, Gallimard, 1994, p. 160. Cette citation est extraite de la préface de l'édition d'*Histoire de la folie* de 1961 que Foucault supprimera dans les éditions ultérieures.

— « avant toute capture par le savoir » —, et par conséquent une histoire du silence ou plutôt son éloge[32]. Mais comment faire l'éloge d'un silence, demande Derrida, si ce n'est dans le logos, avec les armes mêmes de la raison, à l'intérieur des concepts rationnels d'histoire ou d'archéologie, en s'appuyant sur les documents juridiques de l'interdiction ? Au nom de quel sens invariant, mais jamais révélé, Foucault parle-t-il de folie ? Peut-on concevoir la folie dans une univocité historique ? Autant de questions qui, cinquante ans plus tard, demeurent ouvertes.

Le geste de Foucault, qui était d'écrire une histoire structurale *autour* d'un néant, d'en dessiner la périphérie et les contraintes, représente à son tour un « étrange coup de force » en ceci que, pour la première fois, la folie conquiert son statut d'objet épistémologique. Ce faisant, Michel Foucault n'a pas seulement inauguré un champ, sur lequel tous ses adversaires seront bien obligés de marcher, enfermés dans l'orbe dont il a fixé les frontières. Il a proposé, en révélant un impensé et en prenant pour la première fois une position de surplomb, une vision globale dont la particularité est d'être aussitôt devenue, avec une autorité et une persistance inouïes, *princeps*.

---

32. Jacques Derrida, « Cogito et Histoire de la folie », *L'Écriture et la différence*, Seuil, « Points », 1967, p. 51-97. Ce texte est la version légèrement remaniée d'une conférence prononcée au Collège philosophique le 4 mars 1963, publié la même année dans la *Revue de métaphysique et de morale*. La critique de Derrida visait surtout l'interprétation par Foucault de la première méditation de Descartes. Foucault y répondra en 1972, dans un texte en appendice de la deuxième édition d'*Histoire de la folie à l'âge classique*, intitulé « Mon corps, ce papier, ce feu », repris dans *Dits et écrits II*, Gallimard, 1994, p. 245-268.

Érigée en observatoire privilégié de la naissance de l'individu moderne, la folie prend désormais valeur de paradigme, qui révèle l'ambition des gouvernements et le grand dessein du pouvoir. La marge a été ramenée au centre d'un débat, et ce débat n'est, évidemment, rien d'autre que politique, c'est-à-dire relatif aux affaires de l'État et à l'organisation de la société. Dites-moi ce que vous faites de vos fous, et je vous dirai qui vous êtes. Or cette histoire politique, idéologique, Foucault l'arrête à la Révolution, à l'heure même où, à l'intérieur des structures de domination qu'il a mises au jour et qui demeurent tout au long du XIXe siècle, se noue, comme l'ont démontré les travaux de Gladys Swain, une tentative de reprendre langue avec la folie. Mais quelle langue ? Retour à une impasse impeccable : la parole du fou loge dans le discours du psychiatre, qui la retranscrit, et nous la donne à lire dans le maillage serré d'une rhétorique qu'il faut se garder de décoder à la hâte. Car cette captation du savoir par la médecine, qui aurait libéré le fou de ses fers pour mieux l'aliéner à l'intérieur des chaînes de son discours, récidivant ainsi son injonction au silence, est peut-être plus poreuse qu'il n'y paraît d'abord[33].

---

33. Cette assertion vaudrait également pour l'histoire de la sexualité, en particulier de l'homosexualité, qui s'est en partie (mais pas seulement) forgée *par rapport* au discours médical, c'est-à-dire dans ses failles, *contre* lui et *à côté* de lui. Depuis vingt ans, les études gay et lesbiennes ont bien montré que la médecine n'avait pas inauguré ou ordonné ce savoir, mais catalysé un certain nombre de préoccupations, plus complexes qu'on croit. Voir notamment Jonathan Ned Katz, *L'Invention de l'hétérosexualité*, Epel, « Les grands classiques de l'érotologie moderne », 2001 ; George Chauncey, *Gay New York*, t. I, trad. de l'américain par Didier Éribon, Fayard, 2003.

Qui dit monde asilaire, dit presque immanqua-
blement caricature. Entre romantisme et diaboli-
sation, la folie appelle tous les excès de vocabulaire
et de jugement, comme si la sérénité et le camaïeu
n'avaient pas droit de cité dans ce monde corseté
de redingotes et de camisoles, monde en noir et
blanc peuplé d'images, de cris, de misère, où la passion le dispute à la terreur et les bonnes intentions
justifient la coercition. Mais s'élever en détracteur
ou en défenseur, c'est répéter le geste moralisateur
du xixᵉ siècle, assuré de savoir trier le bon grain de
l'ivraie, et jouer la partition toujours recommencée
de la victime et du bourreau. Pour parler de la folie,
et de son rapport à l'Histoire, sans doute convient-
il de s'en remettre à Pantagruel, qui recommandait
à Panurge de prendre le conseil d'un « fol », c'est-
à-dire d'un sage, seul capable de « s'oublier soi-
même, issir hors de soi-même, vider ses sens de
toute terrienne affection, purger son esprit de toute
humaine sollicitude et mettre tout en nonchaloir,
ce que vulgairement est imputé à folie[34] ».

En partant de l'archive seule, sans prétendre
ignorer ces polémiques ou sortir de la dichotomie
qu'elles induisent, j'ai tout simplement voulu tenter
une expérience pour approcher le « nonchaloir »,
non pas plus objective — puisque j'avoue au contraire une méthode de sélection très personnelle —
mais moins systémique, plus attentive à l'origina-

---

34. François Rabelais, *Gargantua et Pantagruel. Le Tiers Livre*, texte
transcrit et annoté par Henri Clouzot, Bibliothèque Larousse, 1919,
p. 97.

lité des délires en jeu, à leur nature et à leur retrans-
cription.

Il n'est pas anodin de remarquer ici que Pinel
préférait nommer « historiettes[35] » les études de
cas qu'il a consignées sa vie durant. En choisissant
ce terme, né de la plume de Mme de Sévigné et qui
renvoie à « un récit écrit ou oral, vrai ou faux, souvent plaisant, sans grande importance[36] », le médecin ne fait pas tant preuve de désinvolture qu'il ne
dit (et prouve) ses intentions de conteur. Malgré le
diminutif dépréciatif (faire des « historiettes » c'est
aussi faire des « manières » inutiles), ces petites
histoires au sens propre supposent une narration,
c'est-à-dire une stratégie, impliquant des failles,
des ratés, des ruses, ouvertes enfin à l'interprétation, prêtant le flanc à plusieurs lectures. Dans ses
trous et ses hésitations, ses axiomes et ses bégaie-
ments, la littérature psychiatrique offre à l'exégète
une matière inépuisable.

Si les mots de la folie parviennent à percer à travers l'enquête, à affleurer à la surface du roman psychiatrique, quelles inquiétudes portent-ils en eux ?
De quel drame ces « paranoïas réformatrices », ces
« monomanies religieuses », ces « délires ambitieux »
sont-ils la trace ou l'écho ? Ce qui frappe d'abord,
c'est la constance des objets ou des thèmes dont
la folie s'empare. On délire Dieu, l'argent, l'amour,
avec les mêmes mots et les mêmes symptômes. La

---

35. Philippe Pinel, *Traité médico-philosophique sur l'aliénation mentale ou la manie*, Richard, Caille et Ravier, an IX [1800], p. 231.
36. Voir *Trésor de la langue française* : http://atilf.atilf.fr/tlf.htm. On
pense également aux *Historiettes* de Tallemant des Réaux.

nature de la *maladie* — qu'elle soit d'origine organique ou non, avérée ou imaginaire — et l'arbitraire
de l'internement ne changent rien à cette perma-
nence des discours et des gestes de l'aliénation.
Conséquences de « chagrins domestiques » ou de
« revers de fortune », des « fatigues de la guerre » ou
des « troubles politiques », ces « petites histoires »
rencontrent bien souvent la grande, et sont la trace
tangible de ses balbutiements.

Dans ces folios fatigués et cette encre qui pâlit,
dont la dégradation donne très concrètement à l'historien la mesure du temps, sa matière première, dia-
loguent les mots de la folie. Eux aussi sont fatigués.
Pour leur rendre leur vigueur, il faut retourner aux
premières heures de la psychiatrie, à son vocabulaire oublié et à l'ambivalence d'un lexique qui repose sur cette grande invention, née de la révolution
pinélienne, qui brisa les chaînes de la contention au
profit d'une nouvelle thérapeutique : le traitement
moral. Moral, c'est-à-dire mental, par opposition à
physique ; moral, c'est-à-dire qui touche aux principes des bonnes mœurs et de la juste conduite, par
opposition à immoral. On devine dès lors la précau-
tion qu'il faut employer pour déplier un savoir dont
la science garderait jalousement le secret, où tous
les mots ont un sens qui, dès l'origine, est double. De
quelle tare caduque relèvent ces conformations
vicieuses ? À quoi se réfère cette forme d'épilepsie
*sans aliénation mais compliquée de mauvais ins-
tincts* ? De quelle altération souffrent ces filles
publiques internées, qui n'ont pas *conscience de
l'indignité de leur état* ? Et comment évaluer ces *habitudes de masturbation* invariablement *déplorables*,

ces aliénés *sournois* qui souffrent d'une *corruption des sentiments* ? Il n'est pas jusqu'au vocabulaire administratif qui ne porte la marque de ce discours à double entente, comme l'illustre le choix d'appeler placements *volontaires* ces ordres d'internement formulés par un tiers (en général, un membre de la famille), par opposition au placement d'office (émanant de l'administration préfectorale). Où s'arrête la norme, où commence l'écart ? Chez les médecins de l'âme, le sain et le malsain marchent sur la même ligne de faille qui sépare le bon du mauvais, le légitime de l'illégitime, le convenable de l'indécent. Ce n'est pas insinuation tendancieuse que de développer la géométrie variable de ces formules de routine. Revenir sur les choix et la construction d'une terminologie d'emblée signifiante, c'est au contraire tenter de comprendre les motivations, les avancées et les échecs de la société bourgeoise et de l'ordre disciplinaire, organisés autour d'un lieu, lui aussi à double sens : l'asile.

Au cœur de l'archive repose le problème infini de la frontière, de l'inframince de la lecture et de l'interprétation : qui parle, qui écrit, qui lit ? Et quels discours ces strates imbriquées produisent-elles ? Si bien qu'utiliser, retourner, étudier ce matériau renvoie systématiquement à une question intime à laquelle, éthiquement, il est impossible de surseoir : la subjectivité, face à sa matière, de celui qui manipule l'archive. Ce papier inerte ne dit rien tant qu'il ne rencontre pas le regard de qui en a désiré la lecture et qui en a eu, en quelque sorte, une intuition préalable. Rappelons cette évidence : c'est la lecture qui fait l'archive, à laquelle on peut tout faire dire (ou presque).

Or lire c'est, entre autres, imaginer. Pendant trois ans, j'ai vu des paysages ramenés aux dimensions d'un asile, j'ai vécu avec les gens qui les traversent, qui racontent, qui soignent, qui y meurent. J'ai été aux douches, je suis rentrée dans les cellules. J'ai regardé sortir les convalescents sans pouvoir les suivre dans leur liberté recouvrée, j'en ai vu un certain nombre, comme d'anciennes connaissances, revenir entre les murs de l'hôpital. J'ai écouté les psychiatres, j'ai pesé leur discours, j'ai pris la mesure de l'immense désarroi qui les saisit souvent. J'ai lu leur œuvre. On ne ressort pas tout à fait indemne d'un tel voyage.

Une méfiance continue a accompagné ce travail. Travailler l'archive (oui, comme la cuisinière la pâte) est, on ne le dira jamais assez, un exercice *physique* de résistance. Résistance contre la fatigue, d'abord, à manipuler des registres de plus de dix kilos, gigantesques in-folio lisibles seulement en position debout, contre la poussière aussi, qui s'immisce avec une détermination inflexible et qui, par transsubstantiation, finit par donner l'illusion au chercheur de devenir lui-même parchemin. Résistance aussi face aux hésitations de la graphie, à ces pleins et ces déliés d'un autre âge, cette orthographe qui se fixe avec une lenteur libre et étudiée, donne lieu à des quiproquos et oblige à fixer le sens d'un texte dans sa visée par ses détails. Résistance enfin contre l'interprétation tentante, contre les a priori inévitables sédimentés par une histoire personnelle, en bref, contre la hâte — malheur aux impatients, catégorie à laquelle, définitivement, j'appartiens. Pressé de découvrir, il faut savoir attendre, parfois longtemps, à force de recopier sans fin comme un âne, que se dessine un tableau cohérent, se construisent les statistiques, se profile une problématique. C'est long, pénible, et gratifiant.

Ce livre est donc le fruit de centaines d'heures sur une source principale : les registres d'observations médicales des grands asiles d'aliénés du département de la Seine[37] au XIXᵉ siècle, à savoir Bicêtre (36 volumes), la Salpêtrière (46 volumes) et Sainte-Anne (27 volumes), auxquels s'ajoutent ceux de Charenton (54 volumes), dans une période comprise entre la Révolution et la Commune. Ce sont les grands livres — au propre comme au figuré — de la misère sociale, où échoue le destin de milliers d'hommes et de femmes, pour beaucoup issus de la classe ouvrière, qui ont souvent tout perdu avant d'avoir perdu la raison. Pour le seul mois de janvier 1818, deux femmes entrent l'esprit « entièrement dérangé[38] » à Charenton pour le même motif : l'aug-

37. Bicêtre et la Salpêtrière, autrefois rattachés au département de la Seine, ne suffisant plus à l'accueil des aliénés, le Second Empire lança une vaste campagne d'édification de nouveaux asiles. Sainte-Anne, établissement central chargé de répartir les malades, inauguré en 1867, en fait partie, au même titre que Perray-Vaucluse (1869), Ville-Évrard (1875), Villejuif (1884), Maison-Blanche (1900), Moisselles (1905) et Chezal-Benoît (1910). Charenton, ancienne charité des Frères de Saint-Jean-de-Dieu, a un statut à part. Fermé à la Révolution avec la suppression des ordres religieux, l'établissement fut récupéré par l'État et devint la Maison nationale de Charenton ; elle rouvrit ses portes en 1797.

38. ADVDM, Maison royale de Charenton, Registre d'observations médicales, femmes, 1818, 4X677, fᵒ 1. En 1817, la Salpêtrière reçut presque le double de son contingent habituel à cause de la disette, d'après Alexandre Brierre de Boismont, « De la loi sur les aliénés »,

mentation du prix du pain, qui leur fait craindre de
ne plus pouvoir nourrir leurs enfants ; la première
sera transférée non guérie à la Salpêtrière, le sort de
la seconde n'est pas connu. Les exemples de ce type
peuvent être multipliés à l'envi tout au long de ce
siècle de misère. Hugo et Zola n'ont rien inventé —
on le savait. En cela, avant même d'aborder la
question de l'articulation des discours idéologique
et pathologique, ces registres sont, dès l'origine,
un observatoire irremplaçable pour comprendre
les conditions de vie au XIXe siècle, et leurs conséquences dramatiques.

Le dépouillement de ces fonds appelle quelques
commentaires d'ordre général. Le premier relève
d'une souffrance, dans tous les sens du terme. Car
ces registres sont lacunaires à plus d'un titre. Le premier volume d'observations médicales de Bicêtre,
par exemple, concernant les dates de 1795-1853, est
inventorié aux Archives de l'Assistance publique
comme « manquant[39] ». Les observations de Pinel
publiées dans son *Traité médico-philosophique sur
l'aliénation mentale ou la manie* sur son expérience à
Bicêtre entre 1793 et 1795, les archives de Charenton
à partir de 1798, les registres de placements volontaires et d'office, commençant en 1838, ne comblent
pas à proprement parler ce manque mais le pallient
en partie. De même, les registres d'observations
médicales de Bicêtre et de la Salpêtrière, asiles éva-

---

   39. Cote 6R1. Mais le volume suivant (6R2) commence en 1847.

cués au cours de la guerre de 1870, n'offrent que des pages blanches pour la période de la Commune. Mais les registres de Sainte-Anne, commentés durant cette période, prennent une manière de relais. Si bien que, chronologiquement, il est pos-sible de rapiécer bon an mal an, avec quelques sautes géographiques, les pans de la période 1793-1871.

Le second trait saillant de cette masse docu-mentaire est, à la fois, son homogénéité et sa dis-parité. Homogénéité, car tous ces documents, de loin, se ressemblent : dates d'entrée, de sortie, état civil, numéros de matricules, diagnostics, anato-mies cadavériques — le cas échéant —, c'est tou-jours le même vocabulaire et les mêmes critères qui reviennent en boucle. Disparité car, de près, ils n'ont rien à voir les uns avec les autres. Cer-tains registres sont incroyablement éloquents, fouillant dans le passé du patient, décrivant ses comportements avec un luxe où le plaisir narratif comme la compassion ont leur part ; d'autres, au contraire, se contenteront d'un sec « Manie. Incu-rable », dont on ne pourra rien tirer. Cette inéga-lité doit beaucoup au médecin en charge du service à la période donnée. Certains s'appliquent, d'autres expédient. Beaucoup ne verront par ailleurs que leur spécialité : Valentin Magnan, par exemple, spécialiste de l'alcoolisme dont les travaux devaient inspirer Zola pour *L'Assommoir*, débusquera un dipsomane avéré ou latent chez tout aliéné. Méfiance, donc. Le chemin est semé de trous, et d'embûches.

Ces variations, dans le temps et la matière, n'obligent pas seulement à la prudence. Elles

rendent très hasardeuses toutes conclusions défi-
nitives, voire toutes statistiques fiables. Comment
évaluer la proportion de délires liés aux événements politiques lorsque certaines hallucinations
sont décrites sur une page, et que, sur la suivante,
le médecin se satisfait d'un « Visions avec stupeur », dont on ne connaîtra jamais le détail ? Les
registres des asiles se prêtent mieux aux lettres
qu'aux chiffres. J'ai donc préféré procéder par son-
dages, fondés sur des moments précis et élaborés,
mieux que par statistiques nécessairement spé-
cieuses et trop imprécises, en faisant néanmoins
exception pour la Commune (18 mars-28 mai
1871), où j'ai tenté de dessiner, sur une durée plus
longue et surtout plus homogène que les révolutions de 1830 (27-29 juillet) ou de 1848 (février et
juin), le diagramme chiffré de l'état civil et du diagnostic, en comparant le tableau des hommes et
celui des femmes.

Ce premier corpus a été croisé avec d'autres
fonds, essentiellement issus des Archives nationales, des Archives de Paris et des Archives de la
préfecture de police de Paris. La bureaucratie possède ce pouvoir sec : recadrer. Elle a été le contre-
point administratif indispensable pour comprendre
la mécanique destinée à régir ces destins qui, pris
dans leur nudité brute, inclinent sans effort vers le
danger qui guette toujours : la fascination senti-
mentale pour le document original, authentique,
qui relate, en prise directe, le désarroi humain, où
bruisserait un monde plus vrai que les autres.

Ce retour à l'origine, à la source, soulève un problème crucial, qui tient principalement au fait que

les archives de la folie ne sont lisibles que du point de vue de la raison, de même que le discours du fou ne nous est livré que par l'interprétation du médecin qui le rapporte. Comment, dès lors, appréhender le discours du fou ? Dépossédée de son langage, réduite à un « résumé » la plupart du temps plus révélateur des obsessions personnelles du psychiatre que des souffrances de son patient, la folie n'a d'expression que détournée ou corrompue à la base. En d'autres termes, l'histoire de la folie ne serait, au fond, qu'une histoire de la psychiatrie, puisqu'elle ne dépendrait que du bon vouloir de celle-ci à nous livrer les éléments de son analyse et de son évolution. Elle se rattache par là à une histoire des illettrés, des anonymes, des exclus, des marginaux, des « sans-voix », où l'historien doit se rabattre sur le discours politique du pouvoir et du savoir pour atteindre son objet et se résoudre à commenter un commentaire, à défaut d'accéder à la source première. La rareté relative des témoignages à la première personne, fussent-ils incohérents ou inintelligibles, la rend comparable en cela à l'histoire de l'homosexualité à ses débuts, où le chercheur est bien obligé de se contenter des ouvrages scientifiques et moralisateurs de la fin du XIXe siècle pour tenter de débrouiller une *certaine* histoire des mœurs. Plus largement, il n'est pas interdit de penser que la recherche de ce discours fantôme s'apparente à toute vaine tentative de captation d'une catégorie abstraite : on ne circonscrit pas plus le discours de l'« homosexualité » que le discours de la « folie » ou celui du « peuple ». Michelet, au soir de sa vie, écrivait : « Je suis né peuple, j'avais le peuple dans le cœur... [...] Mais sa langue, sa langue, elle m'était inaccessible. Je n'ai pas pu le faire parler[40]. »

Malgré toutes ces limitations, les archives des asiles retiennent dans leurs fibres quelque chose d'irremplaçable, dont les imprimés de la même époque sont dépourvus : l'urgence. Lorsqu'il fait sa tournée, le médecin-chef n'a pas de temps à perdre — euphémisme traduit en chiffres par le docteur Leuret, qui avait calculé qu'à Bicêtre il ne pouvait consacrer plus de dix-huit minutes par an à chaque patient[41]. La formule est devenue familière : « *Le médecin passe ; le médecin va passer*. Il passe en effet, et ne peut guère faire autrement, car il n'a pas le loisir de s'arrêter[42]. » Sa spontanéité, qu'il domestiquera dans ses ouvrages savants, la nécessité qu'il éprouve de noter *in vivo* certains détails, ou d'en négliger d'autres, sont donc en soi des éléments d'information irremplaçables sur ses priorités, dont la tyrannie de l'horloge dicte la fraîcheur. Le seul fait, par exemple, que la colonne dévolue au « Traitement moral » dans les registres de Bicêtre est invariablement vide en dit plus qu'un long discours sur la revendication théorique de cette thérapie proprement *intranscriptible*. L'attachement plus disert à certains cas précis, le retour périodique des mêmes symptômes, la rémanence des attitudes ou des mo-

---

40. Jules Michelet, *Nos fils*, cité par Paul Viallaneix dans sa préface à Jules Michelet, *Le Peuple*, GF-Flammarion, 1974, p. 33.

41. François Leuret, *Du traitement moral de la folie*, J.-B. Baillière, 1840, p. 185.

42. Maxime Du Camp, *Paris, ses organes, ses fonctions et sa vie dans la seconde moitié du XIXᵉ siècle*, t. IV, Hachette, 5ᵉ éd., 1875, p. 385.

tifs sont, de même, des renseignements précieux sur l'appréhension de la maladie mentale, qui autorisent à lire comme un palimpseste ces registres où s'enchevêtrent plusieurs voix.

Enfin, à force d'entendre les mots de la folie, d'en repérer les répétitions et les refrains, de scruter les documents — registres, mais aussi plans des asiles, portraits de fous et de psychiatres, vues gravées des salles de douches… —, monte la sensation d'être pénétré, comme par inoculation lente, par un monde a priori très étranger. Par immersion, la familiarité avec les archives ouvre à une intimité avec son sujet, que n'importe quelle autre source sera toujours impuissante à offrir. C'est cette puissance évocatrice de l'archive que j'ai voulu restituer dans ce livre. C'est le plaisir que j'ai éprouvé à découvrir ces pièces endormies que j'aimerais faire partager.

Ensemble, ces documents épars composent une image qui restera toujours fragile, très incomplète, et nécessairement partiale, mais qui permet néanmoins de percevoir des constantes et de débrouiller quelques écheveaux, du moins je l'espère, d'une *certaine* histoire politique de la folie.

I

1793
ou comment perdre la tête

Voici, suivant ma promesse, l'exacte vérité de ce qui s'est passé. Descendant de la voiture pour l'exécution, on lui a dit qu'il fallait ôter son habit ; il fit quelques difficultés, en disant qu'on pouvait l'exécuter comme il était. Sur la représentation que la chose était impossible, il a lui-même aidé à ôter son habit. Il fit encore la même difficulté lorsqu'il s'est agi de lui lier les mains, qu'il donna lui-même lorsque la personne qui l'accompagnait lui eut dit que c'était un dernier sacrifice. Alors il s'informa si les tambours battraient toujours ; il lui fut répondu que l'on n'en savait rien. Et c'était la vérité. Il monta sur l'échafaud et voulut foncer sur le devant comme voulant parler. Mais on lui représenta que la chose était impossible encore. Il se laissa alors conduire à l'endroit où on l'attacha, et où il s'est écrié très haut : *Peuple, je meurs innocent.* Ensuite, se retournant vers nous, il nous dit : *Messieurs, je suis innocent de tout ce dont on m'inculpe. Je souhaite que mon sang puisse cimenter le bonheur des Français.* Voilà, citoyen, ses dernières et ses véritables paroles.

Cet extraordinaire témoignage sur la mort de Louis XVI est signé Charles-Henri Sanson, exécuteur des hautes œuvres. Il a été envoyé au *Thermo-*

mètre du jour pour démentir les propos d'un journaliste qui prétendait tenir de Sanson lui-même
que le condamné, cédant à la lâcheté, aurait crié
par trois fois dans ses derniers moments : « Je suis
perdu ! » Le bourreau ajoute au contraire : « Et,
pour rendre hommage à la vérité, il a soutenu tout
cela avec un sang-froid et une fermeté qui nous
ont étonnés. Je reste très convaincu qu'il avait
puisé cette fermeté dans les principes de la religion dont personne ne paraissait plus pénétré ni
persuadé que lui [1]. » Cette mise au point a été cor-
roborée par une partie de la presse de l'époque,
comme *Révolutions de Paris*, qui livre un récit
analogue et précise ce que la pudeur de Sanson a
préféré omettre : « À 10 heures 10 minutes, sa tête
fut séparée de son corps, & ensuite montrée au
peuple [2]. » L'inhumation a lieu dans le cimetière
voisin de la Madeleine. Les signataires du procès-
verbal confirment que le cadavre, « sans cravate,
sans habits, et sans souliers », « vêtu d'une chemise, d'une veste piquée en forme de gilet, d'une
culotte de drap gris, et d'une paire de bas de soie

---

1. Lettre de Charles-Henri Sanson envoyée à Jacques-Antoine
Dulaure, rédacteur au *Thermomètre du jour*, le 20 février 1793, pour
démentir les propos publiés dans ce même journal le 13 février, citée
par Georges Lenôtre, *La Guillotine et les exécuteurs des arrêts criminels
pendant la Révolution*, d'après des documents inédits tirés des Archives
de l'État, Librairie académique Perrin et Cie, 1910, p. 4 note. Cette
lettre est également reproduite dans le livre de Daniel Arasse, source
essentielle de la première partie de ce chapitre : *La Guillotine et l'imaginaire de la Terreur*, Flammarion, 1987, p. 77.
2. *Révolutions de Paris*, nº 185, 15e trimestre, du 19 au 26 janvier
1793, p. 202. *Le Moniteur universel* affirme que la tête de Louis est
tombée à 10 h 20 mn. Voir la *Gazette nationale ou Le Moniteur universel*, nº 23, mercredi 23 janvier 1793 — L'An 2e de la République
française, p. 242.

gris », a été « reconnu entier dans tous ses membres, la tête étant séparée du tronc[3] ». Sa tête est déposée entre ses jambes, dans une bière ouverte qui, descendue dans la fosse commune, est recouverte de chaux vive et de terre.

« UNE INVENTION UTILE DANS LE GENRE FUNESTE »

En ce lundi 21 janvier 1793, meurt le dernier roi de France. Or le corps du roi, comme l'on sait, est double[4]. À son corps mortel, profane, correspond son corps sacré, symbole dynastique de la monarchie de droit divin. « La nation ne fait pas corps en France. Elle réside tout entière dans la personne du roi[5] », notait Louis XIV, idée résumée par le plus célèbre — et apocryphe : « L'État, c'est moi. » Le roi est un individu doté d'une fonction qui le transcende et qui est néanmoins inscrite dans un corps, rendu inviolable, inaliénable, principe que la

3. *Mémoires de Cléry, de M. le duc de Montpensier, de Riouffe*, avec avant-propos et notes de M. Fs. Barrière, Librairie de Firmin Didot, 1864, p. 14.
4. Roi des Français à l'époque de sa mort, Louis XVI n'en demeure pas moins le dernier à avoir été roi de France, c'est-à-dire héritier de la monarchie de droit divin. Sur le double corps du roi, voir le livre d'Ernst Kantorowicz, *Les Deux Corps du roi : essai sur la théologie politique au Moyen Âge*, trad. de l'anglais par Jean-Philippe Genet et Nicole Genet, Gallimard, 1989.
5. Cité par Pierre-Édouard Lemontey, *Essai sur l'établissement monarchique de Louis XIV*, in *Œuvres*, t. V, Sautelet et Cᵒ éditeurs, Brissot-Thivars libraire et Alexandre Mesnier libraire, 1829, p. 15, d'après le manuscrit d'un cours de droit public que Louis XIV avait fait composer pour l'instruction du duc de Bourgogne.

Constitution de 1791 a d'ailleurs avalisé. Attenter au roi, c'est attenter à la France, raison pour laquelle les régicides méritèrent toujours les plus abominables supplices — l'écartèlement de Damiens est encore dans toutes les mémoires.

C'est pourtant à ce principe intouchable que la guillotine porte un coup fatal en scindant la tête — soit le chef — du corps de l'État à travers la décollation de Louis XVI. Le couperet qui tombe excède, ce jour-là, sa mission ordinaire et illustre sa puissance métaphorique. Il donne à voir, grâce à une image instantanée et dans la monstration d'un flot de sang, la chute, dans un panier, d'un régime politique pluriséculaire. Corps réel, corps symbolique, c'est tout un : la guillotine hypostasie les deux corps du roi par ce démembrement sur la scène publique de l'échafaud, qui met définitivement fin à la tyrannie. La foule, qui criait jusqu'alors à la mort d'un souverain « Le roi est mort ! Vive le roi ! », acclame la décapitation de Louis le Dernier au cri de « Vive la République ! Vive la Nation ! ». Certains trempent la lame d'un sabre, la pointe d'une baïonnette, un mouchoir, dans le sang royal, censé régénérer la nation et sacrer la naissance de la République, désormais entérinée par le spectacle proprement ahurissant d'un corps surnaturel soudain divisé.

La mort de Louis XVI achève de consacrer par ailleurs cette évidence : la théâtralité du pouvoir, naguère confinée à Versailles, s'est déplacée à Paris. La révolution est un drame qui se déroule en public et au grand jour. Dès les premiers temps de 1789, Chateaubriand note l'effervescence des salons, des cafés, de la rue, où tout fait spectacle dans ces « fêtes

de la destruction[6] ». L'échafaud en devient, à partir
de 1792, une des scènes privilégiées. « Le théâtre
de la guillotine, renchérit Louis Sébastien Mercier,
ne manqua jamais d'un cercle de spectateurs[7]. »
Sanson est le grand ordonnateur de ces « messes
rouges », qui attire chaque jour les foules, mues par
la curiosité pour « la pièce nouvelle qui ne pouvait
avoir qu'une seule représentation[8] », selon le mot
cruel de Camille Desmoulins, à quelques mois de sa
propre mort sous le couperet. Les dessinateurs se
postent au pied de l'estrade afin de saisir l'expression des visages devant la mort, dont la mise en
scène publique offre au crayon l'espoir d'en déchif-
frer le mystère ; les gravures se multiplient, qui
montrent à l'envi le bourreau brandissant par les
cheveux la tête sanguinolente. On note les dernières
paroles, on rapporte les attitudes. Les condamnés,
eux, se préparent à leur dernier rôle. Depuis Sainte-
Pélagie où elle est enfermée, l'actrice monarchiste
Louise Contat promet de chanter un couplet de sa
composition en montant au supplice — épreuve que
le sort lui évitera finalement — qui commence par
ces premiers vers : « Je vais monter sur l'échafaud ; /
Ce n'est que changer de théâtre[9]... » Entre la scène

    6. François-René de Chateaubriand, *Mémoires d'outre-tombe*, 2 vol.,
t. I, Gallimard, « Bibliothèque de la Pléiade », 1951, p. 184.
    7. Louis Sébastien Mercier, *Le Nouveau Paris*, t. I, À Brunswick,
chez les principaux libraires, 1800, p. 43.
    8. Camille Desmoulins, *Le Vieux Cordelier*, n° IV, 20 décembre 1793,
reproduit in *Œuvres*, t. II, Charpentier et Cie, 1874, p. 185.
    9. Le couplet se poursuit : « Vous pouvez, citoyen bourreau, /
M'assassiner, mais non m'abattre. / Ainsi finit la Royauté, / La valeur,
la grâce enfantine... / Le niveau de l'égalité / C'est le fer de la guillotine. » Cité par Paul d'Estrées, *Le Théâtre sous la Terreur (théâtre de la
peur), 1793-1794*, d'après des publications récentes et d'après les docu-

et la rue, la distance est abolie. *Révolutions de Paris*
le signifie par ce commentaire qui est aussi un amal-
game saisissant, destiné à suggérer que la vie reprend son cours normal dès l'après-midi en cet
exceptionnel 21 janvier 1793 : « Il n'y eut point
relâche aux spectacles ; ils jouèrent tous : on dansa
sur l'extrémité du pont ci-devant Louis XVI[10]. »

Sous la Terreur, la guillotine est devenue cette
réalité quotidiennement représentée, racontée, colportée par la chanson populaire, qui enchaîne les
refrains sur la veuve, le rasoir national, l'abbaye
de monte-à-regret, le raccourcissement patriotique,
la faux de l'égalité ou l'autel de la patrie. On ne dit
plus : être guillotiné, mais mettre sa tête à la cha-
tière, regarder par le vasistas, éternuer dans le sac.
Les républicaines, soucieuses d'afficher leurs opinions, portent des boucles d'oreilles figurant une
guillotine miniature, d'où se balance, en guise de
pendeloque, une tête couronnée[11]. Victor Hugo
nous dit que le peintre Boze peignait ses filles ado-
lescentes « "en guillotinées", c'est-à-dire décolletées
avec des chemises rouges[12] ». La Terreur passée, on
organisera dans Paris ces fameux « bals des victimes », où les parents de guillotinés se retrouvaient

---

ments révolutionnaires du temps, imprimés ou inédits, Émile-Paul
frères, 1913, p. 302.

10. *Révolutions de Paris*, art. cité, p. 206.

11. Eugène Fontenay, *Les Bijoux anciens et modernes*, Compagnie
générale d'impression et d'édition, 1887, p. 128. Le musée Carnavalet
conserve une paire de boucles d'oreilles semblable, reproduite dans le
cahier hors-texte.

12. Victor Hugo, *Quatrevingt-treize* [1874], Gallimard, « Folio »,
1979, p. 147.

en habits de deuil, un fil rouge au cou, les cheveux coupés ou relevés, pour exorciser, dans une danse macabre servant de catharsis, l'escalade tragique à laquelle Thermidor avait mis fin[13].

Entre propagande, phantasme et humour noir, la machine n'en accomplit pas moins rigoureusement son œuvre dans l'intervalle. Les chiffres varient selon les sources mais on peut estimer entre 2 600 et 3 000 le nombre de guillotinés à Paris, entre mars 1793 et août 1794, sur un total avoisinant les 17 000 exécutions sur l'ensemble du territoire national pendant la même période. Il tombe donc en moyenne 5 têtes par jour dans la capitale sous la Terreur — moyenne à relativiser, lorsque l'on sait par exemple que 68 exécutions ont lieu à la seule date du 7 juillet 1794, avant-veille de la chute de Robespierre[14].

Que la guillotine soit devenue l'« étendard » (Cabanis) de la Révolution et l'emblème auquel on réduira la Terreur ne doit pas surprendre. La Révolution coupe avec le passé, ampute les membres malades du corps de l'État, œuvre à une sécession

13. Joseph Clarke, *Commemorating the Dead in Revolutionary France : Revolution and Remembrance, 1789-1799*, Cambridge, Cambridge University Press, 2007.

14. Voir, entre autres, Donald Greer, *The Incidence of the Terror during the Revolution : A Statistical Interpretation*, Cambridge, Harvard University Press, 1935 ; Jean Tulard, Jean-François Fayard et Alfred Fierro, *Histoire et dictionnaire de la Révolution française*, Robert Laffont, « Bouquins », 1987 ; François Furet, Mona Ozouf et Bronislaw Baczko, *Dictionnaire critique de la Révolution française*, Flammarion, 1992 ; et l'excellent *Portail sur l'histoire de la justice, des crimes et des peines* : http://www.criminocorpus.cnrs.fr/. Ces chiffres ne concernent que les exécutions par la guillotine. On estime par ailleurs à 25 000 le nombre d'exécutions sommaires et à 500 000 le nombre d'individus emprisonnés.

rendue inévitable. Cette nécessité vitale de la rupture, promesse et condition d'un monde réformé, la guillotine, superlativement, l'exemplifie et la résume. Machine moderne, enfantée par les lois de la géométrie et de la gravitation, elle assure une mort égalitaire et démocratique. En cela, elle rompt définitivement avec le système hiérarchisé des peines sous l'Ancien Régime, qui réservait le bûcher aux hérétiques et aux incendiaires, le supplice aux régicides, la pendaison aux criminels et aux voleurs, mais le privilège de la décollation par l'épée aux nobles. C'est pour lutter contre cette inégalité jusque dans la mort que le docteur Joseph-Ignace Guillotin, député à la Constituante, propose le 9 octobre 1789 une nouvelle forme d'exécution capitale, qui soit la même pour tous. Le décret passe le 1er décembre. L'article 6 précise : « Le criminel sera décapité ; il le sera par l'effet d'un simple mécanisme. » Mais, entre la décision et la réalisation, trois ans vont s'écouler. Les révolutionnaires auront débattu moins longtemps sur l'éventualité de l'abolition de la peine de mort en 1789 — abolition dont Robespierre s'avéra le plus ardent défenseur — que sur les modalités et la mise en place de la terrible machine, qui ne voit le jour qu'en 1792.

La France n'a pas inventé ce mode d'exécution, elle en a changé l'échelle de production, en faisant entrer la mort dans l'ère technique et sérialisée. Différents modèles de machines à décapiter, dont la *Diele* en Allemagne au Moyen Âge, la *mannaia* en Italie au XVIe siècle, la *Maiden* en Écosse ou le *Halifax gibet* en Angleterre avaient fait leurs preuves par le passé. L'efficacité de la guillotine la distingue néanmoins de ces prédécesseurs : la mise au point de la « bascule », sur laquelle le condamné est attaché, la création de la « lunette », qui maintient sa tête immobile, enfin la préconisation d'une lame « oblique » mieux qu'en « croissant » rendent son effet « immanquable », selon le rapport remis le 7 mars 1792 par Antoine Louis, son véritable inventeur — ce qui valut à la guillotine d'être un temps surnommée Petite Louison ou Louisette. Comme Guillotin, Louis est médecin. Il est même un chirurgien renommé, secrétaire perpétuel de l'Académie de chirurgie, ce qui fait de lui l'homme tout désigné pour évaluer avec précision les conditions nécessaires à une décollation prompte et assurée[15].

Le rapport accepté, la machine peut être fabriquée. Le menuisier de la Maison du roi ayant proposé un devis trop élevé (5 660 livres), le choix se porte sur un facteur de piano prussien, Tobias Schmidt, dont les prétentions sont nettement plus raisonnables (960 livres). Mais le ministère de l'Intérieur lui refusera le brevet qu'il réclame : « Il répugne à l'humanité d'accorder un brevet d'invention pour une découverte de cette espèce ; nous n'en sommes pas encore à un tel excès de barbarie. Si M. Schmidt a fait une invention utile dans le genre funeste, comme elle ne peut servir que pour l'exécution des jugements, c'est au gouvernement qu'il doit le proposer[16]. » Phrase à double entente :

---

15. Antoine Louis, *Avis motivé sur le mode de décollation*, cité par D. Arasse, *La Guillotine et l'imaginaire de la Terreur, op. cit.*, p. 209.

16. Cité par D. Arasse, *op. cit.*, p. 35-36.

si le pouvoir n'adopte pas la guillotine de gaieté de cœur, il entend bien en faire cette « machine à gouvernement », comme tous les écrits de l'époque la désigneront d'ailleurs. Machine politique donc, œuvrant à une mort réputée indolore mais aussi impersonnelle, où une poulie, une lame en biseau et deux montants tout droit sortis de la talentueuse ingénierie française remplacent la main du bourreau fonctionnaire.

Le premier essai, concluant, sur des moutons vivants et trois cadavres humains a lieu à Bicêtre, au petit matin du 17 avril 1792, en présence, encore, de médecins, dont l'illustre Cabanis. La médecine se penche décidément au chevet de la guillotine. Et ce n'est pas fini. À l'automne 1795, une fois levée la censure sur la presse, *Le Moniteur universel* publie une lettre du docteur Samuel Thomas von Sömmering, anatomiste ayant consacré sa thèse à l'organisation des nerfs crâniens, qui lance une polémique sur l'éventualité d'une survie de la conscience après la décapitation. Se fondant entre autres sur les expériences de Galvani et celles de la persistance de sensation d'un membre amputé, le médecin allemand rapporte des témoignages à propos de têtes qui grinçaient des dents après avoir été séparées du corps et reste convaincu que « si l'air circulait encore régulièrement par les organes de la voix, qui n'auraient pas été détruits, ces têtes parleraient[17] ». La guillo-

17. « Lettre de M. Soemmering à M. Œlsner sur le supplice de la guillotine », *Gazette nationale ou Le Moniteur universel*, 18 brumaire an IV [9 novembre 1795], p. 378. Pour une analyse plus approfondie de ce débat, voir Ludmilla Jordanova, « Medical Mediations : Mind, Body and the Guillotine », *History Workshop*, n° 28, automne 1989, p. 39-52.

tine soi-disant humanitaire est selon lui une barbarie, à laquelle la pendaison, provoquant une mort par « endormissement », demeure nettement préférable.

Il n'en fallait pas davantage pour que le débat s'enflamme. Le journaliste franco-prussien Conrad Engelbert Œlsner, à qui la lettre de Sömmering était adressée, monte en première ligne dans le *Magasin encyclopédique*, où le chirurgien Jean-Joseph Sue — le père du romancier — lui emboîte le pas, avant de rassembler ses notes dans un opuscule sur la question[18]. Les Français s'appuient en particulier sur la mort de Charlotte Corday, décapitée le 17 juillet 1793, et dont la tête sortie du panier, souffletée par un sans-culotte, aurait selon des témoins rougi d'indignation... Rumeur ? Hallucination collective ? Cabale des adversaires de l'Ami du peuple ? Le supposé sursaut posthume de « l'ange de l'assassinat », comme l'appelait Lamartine, alimente les discussions dans la presse lorsque Georges Cabanis, membre du cercle des Idéologues et de la loge maçonnique des Neuf Sœurs au même titre que Guillotin, décide de réagir, en publiant une *Note sur le supplice de la guillotine*, qui viendra clore momentanément la dispute. Pour Cabanis, futur auteur d'un célèbre ouvrage sur les *Rapports du physique et du moral de l'homme* (1802), mobilité et sensation doivent être impérativement dissociées : le poulet

18. C.-E. Œlsner, « Sur le supplice de la guillotine, par le professeur Soemmering », *Magasin encyclopédique*, vol. III, 1795, p. 464-465 ; Joseph Sue, *Opinion du chirurgien Sue, professeur de médecine et de botanique, sur le supplice de la guillotine*, s. l., brumaire an IV.

décapité qui court ne ressent rien. Un être humain dont la tête a été sectionnée au niveau de la moelle épinière et dont les sympathies nerveuses sont abolies ne peut en aucun cas souffrir. Et la rougeur de Charlotte Corday est à renvoyer au rayon des absurdités. Les éventuels mouvements, convulsifs ou réguliers, du corps ou du visage « ne prouvent ni douleur ni sensibilité ; ils dépendent seulement d'un reste de faculté vitale, que la mort de l'individu, *la destruction du moi*, n'anéantit pas sur-le-champ dans ces muscles et dans ces nerfs[19] ».

De l'effervescence de l'été 1789 à la fin de la Terreur, la guillotine aura donc été le lieu des débats les plus vifs et des plus déterminants sur l'évaluation morale, politique et métaphysique de l'individu — celui qui, littéralement, ne peut être divisé. La médecine, sœur de la philosophie, n'y aura pas seulement pris part en accompagnant l'histoire de la guillotine, de sa conception à sa réalisation. D'un bout à l'autre de la chaîne, elle figure comme la discipline instrumentale, organisatrice et commentatrice, qui arbitre la vie et la mort. Elle pose d'emblée les termes du débat : qu'est-ce qu'un supplice ? Que mérite le condamné ? La mort doit-elle être indolore ? La conscience survit-elle à la chair ? Qu'est-ce qu'un « moi » divisé ? C'est à ce lieu-là, précisément, que naît la médicalisation de la folie, soit l'invention de la psychiatrie[20].

---

19. Pierre-Jean-Georges Cabanis, *Note sur le supplice de la guillotine*, an IV [1796], réimpr., Orléans, À l'Orient, 2007, p. 60. C'est moi qui souligne.

20. La prise en charge des fous à l'époque n'ayant pas de terminologie fixe, j'utilise le mot « psychiatrie » par commodité, consciente de l'anachronisme, le mot n'étant attesté en français qu'à partir de 1842.

UN MÉDECIN AU CHEVET
DU CORPS DE L'ÉTAT

21 janvier 1793. Au pied de l'échafaud, un citoyen en uniforme assiste à l'événement. Il est membre de la section des Piques, au même titre que Robespierre et le marquis de Sade, et a été convoqué pour escorter la voiture qui doit transporter Louis Capet de la prison du Temple à la place de la Révolution. Le jour même, il écrit à son frère : « C'est à mon grand regret que j'ai été obligé d'assister à l'exécution, en armes, avec les autres citoyens de ma section, et je t'écris le cœur pénétré de douleur, et dans la stupeur d'une profonde consternation. » Après un récit analogue à celui du bourreau Sanson, il ajoute : « Louis a été attaché à la fatale planche de ce qu'on appelle la guillotine, et la tête lui a été tranchée sans qu'il ait eu presque le temps de souffrir, avantage qu'on doit du moins à cette machine meurtrière, qui porte le nom d'un médecin qui l'a inventée [21]. » Ce citoyen qui a tôt épousé les idéaux de la Révolution et qui se déclare « loin d'être royaliste » est lui-même médecin. C'est Philippe Pinel, le fondateur de la psychiatrie française.

Pinel connaît bien le fonctionnement de la guillotine et « le médecin qui l'a inventée ». D'après

---

21. *Lettres de Pinel*, précédées d'une notice plus étendue sur sa vie, par son neveu le Dr Casimir Pinel, Victor Masson, 1859, p. 10.

le témoignage de Talma, il était même présent à Bicêtre, lors du premier essai sur des cadavres humains, en avril 1792, aux côtés de Cabanis, Louis, et Guillotin[22]. Ce dernier, du moins de nom, lui est familier : en 1784, Pinel a publié dans son *Journal de santé* le rapport de Bailly à propos du débat sur le magnétisme animal, où Guillotin est cité ; sans doute l'a-t-il croisé, avec Cabanis, dans le salon de Mme Helvétius à Auteuil, foyer des Idéologues, qu'il fréquente.

Cette rencontre inattendue entre le mythique libérateur des aliénés et la décapitation de Louis XVI excède la simple anecdote. De même que la naissance de la psychiatrie coïncide exactement avec l'invention de la guillotine relève davantage de la corrélation historique que du hasard, y compris sémantique, comme le suggère le double sens, propre et figuré, de l'expression « perdre la tête[23] ».

---

22. François-Joseph Talma, *Mémoire de J.-F. Talma*, écrit par lui-même et mis en ordre sur les papiers de sa famille par Alexandre Dumas [1849], Montréal, Le Joyeux Roger, 2006, p. 219. Voir également Paul Bru, *Histoire de Bicêtre*, Lecrosnié et Babé, 1890, p. 87.

23. Double sens familier sous la Révolution. On se souvient du mot fameux de Rivarol, à propos du gouverneur de la Bastille : « M. de *Launay* avait perdu la tête avant qu'on la lui coupât » (Rivarol, *Journal politique-national*, n° 16, 1789, p. 4). La contiguïté sémantique et phantasmatique de la guillotine et de la folie donnera lieu à une curieuse anecdote, bien connue des typographes, qui mérite d'être rapportée à titre de curiosité : « M. X avait écrit deux volumes sur le traitement des aliénés. Le second volume se terminait par une citation du docteur Pinel. M. X, ayant remarqué à l'épreuve que cette citation manquait de guillemets, écrivit au bas de la dernière page : *Il faut guillemetter tous les alinéas*. Quelle ne fut pas sa stupéfaction en lisant, quelques jours après, en belles italiques, cette phrase qui terminait son ouvrage : *Il faut guillotiner tous les aliénés*. Il bondit, pâlit, et fut presque fou pendant vingt-quatre heures » (L. Grange, « Les coquilles », *L'Ouvrier*, n° 397, 5 décembre 1868, p. 256).

Si éloignées que puissent être la prise en charge des fous et la décollation des ennemis de la Révolution, l'élaboration d'une discipline de soins et la fabrication d'une machine de mort, la psychiatrie et la guillotine partagent de s'attacher à la relation de la tête et du corps, de leur lien ou de leur divorce, de l'intégrité du moi et de la conscience. Toutes deux ont été conçues et engendrées par le corps médical, toutes deux participent d'un projet politique, visant à réformer l'humanité et assainir la société.

Mais de quand date l'invention de la psychiatrie française — si une telle naissance peut seulement être arrêtée dans le temps ? Une date en symbolise les débuts : le 16 mars 1790, jour de la promulgation de la loi abolissant les lettres de cachet, qui autorisaient le pouvoir à enfermer quiconque par placet de la famille ou sur ordre du roi. L'article 9 de la nouvelle loi précise le statut des supposés « déments » :

> Les personnes détenues pour cause de démence seront, pendant l'espace de trois mois, à compter du jour de la publication du présent décret, à la diligence de nos procureurs, interrogées par les juges dans les formes usitées, et, en vertu de leurs ordonnances, visitées par les médecins qui, sous la surveillance des directeurs de district, s'expliqueront sur la véritable situation des malades, afin que, d'après la sentence qui aura statué sur leur état, ils soient élargis ou soignés dans les hôpitaux qui seront indiqués à cet effet.

« Cette décision de la première Assemblée révolutionnaire circonscrit toute la problématique moderne de la folie[24] », commente Robert Castel à raison. Avec la suppression de l'arbitraire royal et la délégation des pouvoirs à la justice (procureurs et juges), à l'administration (directeurs de districts) et à la médecine, le fou hier à incarcérer sans autre forme de procès devient un citoyen à évaluer et un malade à soigner. Ce geste de la Révolution, qui change le statut de la folie — mais ne la libère pas pour autant —, s'inscrit en réalité dans un mouvement amorcé par l'Ancien Régime. Dès 1784, la circulaire de Breteuil, ministre de la Maison du roi, avait réglementé et limité l'usage des lettres de cachet. L'année suivante, Jean Colombier et François Doublet avaient publié leur *Instruction sur la manière de gouverner les insensés et de travailler à leur guérison dans les asiles qui leur sont destinés*, où ils recommandaient l'établissement de quartiers spécialisés dans chaque dépôt de mendicité et où ils jetaient les bases de l'asile moderne. Cette brochure de 45 pages, qui se voulait un cri d'alarme sur la situation des fous incarcérés dans les maisons de force, avait été diffusée dans tout le royaume. Jacques Tenon, dans ses *Mémoires sur les hôpitaux de Paris*, publiés en 1788, reprendra en partie cette thèse dans son chapitre consacré aux maniaques curables soignés à l'Hôtel-Dieu — les incurables végétant en prison ou dans des maisons de charité —, dont il révèle les conditions de vie déplorables[25].

24. Robert Castel, *L'Ordre psychiatrique. L'âge d'or de l'aliénisme*, Éd. de Minuit, 1976, p. 9.

25. Jean Colombier et François Doublet, *Instruction sur la manière de gouverner les insensés et de travailler à leur guérison dans les asiles qui leur sont destinés*, Imprimerie royale, 1785 ; Jacques Tenon, *Mémoires*

Outre l'Hôtel-Dieu, Paris compte alors une dizaine de maisons privées, dans les faubourgs de la capitale, qui prennent en charge les insensés. Parmi elle, la pension Belhomme, faubourg Saint-Antoine, accueille comme médecin consultant un certain Philippe Pinel.

Paris n'a guère souri à ce provincial originaire du Languedoc, reçu docteur en médecine à Toulouse en 1773 et qui, après avoir poursuivi ses études à Montpellier, décide en 1778 de tenter sa chance dans la capitale, où il ne rencontre que « bassesses et intrigues » et comprend que sa carrière sera toujours limitée par un « défaut de fortune[26] ». D'une taille inférieure à la moyenne et d'un physique austère, Pinel, maladroit, timide, trop réservé pour briller en société, souffre de surcroît d'une difficulté à s'exprimer dont il ne se départira jamais : sa voix est faible, sa diction pénible, hachée[27]. Cet homme, qui allait consacrer sa vie à restaurer chez les aliénés « la chaîne régulière des idées » — l'expression revient en boucle dans ses écrits —, à rétablir la cohérence du raisonnement et la fluidité du discours, était bègue ; un de ses élèves témoigne même qu'il ne pouvait pas dire « deux mots sans hoqueter[28] ».

---

sur les hôpitaux de Paris, Imprimerie de Ph.-D. Pierres, 1788, p. 211-220.

26. Lettre à son frère, 8 décembre 1778, in *Lettres de Pinel, op. cit.*, p. 37.

27. Ces détails sont révélés par Casimir Pinel (*Lettres de Pinel, op. cit.*, p. 29), son neveu, peu suspect de vouloir dénigrer son oncle, qu'il tenait en grande admiration.

28. P.-B. Bailly, *Souvenirs d'un élève des Écoles de santé de Strasbourg et de Paris*, publiés par René-Simon Bailly, Strasbourg, 1924, p. 16.

Sans doute en partie à cause de sa timidité et de ce handicap, Pinel échoue dans ses trois tentatives à la Faculté pour obtenir un prix réservé aux étudiants pauvres, se voit refuser la charge de médecin auprès de Mesdames les tantes du roi malgré la recommandation du médecin de Louis XVI, et se résigne à vivre de cours particuliers de mathématiques, de rédaction d'articles et de traductions. En 1784, après avoir renoncé à partir pour l'Amérique, il accepte deux occupations : la direction de la *Gazette de santé*, dont il était déjà l'un des rédacteurs, et l'emploi chez Belhomme, où il commence à s'intéresser à l'aliénation mentale et à élaborer un « régime moral » destiné à les guérir.

La mort d'un ami, « conduit à la manie par un excès d'enthousiasme pour la gloire » (1783), et « l'insuffisance de tous les remèdes [29] » pour le sauver, déterminent en grande partie sa décision de se consacrer à cette nouvelle branche de la médecine. Grand lecteur des Anciens, passionné par l'hygiène et la nosologie, Pinel a déjà accumulé une immense culture, qu'il perfectionne en traduisant les *Institutions de médecine pratique* de l'Écossais Cullen. La maison Belhomme, qui lui offre un terrain d'observation, n'est pourtant pas le lieu dont il aurait pu rêver d'abord. Le directeur, soucieux de conserver le plus longtemps possible une clientèle riche, se désintéresse, voire entrave les traitements qu'il préconise.

---

29. Ph. Pinel, *Traité médico-philosophique sur l'aliénation mentale ou la manie, op. cit.*, p. 50-51. Toutes références ultérieures à cette édition seront abrégées *infra* par la mention : Pinel, *Traité...* [1800].

Lorsque la Révolution éclate, Pinel a déjà quarante-quatre ans. L'Ancien Régime l'a négligé sinon humilié ; sa carrière stagne, empêchée, et médiocre. On devine l'espoir que fait naître en lui l'avènement de la liberté. Admirateur de Montesquieu, lecteur de Rousseau et ami de Condorcet, il souscrit aux idées nouvelles avec un enthousiasme sans mélange.

Une étude a montré que la corporation médicale était restée largement étrangère aux affaires publiques jusqu'en 1789. Aucun médecin ne figurait par exemple dans la liste des notables convoqués en 1787, ni dans les assemblées provinciales. Ils seront 17 à l'Assemblée constituante — dont Guillotin —, 22 à la Législative, 39 à la Convention. L'essor moderne de la corporation est indissociable de la tourmente[30]. Pinel ne sera jamais député mais il s'engage publiquement. Pénétré de son rôle social, l'aliéniste, qui se dit philosophe, se veut homme des Lumières conjuguant médecine et politique. C'est ce que démontre, entre autres, un article de sa main publié dans le *Journal de Paris* du 18 janvier 1790, où le médecin file avec entrain la métaphore du « corps politique » et du « corps de l'individu ».

La politique influe directement sur la santé, dit-il en substance, son impact est observable par le médecin dans ses consultations quotidiennes. Or tous les « régimes » ne sont pas bons pour l'organisme humain. L'Ancien aurait provoqué de

30. Dr Constant Saucerotte, *Les Médecins pendant la Révolution*, Perrin et Cie, 1887.

graves dysfonctionnements dans la population, plongée dans une léthargie morbide : « [L]e corps dépérissait dans l'inaction par les progrès de la mollesse & du luxe, & l'activité inquiète de l'esprit humain ne pouvait plus être soutenue ; de là la fréquence inouïe de ce qu'on appelle maux de nerfs & toutes les affections spasmodiques […]. » La foule d'affections catarrhales ou chroniques qu'il a diagnostiquées serait ainsi à mettre sur le compte d'un « pouvoir arbitraire », qui a déréglé les corps et les esprits, rendus malades par le système monarchique. Mais la Révolution est advenue et le cours de l'Histoire a changé. « Une année s'est à peine écoulée, & tout a pris une face nouvelle. » La « commotion » révolutionnaire a étendu ses bienfaits, et le clinicien a été le premier à reconnaître « les effets salutaires des progrès de la liberté ». Une énergie neuve a gagné les caractères et donné à l'« économie animale » le ressort qui lui manquait. « "Je me porte mieux depuis la révolution", entend-on dire à plusieurs personnes que cette expression honore ; & comment, en effet, des jouissances puisées dans la nature bien ordonnée & qui semblent dilater & épanouir l'âme, pourraient-elles ne point ranimer les fonctions organiques des viscères & ne point pénétrer, comme par une vertu électrique, le système des nerfs & des muscles d'une vie nouvelle ? » Autrement dit, c'est bien le politique qui agit sur le mental, lequel agit explicitement sur le physique, conclusion dont on mesure la portée chez le futur aliéniste : Pinel a toujours privilégié, dans l'origine de la folie, les « causes morales », dont l'action sur l'épigastre renvoyait l'information au cerveau.

Passé ce fervent début, Pinel nuance néanmoins son propos, tout en poursuivant son raisonnement. Le réveil de la liberté, accompagné d'inévitables manifestations de violence, a aussi eu, il faut bien l'admettre, quelques « effets nuisibles » — convulsions, angoisses, aboutissant parfois au suicide — sur les « cœurs pusillanimes & souvent ingénieux à se tourmenter ». Les femmes, victimes de leur excès de sensibilité, seraient les premières à succomber à ces suffocations, ces maux de têtes accompagnés de spasmes et de tremblements, sous le coup « de la consternation & de l'effroi ». « J'omets d'ailleurs, ajoute-t-il prudemment, de parler des saisissements profonds qu'ont dû généralement produire quelques scènes sanguinaires & atroces. » Mais que l'on ne s'y trompe pas : les « effets variés des passions humaines » se mesurent « suivant la disposition du cœur, la sphère de l'entendement, & le choc des intérêts ». La folie vient exagérer des sentiments nobles ou méprisables présents dès l'origine, mieux qu'elle ne crée de toutes pièces un délire en quelque sorte exogène. Pinel distingue ainsi deux espèces de folies, correspondant en réalité à une forme de manie et de mélancolie qui, avec la démence et l'imbécillité, constituent les quatre grandes catégories de la maladie mentale :

> La première consiste dans une certaine extase de prospérité publique, & un amour de la patrie porté jusqu'au délire, comme les visions de ce fou qui s'est fait annoncer à l'Assemblée nationale, à titre de

Député du Père Éternel, pour la relever de ses fonctions & donner de nouvelles loix à la France ; ce qui constitue l'autre espèce de folie ou plutôt le dernier degré de mélancolie est un sombre abattement de l'âme avec des alternatives de terreur, ou une fureur emportée avec des imprécations violentes contre les ennemis de l'État. L'Auteur d'une brochure qui vient de paraître m'a assuré, d'après des recherches faites dans les Paroisses, qu'on compte à Paris un grand nombre de fous de plus qu'à l'ordinaire[31].

Se porte-t-on vraiment mieux depuis la Révolution ? La conclusion de Pinel semble infirmer ses préalables et enthousiastes suggestions. Le regain d'énergie injecté dans l'« économie animale » par les idées nouvelles s'accompagne en tout cas, entre exaltation et accablement, de désordres manifestes de l'esprit et du comportement.

L'idée, a priori, relève du bon sens : quelle âme resterait froide devant le bouleversement de toutes les institutions et le soulèvement d'un peuple décidé à se libérer de la tyrannie ? De la rue à la tribune, comment ne pas être affecté par le formidable spectacle de la fin d'un monde ? Entre juillet 1789 et janvier 1790, soit en cinq mois, les Français ont vu la naissance d'une Assemblée constituante, l'abolition des privilèges et du régime féodal, la nationalisation des biens du clergé, l'adoption d'une Déclaration des droits de l'homme, l'élaboration d'une division du territoire en départements et districts. La France demeure une monarchie, mais la souveraineté du peuple réside désormais aux mains de la Nation,

31. Philippe Pinel, « Variété », *Journal de Paris*, 18 janvier 1790, p. 70-72.

dans un pays où tous les hommes naissent libres et égaux en droit, au sein d'un espace réformé. En province, les soulèvements paysans de la « Grande Peur », les innombrables émeutes au Mans, à Rennes, Lille, Strasbourg, Cherbourg, Colmar, Lyon, Rouen, Bayeux, Besançon, Marseille, Orléans, Versailles, Ajaccio et la Martinique, les jacqueries de Bretagne, du Périgord et du Quercy sèment la panique. Quant aux Parisiens, ils ont assisté à l'incendie de 40 des 54 barrières d'octroi du fameux mur des Fermiers généraux, à la prise de la Bastille et à la décollation de son gouverneur dont la tête a été promenée au bout d'une pique, à l'encerclement de la capitale par les troupes du roi. Le peuple a acclamé Louis XVI arborant la cocarde tricolore au balcon de l'Hôtel de Ville, mais moins de trois mois plus tard « le boulanger, la boulangère et le petit mitron » ont été contraints de revenir dans la capitale sous les quolibets de la foule. Les princes ont émigré, le monarque est tenu sous surveillance aux Tuileries. Désacralisation et défaite d'un système, réinvention d'une société : on conçoit que la tempête s'abatte sous les crânes.

Mais quelles évidences en a-t-on ? Aucune, bien sûr. L'organisation administrative de l'aliénation mentale en France, qui aboutira à la fameuse loi de 1838, n'est pas encore entamée, et la Révolution, pour l'heure, a plus urgent à régler qu'à compter ses fous. Par ailleurs, le caractère extra-ordinaire des événements ne focaliserait-il pas indûment l'attention ? Où sont les statistiques, en temps de calme politique, pour démontrer les ravages sournois, souterrains, d'une gouvernance inique mais sans soubresauts observables ?

Quoi qu'il en soit, cette mention par Pinel d'une augmentation de la folie en période révolutionnaire est la première d'une longue série, qui va parcourir, tel un serpent de mer, tout le XIXᵉ siècle, avec un sévère effet d'accumulation jusqu'à la Commune, ultime héritière accablée de tous les maux additionnés de 1793, 1830 et 1848. En 1790, Pinel se contente de rapporter le contenu d'une étude, sans autre forme de précision ni de jugement. D'ailleurs, d'une façon générale, l'aliéniste restera toujours très prudent sur la corrélation *directe* entre insurrection et trouble mental, pour des raisons qui tiennent aussi bien de la circonspection scientifique que de l'opportunisme politique.

Toujours en 1790 paraît dans le *Journal gratuit* un article de la même encre patriotique, intitulé « Réflexions médicales sur l'état monastique[32] ». Le 13 février, l'Assemblée avait décrété la suppression des ordres monastiques et l'abolition des vœux. Le 12 juillet, elle votait la loi sur la constitution civile du clergé, réforme de l'Église qui passait sous le contrôle de l'État, exigeant de ses nouveaux « fonctionnaires publics ecclésiastiques » qu'ils prêtassent serment à la Constitution. Dans ce contexte de vives tensions et de déchirements religieux, l'objectif de Pinel est sans ambiguïté : apporter sa caution professionnelle à une décision politique dont il entend

---

32. Philippe Pinel, « Réflexions médicales sur l'état monastique », *Journal gratuit*, t. IX, n° 6, 1790, p. 80-93.

démontrer qu'elle relève de la salubrité publique. L'homme est fait pour vivre en société, dit-il, et c'est au médecin de soustraire les moines et les religieuses soumis à l'influence funeste de leurs supérieurs entêtés, qui les engagent à respecter leurs vœux malgré la loi. « La folie met souvent le comble au désordre de l'entendement, déclare-t-il, & quel est le Monastère qui n'en offre point chaque jour de malheureux exemples ? » Décrit comme un « lugubre tombeau » où s'étiole « le Cénobite apathique », le monastère (ou le couvent) concentrerait des « maux sans nombre » qu'il s'agit néanmoins de nommer. Tout l'intérêt de la démonstration de Pinel reposera donc sur son efficacité à *traduire* les exigences de la vie mystique en termes cliniques.

Pinel s'attache d'abord à la méditation et aux « divers degrés de *la vie intérieure* », ou plutôt aux « vrais symptômes de la mélancolie dévote ». Après l'« épanchement spirituel » et le calme procuré par l'« *Oraison de quiétude* », l'âme contemplative passe à un troisième stade « de délire ou de sainte ivresse », où elle se trouve assaillie « d'illusions ou de visions comme surnaturelles » (autrement dit d'hallucinations), avant d'accéder à l'« extase », qui est une « espèce de Catalepsie ».

> Le visage des extatiques offre d'abord un air attentif & stupéfait ; leurs yeux sont fixes & immobiles ; les membres résistent à une impulsion étrangère, comme dans la catalepsie ; le sentiment de la douleur est presque nul quand on les frappe ; leur pouls est grand, étendu, égal ; leur respiration lente & interrompue, comme celle d'un homme qui est hors d'haleine ; on leur entend marmotter quelques pa-

roles confuses ; vers la fin de cette espèce d'accès, leur visage est rouge & fleuri, comme quand on sort d'un profond sommeil, & on leur observe un léger sourire ; mais l'âme reste dans une espèce d'imbécillité durant laquelle on ne parle que de merveilles & de prodiges ; les veilles, les jeûnes, les prières affectueuses, la lecture des livres ascétiques, ou le spectacle des personnes frappées des mêmes maladies amènent par degrés les âmes ardentes à cet état d'exaltation.

On reconnaît sans peine la phase précisément dite « cataleptique » de l'hystérie, telle que la décrira Charcot un siècle plus tard. Pinel, d'ailleurs, prend soin d'énumérer les gradations mystiques, observées dans bien des situations analogues : l'ivresse des créateurs, l'isolement des grands penseurs, les délires provoqués par les fièvres malignes ou les drogues, le somnambulisme, ou encore « l'état de ravissement produit par certaines attaques de vapeurs ou par des accès d'hystérie [33] ».

Dès lors qu'elle est décrite avec une précision toute médicale, puis assimilée à d'autres états de la vie civile ordinaire — y compris organiques comme les fièvres —, la vie mystique se trouve dépouillée de son mystère et de son aura. Pinel rationalise, banalise, désacralise. Il fait en cela œuvre « moderne » contre l'obscurantisme de l'Ancien Régime. Le Moyen Âge avait ses possédés du démon. La Révolution, qui ne croit pas aux miracles, déjoue les extatiques de Dieu.

Les deux autres points qui retiennent l'attention de Pinel sont la sédentarité de la vie claustrale et

33. *Ibid.*, p. 85.

les vœux d'abstinence sexuelle, constituant le versant matérialiste et structurel de sa démonstration. En 1788, Pinel avait déjà eu l'occasion de livrer à la *Gazette de santé* une « Observation sur les suites funestes d'une vie sédentaire et d'une contention d'esprit trop forte et trop longtemps retenue[34] ». Le sujet lui tient à cœur. En refusant au corps l'entraînement physique dont il a besoin et en lui interdisant l'exercice des passions qui épanouit l'âme, les règles de la vie monastique provoquent, en particulier chez les religieuses, « les maux les plus invétérés des viscères, les attaques d'hystérie, les pâles couleurs, les engorgements lymphatiques, les squirres [*tumeurs dures*] de la matrice » ou ses « suffocations ». Sans compter que, pour lutter contre la tentation, les couvents n'hésiteraient pas à recourir à « toutes les petites recettes, les drogues mystérieuses, & les rafraîchissans multipliés » qui délabrent l'estomac et la santé des « jeunes Néophytes saines & robustes ». Entre pensée magique et charlatanisme, le couvent comme le monastère n'ont pas leur place dans le siècle de la Raison.

À l'appui de ses observations, fondées sur l'expérience, Pinel termine avec l'exemple d'un jeune religieux auquel il a prodigué ses soins, ce qui est aussi pour lui l'occasion de donner un aperçu de ses méthodes. Assailli par « les images les plus séduisantes de la volupté » et victime d'écoulements spermatiques, ce « jeune cénobite » lutta de nombreuses années, sans succès, contre l'ardeur de son tempéra-

---

34. *Gazette de santé*, n° 7, p. 25-26.

ment. Les fortifiants, les calmants et « d'autres frivoles moyens auquel le Médecin est toujours réduit,
quand il n'a de ressource que dans la Pharmacie »,
échouèrent les uns après les autres. « Je le demande
à tout homme qui n'a point renoncé au don de la
raison, s'exclame ici Pinel, le mariage n'était-il point
le remède unique indiqué par la voix de la nature ;
mais cette voix était étouffée par un engagement
téméraire, & il fallut se borner à prescrire d'autres
moyens. » Or ces autres moyens forment la base de
la méthode pinélienne, fondée sur un retour à la nature, la régulation du mode de vie et l'injonction à
un travail mécanique, dont il ne variera pas. Consoler le patient en adoptant un ton bienveillant, veiller
à l'hygiène, prescrire une alimentation équilibrée,
de longues promenades et, surtout, le travail quotidien de la terre de façon soutenue : ces règles
simples auraient rendu au moine sommeil et santé,
tout en éloignant ses démons et sa mélancolie. Mais
les soins pour soulager « ces malheureux Solitaires »
ne sont-ils pas devenus inutiles « puisque le vrai
remède a été déjà prescrit par l'Assemblée Nationale[35] », qui a voté l'abolition des vœux ? En d'autres
termes, les lois ont valeur d'ordonnances et la mission de l'État, qui est de veiller au corps social, se
confond avec celle du médecin, dont le devoir est de
s'ériger à l'occasion, comme ici, en instance de légi-
timation du pouvoir politique.

Pinel s'est engagé avec foi dans la Révolution. Cet
article, pourtant, peut avoir de quoi surprendre. Le

---

35. *Ibid.*, p. 91.

jeune Pinel n'a-t-il pas, à dix-huit ans, porté lui-même soutane ? Séminariste interne chez les Pères de la doctrine chrétienne, ne s'est-il pas inscrit chez les Pénitents bleus, où il figure comme « clerc tonsuré[36] », mention dont il fait suivre sa signature à cette époque ? N'a-t-il pas suivi assidûment entre 1767 et 1770, à l'université de Toulouse où il est candidat au doctorat en théologie, les cours du père Jacques Bourges, celui-là même qui avait exhorté Jean Calas à abjurer sa foi protestante à l'heure de son supplice en 1762 ? Ce n'est qu'à vingt-cinq ans qu'il abandonne finalement cette voie pour préférer celle de la médecine. Décision tardive, mais capitale, à la suite de quoi, d'après sa biographe Dora B. Weiner, Pinel aurait perdu la foi. On ne peut néanmoins faire l'économie de lire ses « Réflexions Médicales sur l'État Monastique » en relation avec cette (longue) période de jeunesse, dont les souvenirs lui ont d'ailleurs peut-être fourni des arguments à charge, dans son enthousiasme de converti à la Révolution…

Ses opinions politiques vont pourtant évoluer, et son ardeur tiédir. L'invasion des Tuileries, le 20 juin 1792, le consterne : « [S]i le représentant héréditaire de la nation n'est point respecté, écrit-il à son frère

---

36. Voir à ce sujet l'article de Dora B. Weiner, « Philippe Pinel (1745-1826) clerc tonsuré », *Annales médico-psychologiques*, vol. CXLIX, n° 2, 1991, p. 169-173. Être « clerc tonsuré », précise l'auteure, ne signifiait pas être engagé dans les ordres mais seulement bénéficier d'une prébende. Rappelons également que Pinel décorera plus tard sa maison de Torfou, dans le Maine-et-Loire, d'une suite de tableaux représentant la vie de saint Bruno. Voir Thierry Gineste, *Le Lion de Florence. Sur l'imaginaire des fondateurs de la psychiatrie, Pinel (1745-1826) et Itard (1774-1838)*, Albin Michel, 2004.

Louis, il n'y a alors plus de gouvernement, plus de corps social, et il ne resterait plus qu'à s'entre-égorger, les uns les autres [37]. » Les massacres de Septembre le remplissent d'horreur et d'effroi. En novembre, il conseille cependant à son frère, curé de son état, de recommander aux gens des campagnes « d'éviter les excès périodiques dans la boisson, de tourner ailleurs leur activité par des fêtes patriotiques et des assemblées civiques [38] ». L'exécution de Louis XVI, à laquelle il assiste en armes, lui donne l'occasion de faire un premier bilan :

> Tu sais que, dans les premiers temps de la révolution, j'ai eu aussi cette ambition [*de faire de la politique*], mais ma vie, ainsi que celle de mes confrères, a été tellement en danger lors même que je ne demandais que la justice et le bien du peuple, j'ai conçu une si profonde horreur pour les clubs et les assemblées populaires, que je me suis, depuis cette époque, éloigné de tous les postes publics qui ne se rapportent point à ma profession de médecin. [...] En qualité de médecin et de philosophe, habitué à méditer sur les gouvernements anciens et modernes et sur la nature de l'homme, je ne prévois qu'anarchie, que factions, que guerres désastreuses, même pour les vainqueurs, et certainement je connais bien maintenant ce pays-ci [*Paris*], et toute la valeur de tant de pygmées qui font un si grand bruit [39].

Le citoyen Pinel est républicain. Mais l'engrenage de la violence écœure l'homme modéré des Lumières. Pourquoi, dès lors, fait-il partie de la

---

37. Lettre à son frère, 7 juillet 1792, in *Lettres de Pinel, op. cit.*, p. 53.
38. *Ibid.*, p. 56.
39. *Ibid.*, p. 12. Lettre du 21 janvier 1793.

garde nationale et de la section des Piques en 1793 ?
N'est-ce pas un décret de la Terreur qui le nomme,
le 6 août 1793, médecin de Bicêtre ? L'opportunisme
politique de Pinel a souvent été avancé par les historiens à propos de cette période. L'ensemble de ces
contradictions et de ces paradoxes idéologiques
ne serait-il pas à même d'éclairer les motivations
du fameux inventeur du « traitement moral »,
méthode située à l'articulation même du médical et
du politique, dont Pinel a suffisamment souligné la
solidarité et la fraternité ? Son mémoire intitulé
« Observations sur la manie pour servir l'Histoire
naturelle de l'homme », présenté en décembre 1794
et considéré comme le document fondateur de la
psychiatrie française, mérite d'être lu dans cette
perspective dialectique, où il est loisible d'établir
une relation en miroir entre les convictions politiques de Pinel et sa méthode thérapeutique. Car le
chantre zélé des idées nouvelles, assistant le cœur
en berne à la mort du roi, l'ancien clerc tonsuré célébrant la suppression des vœux monastiques, est le
même homme qui préconisera la consolation et domination, bienveillance et intimidation, dans les
soins à prodiguer aux fous.

Fort de son expérience chez Belhomme et, surtout, de sa première année à Bicêtre qui devait exercer sur lui une si grande influence, Pinel entreprend
de décrire pour la première fois de façon approfondie ce qu'est la folie : en substance, une maladie de
la sensibilité, dont les causes sont à chercher dans
les tourments de l'existence — deuil, désespoir, jalousie, amour de la gloire, excès d'études ou de
dévotion. Deux catégories de manie sont obser-

vables : l'une chronique ou continue, l'autre inter-
mittente avec accès. Deux formes seulement doivent
être regardées comme incurables : les bouffissures
de l'orgueil et le fanatisme religieux — passions qui
peuvent faire figure de symboles de l'aristocratie et
du clergé.

Affection la plupart du temps momentanée,
curable, ayant son siège dans les passions, la folie,
susceptible de s'introduire chez tout homme sain,
n'est plus, sous la plume nuancée de Pinel, cette
fatalité ou cette malédiction qui corromprait inté-
gralement l'esprit. En ce sens, Pinel marque ce basculement capital d'une conception kantienne de la
folie comme Autre de la raison à une vision hégé-
lienne de la folie, considérée comme un « dérangement de l'esprit », une simple « contradiction dans la
raison encore présente [40] » — à l'image de la maladie
physique entrant en contradiction avec la santé
mais ne l'abolissant pas totalement comme dans la
mort.

L'idée de manie doit être loin de porter avec elle
celle d'un renversement total des facultés de l'enten-

---

40. G. W. F. Hegel, *Encyclopédie des sciences philosophiques*, t. III,
La Philosophie de l'esprit, § 408, trad. et annoté par Bernard Bourgeois,
Vrin, 1992, p. 213. Dans le même passage, Hegel rend hommage à
l'inventeur du traitement moral en ces termes : « Ce traitement humain,
c'est-à-dire tout aussi bienveillant que rationnel — *Pinel* mérite la plus
haute reconnaissance pour les mérites qu'il s'est acquis à son sujet —,
présuppose le malade comme un être rationnel et a là le point d'appui
ferme par lequel il peut le saisir suivant ce côté, de même que, suivant
la corporéité, il l'a dans la vitalité, qui, comme telle, contient encore en
elle de la santé. » Michel Foucault, qui rapporte cette phrase dans son
Histoire de la folie à l'âge classique (*op. cit.*, p. 501), a supprimé la phrase
entre tirets. Voir également Gladys Swain, *Dialogue avec l'insensé*,
Gallimard, 1994, p. 1-28.

dement; le désordre au contraire n'attaque le plus souvent qu'une faculté partielle comme la perception seule des idées, le jugement, le raisonnement, l'imagination, la mémoire ou la sensibilité morale. Un fou qui est mort cette année et qui se croyait Louis XVI était un exemple vivant de la non-conformité des idées avec les objets qui les faisaient naître, puisqu'il voyait dans toutes les personnes qui entraient dans l'hospice autant de Pages ou des Gardes du corps qui venaient recevoir des ordres [41].

Les fous ne délirent pas continûment, ni sur tous les objets, mais gardent un substrat de raison, que le médecin doit s'employer à réveiller. Comment? La deuxième partie de son texte consiste à évoquer sa méthode, influencée par la psychiatrie anglaise: le traitement moral. Évoquer seulement. Car Pinel ne s'est jamais étendu théoriquement sur ce fameux traitement, qu'il préfère toujours illustrer par l'exemple. Il en répétera souvent les règles de base: écouter, consoler, rassurer, distraire le patient de l'objet exclusif de son délire; préférer toujours la bienveillance et la douceur à la brutalité; éviter la répression; proscrire la violence physique, jusqu'à la dernière extrémité possible. Excellents principes en vérité, qu'il ne viendrait à personne l'idée de lui reprocher. Un an après son arrivée à Bicêtre, grâce à ses soins et à l'attention portée à l'alimentation et à l'hygiène, la mortalité, qui était de plus de 60%

---

41. Philippe Pinel, « Observations sur la manie pour servir l'Histoire naturelle de l'homme », cité par Jacques Postel, *Genèse de la psychiatrie. Les premiers écrits de Philippe Pinel*, Institut Synthélabo / Les Empêcheurs de penser en rond, 1998, p. 235. Jacques Postel a été le premier à publier l'intégralité de ce document, avec ses variantes. Je ne me servirai que de cette édition.

en 1788, aurait d'après lui chuté à 14 %. Ce chiffre suffirait à montrer les progrès accomplis par la Révolution dans les asiles — et à faire ressortir, par la même occasion, les coutumes barbares de l'Ancien Régime.

Le traitement moral consiste d'abord à protéger l'aliéné, puis à le mettre en confiance, phase préalable d'une thérapie qui comporte un autre volet de taille : l'intimidation. Car il s'agit bien de réprimer la folie, mais sans porter la main sur elle, en adoptant « une voix foudroyante », « le ton le plus imposant et le plus inébranlable », et en employant au besoin la force de dissuasion (dépêcher plusieurs infirmiers en même temps pour impressionner le patient, par exemple). La conclusion du médecin est même spectaculaire : « Un des grands principes du régime moral des maniaques est donc de rompre à propos leur volonté et de les dompter non par des blessures et des travaux violents, mais un appareil imposant de terreur qui puisse les convaincre qu'ils ne sont point les maîtres de suivre leur volonté fougueuse et qu'ils n'ont rien de mieux à faire que de se soumettre[42]. » Rompre, dompter, soumettre : le programme est sans ambiguïté. Et il repose sur un *appareil imposant de terreur*.

---

42. *Ibid.*, p. 245. C'est moi qui souligne. Sous la Restauration, Esquirol rappellera : « On a pensé que le traitement moral appliqué aux maniaques consistait à raisonner, à argumenter avec eux : c'est une chimère. [...] Le traitement moral consiste à s'emparer de leur attention. Quoique ces malades soient audacieux, téméraires, ils se laissent facilement dominer » (Esquirol, « Manie », *Dictionnaire des sciences médicales*, vol. XXX, Panckoucke, 1818, p. 464).

Comment Pinel, lui le détracteur des excès de la Révolution et le prosateur si scrupuleux, a-t-il pu établir le cœur de son système philanthropique de soins sur un mot aussi incandescent que celui de *terreur*? On m'opposera qu'isoler et s'arrêter de la sorte sur un mot ou une expression a quelque chose de spécieux. Que la formule fait partie du vocabulaire contemporain, et d'une rhétorique martiale en vogue. C'est précisément pour cela que ce choix est intéressant: il ne doit rien au hasard historique. La richesse sémantique du mot « terreur[43] » (infligée et subie, synonyme d'effroi mais aussi de méthode de gouvernement à travers des lois coercitives, le plus souvent assimilée à la justice dont le glaive doit épouvanter les méchants) convient en réalité idéalement à l'ambivalence des débuts de la psychiatrie, de sa structure et de ses options idéologiques. Pinel appartient, en termes symboliques s'entend, à un comité de salut public médical d'une république de la Raison qui combat la folie — des tyrans comme des insensés. Mais la lutte que le médecin a engagée contre le fou, sous l'emprise d'une passion dominante qui corrompt son bon sens, doit se faire avec l'homme raisonnable qu'il demeure *aussi* ou plutôt malgré lui. Comment concilier, au sein du traitement moral, l'« appareil imposant de terreur » et la volonté affichée d'un dialogue avec l'insensé? Cette contradiction innerve toute l'histoire du traitement

43. Voir Annie Jourdan, «Les discours de la terreur à l'époque révolutionnaire (1776-1798). Étude comparative sur une notion ambiguë », *French Historical Studies*, 36, I, 2012, et Jean-Clément Martin, *Violence et révolution : essai sur la naissance d'un mythe national*, Seuil, 2006.

moral, pris entre le démon de la domination et l'ambition d'une communication avec le fou, qui aboutira à l'échec que l'on sait. Faut-il interpréter cette
défaite comme l'incompatibilité d'un programme
idéologique collectif et d'un tête-à-tête avec la singularité de la folie, dont seul à ce jour le dispositif psy-
chanalytique, à travers le transfert, l'écoute flottante
et la neutralité bienveillante, semble avoir vraiment
tenu compte ?

Il existe un autre texte de Pinel à cette époque,
intitulé « Observations sur l'hospice des insensés
de Bicêtre ». Il est, pour ainsi dire, en tout point
identique au mémoire sus-cité, hormis quelques
infimes variantes. La plus importante est la suivante. Pinel a remplacé la phrase : « C'est le plus
souvent en outrepassant les vertus et en exagérant
les penchants généreux et magnanimes que
l'homme est conduit du libre exercice de la raison
à la folie » par : « Chaque contrecoup de la révolution amène à l'hospice des insensés, des *patriotes
purs* qui on été poussés en sens contraire par le
choc des partis et c'est ainsi qu'on y a vu arriver
après le neuf thermidor un des chefs de l'artille-
rie parisienne [44]. » Le patriotisme de Pinel, lui,
s'accorde avec une lecture de l'asile comme
modèle du jacobinisme centralisé, où les aliénés
sont *gouvernés* et l'ordre maintenu par une *police
intérieure*, sous la direction d'un seul homme qui
concentre tous les *pouvoirs*.

44. Philippe Pinel, « Observations sur l'hospice des insensés de
Bicêtre », cité par J. Postel, *Genèse de la psychiatrie, op. cit.*, p. 232.
C'est moi qui souligne.

Cet homme seul qui dirige les insensés et leur impose le ton du commandement n'est pas, comme on l'a écrit et on le croit souvent, le médecin. C'est le surveillant, qui se charge de la besogne, sous la direction intellectuelle de l'homme de l'art. Pinel est très clair à cet égard :

> Un des points capitaux de tout hospice bien ordonné, est d'avoir un centre général d'autorité qui décide sans appel, soit pour maintenir l'ordre parmi les gens de service, soit pour exercer une juste répression sur les aliénés turbulents ou très agités, soit pour déterminer si un aliéné est susceptible d'une entrevue demandée par un de ses amis ou de ses proches : ce juge suprême doit être le surveillant de la police intérieure, et tout est dans la confusion si le médecin ou tout autre préposé a la faiblesse de céder à des réclamations qui lui sont adressées, et à mettre sa volonté et ses ordres en opposition avec ceux du même chef[45].

Dans la plupart des études de cas publiées par Pinel, c'est bien le surveillant, bras armé du philosophe médecin, qui joue le premier rôle, prend l'initiative, intervient, rassure, corrige et contient les aliénés. Il se nomme, à Bicêtre, Jean-Baptiste Pussin. Pinel a plusieurs fois reconnu sa dette envers cet homme, ancien patient écrouelleux qui, de soigné, deviendra soignant et ne sortira plus des limites de l'hôpital. D'une stature imposante

---

45. Philippe Pinel, *Traité médico-philosophique sur l'aliénation mentale*, 2ᵉ éd. entièrement refondue et très augmentée [1809], présenté et annoté par Jean Garrabé et Dora B. Weiner, Les Empêcheurs de penser en rond, 2005, p. 243. Toutes références ultérieures à cette édition seront abrégées *infra* par la mention : Pinel, *Traité…* [1809/2005].

et d'un caractère autoritaire, cet ancien tanneur de Lons-le-Saulnier, qui invente sans le savoir le métier d'infirmier psychiatrique, a une idée bien arrêtée du traitement à imposer aux fous, dans l'emploi Saint-Prix, le quartier qui leur est réservé, dont il a été nommé gouverneur en 1785. Pussin y a mis en pratique ce que Pinel devait théoriser par la suite : subjuguer le patient, le contrôler sans violence, sous la férule d'une voix forte, nette et sans hésitation. C'est à lui que l'on doit la fameuse « libération » des aliénés de leurs chaînes, après le départ de Pinel pour la Salpêtrière, en 1795[46].

Bicêtre, à l'aube de la Révolution, est un enfer. Louis Sébastien Mercier, dans son *Tableau de Paris*, en donne cette description saisissante : « Ulcère terrible sur le corps politique ; ulcère large, profond, sanieux, qu'on ne saurait envisager qu'en détournant les regards. Jusqu'à l'air du lieu, que l'on sent à quatre cents toises, tout vous dit que vous approchez d'un lieu de force, d'un asile de misère, de dégradation, d'infortune[47]. » Quarante ans plus tard, la situation semble identique, sous la plume de Victor Hugo :

46. La réhabilitation du rôle de Pussin est relativement récente. Voir, entre autres, Dora B. Weiner, « The Apprenticeship of Philippe Pinel : A New Document, "Observations of Citizen Pussin on the Insane" », *American Journal of Psychiatry*, vol. CXXXVI, n° 9, septembre 1979, p. 1128-1134 ; Jack Juchet, « Jean-Baptiste Pussin, "Médecin des folles" », *Soins Psychiatrie*, n° 142-143, août-septembre 1992, p. 46-54 ; Michel Caire, « Pussin, avant Pinel », *L'Information psychiatrique*, vol. LXIX, n° 6, 1993, p. 529-538 ; et Marie Didier, *Dans la nuit de Bicêtre*, Gallimard, « L'un et l'autre », 2006.

47. Louis Sébastien Mercier, *Tableau de Paris* [1788], La Découverte, « Poche », 1998, p. 79-80.

Vu de loin, cet édifice a quelque majesté. Il se déroule à l'horizon, au front d'une colline, et à distance garde quelque chose de son ancienne splendeur, un château de roi. Mais à mesure que vous vous approchez, le palais devient masure. Les pignons dégradés blessent l'œil. Je ne sais quoi de honteux et d'appauvri salit ces royales façades ; on dirait que les murs ont une lèpre. Plus de vitres, plus de glaces aux fenêtres ; mais de massifs barreaux de fer entrecroisés, auxquels se colle çà et là quelque hâve figure d'un galérien ou d'un fou.

C'est la vie vue de près[48].

Prison, hôpital et hôtel-Dieu (réservé aux pauvres), la lugubre bâtisse entasse sous ses voûtes, dans des conditions déplorables, 4 000 personnes, dont 200 fous, idiots, imbéciles, déments ou épileptiques, enchaînés, mêlés aux vagabonds, aux criminels, aux galeux, aux vénériens. Les insensés, à leur arrivée, reçoivent un uniforme dont ils ne changeront pas : un frac, une culotte de tiretaine grise, des bas, un bonnet et des sabots. Les plus dangereux ou les plus récalcitrants sont mis au carcan, garrottés avec des cordes, sur des planches scellées dans le mur. D'autres couchent à même le sol ou sur un grabat, dans les 173 loges de 2 mètres carrés du rez-de-chaussée, dont la porte est pourvue d'un guichet tout juste assez large pour faire passer les aliments. Le froid, l'humidité rongent les murs et les os. La nourriture est infecte, l'air irrespirable, le sol jonché d'ordures. Bicêtre est une poubelle, oubliée du monde, à une lieue de la capitale, où l'on se bat

---

48. Victor Hugo, *Le Dernier Jour d'un condamné* [1829], « La Bibliothèque Gallimard », 2000, p. 102.

la nuit pour arracher une couverture à son voisin, au milieu des cris et des lamentations, où, le jour, on végète sur de la paille pourrie, quand on ne peut pas errer dans la cour. Les gardiens, qui vendent les petits ouvrages en paille confectionnés par les fous à leurs heures perdues, s'amusent du manège de la folie, excitent les plus furieux pour mieux les rouer de coups ou les livrer au voyeurisme des nombreux visiteurs venus jouir, moyennant quelques liards, du spectacle des convulsionnaires, observés derrière leur fenêtre grillagée[49]. Une commission, nommée en 1790, visite les lieux et demande : « Y a-t-il une méthode curative adoptée pour la folie ? » L'économe interrogé répond : « Non. Tous les foux envoyés à Bicestre y restent *in statu quo*, jusqu'à ce qu'il plaise à la nature de les favoriser[50]. »

---

49. Voir P. Bru, *Histoire de Bicêtre, op. cit.*, p. 157 et *passim*. Sur les visiteurs de Bicêtre, voir Mirabeau, *Observations d'un voyageur anglais sur la maison de force appellée Bicêtre*, s. l., 1788, p. 6-9.

50. « Réponses aux questions de M. de Jussieu, lieutenant de Maire au département des hôpitaux, jointes à sa lettre, en date du 12 avril 1790, concernant la maison de Bicêtre », cité par Alexandre Tuetey, *L'Assistance publique à Paris pendant la Révolution*, t. I, *Les Hôpitaux et hospices*, Imprimerie nationale, 1845, p. 237. L'influence de Jean-Baptiste Pussin commence cependant à se faire sentir à cette époque, puisque l'économe ajoute : « Toutes les fois qu'un fou n'est pas furieux ou dangereux, il a la liberté de se promener, tout le jour, dans les cours de l'emploi. Ils sont traités tous avec la plus grande douceur, même dans leurs accès de fureur. » La même question (« Y a-t-il une méthode curative adoptée pour la folie ? »), adressée à la Salpêtrière, attira cette réponse : « Il y a très peu qui recouvrent leur raison naturellement, et point du tout par le secours des remèdes, puisqu'on n'en administre point à la Salpêtrière » (*ibid.*, p. 275). On consultera avec profit l'article de Michel Caire, « Pussin, avant Pinel », *L'Information psychiatrique*, vol. LXIX, nº 6, 1993, p. 529-538, où figurent notamment cinq procès-verbaux inédits, entre 1786 et 1788, qui montrent que Pussin jouait un rôle de conseil auprès des autorités légales pour permettre la sortie de fous ayant recouvré la raison.

LES « ÉVÉNEMENTS
DE LA RÉVOLUTION »

Lorsqu'il arrive à Bicêtre en septembre 1793 pour prendre ses fonctions, Pinel se met au travail et dresse un tableau des 200 fous qu'il a sous sa garde, élaboré à partir des renseignements que lui fournit Pussin. Pour 80 patients, il parvient à isoler les « causes occasionnelles connues » de leur folie, regroupées en quatre grandes catégories :

Chagrins domestiques

Des dérangements de fortune, de jalousie, le divorce forcé, la perte de quelque enfant chéri, sont souvent des causes de la manie et on compte à Bicêtre 27 fous de cette espèce.
[Soit 33,75 %]

Amour

On en compte 8 devenus fous par une trop grande sensibilité morale et 5 par la fougue du tempérament. Ces derniers se livrent à des actes indécents à la vue des femmes.
[Soit 10 %]

Dévotion ou fanatisme

On en compte 18 dont les uns se croient des dieux ou des prophètes, d'autres se livrent à des actes puérils de religion et quelquefois se laissent exténuer par l'abstinence et le jeûne.
[Soit 22,5 %]

Événements de la Révolution

Il y en a 27 dont la raison a été aliénée par les
événements de la Révolution, soit par des renver-
sements de fortune soit par la crainte de la réqui-
sition ou autres accidents[51].
[Soit 33,75 %]

Notons que ce classement, qui n'est ni alphabé-
tique ni numérique, place en dernier une catégorie
qui mériterait quantitativement d'être placée en
tête, surtout si l'on considère qu'elle en recoupe au
moins deux autres : les « dérangements de fortune »
sont en général imputables au chaos révolutionnaire, le divorce — forcé ou non — date du 20 septembre 1792. Par ailleurs, combien sont tombés
dans une dévotion excessive ou dans le fanatisme à
la suite des lois sur l'assermentation des prêtres ou
la suppression des vœux monastiques ? Si difficiles
à mesurer soient-ils, ces traumatismes dus à des
bouleversements juridiques et politiques peuvent
néanmoins figurer à titre de conséquences indi-
rectes, voire de dommages collatéraux de la Révolution.

Dans la première édition de son *Traité médico-
philosophique sur l'aliénation mentale ou la manie*
parue en l'an IX (1800), Pinel affine cette évaluation, élaborée cette fois sur 113 cas. Elle pourrait
se traduire par le tableau suivant, calqué sur le
modèle du premier :

51. Philippe Pinel, « Tableau général des fous de Bicêtre au nombre
d'environ 200 », cité par D. B. Weiner, *Comprendre et soigner, op. cit.*,
p. 143.

Chagrins domestiques :	34 [soit 30 %]
Amour :	24 [soit 21 %]
Dévotion ou fanatisme :	25 [soit 22 %]
Événements de la Révolution :	30 [soit 27 %][52]

Dieu, l'argent, l'amour : on ne s'étonnera pas de retrouver les trois objets majeurs et rituels des délires, qui traversent toute l'histoire de la psychiatrie. En revanche, l'inclusion confirmée des « événements de la Révolution » comme l'une des quatre causes majeures d'aliénation mentale, mérite qu'on s'y arrête, en ceci qu'elle signale, pour la première fois, l'apparition des troubles politiques comme catégorie *pertinente* dans l'étiologie de la folie. Et que ces malades d'un nouveau type comptent, selon les estimations de Pinel, pour un tiers (33,75 %) à un quart (27 %) des aliénés dont le mal est identifiable à Bicêtre — proportions considérables, qui justifieraient cette exclamation du médecin : « Quelle époque d'ailleurs plus favorable que les orages d'une révolution, toujours propres à donner une actualité brûlante aux passions, ou plutôt à produire la manie sous toutes ses formes[53] ! »

---

52. J'ai établi ce tableau à partir des informations suivantes : « Dans le recensement des aliénés que je fis à Bicêtre l'an 3 de la République, je reconnus que les causes déterminantes de cette maladie sont le plus souvent des affections morales très vives [...]. Sur 113 aliénés sur lesquels j'ai pu obtenir des informations exactes, 34 avaient été réduits à cet état par des chagrins domestiques, 24 par des obstacles mis à un mariage fortement désiré, 30 par des événements de la révolution, 25 par un zèle fanatique ou des terreurs de l'autre vie » (Pinel, *Traité...* [1800], p. 106).

53. Pinel, *Traité...* [1800], p. 9.

Certes, l'origine de la maladie gît toujours dans les passions. Mais que celles-ci soient désormais assimilées à un moment politique précis et soient si nommément caractérisées constitue un tournant qui n'est pas sans ironie. La Révolution invente la folie moderne ou du moins jette les bases de son organisation administrative et de son traitement médical, en se reconnaissant, pour une large part et dans le même mouvement, à la source même de ses ravages. Elle soignerait donc ce qu'elle aurait contribué à créer, sinon à étendre. Car la question corollaire est bien sûr de savoir si la Révolution a révélé un groupe particulier d'aliénés et/ou si elle a provoqué une augmentation du nombre de fous.

Selon les chiffres communiqués par Jean-Baptiste Pussin, la folie, du moins à Bicêtre, aurait diminué selon une courbe presque continue au cours de la Révolution, les admissions passant de 142 en 1787 à 67 en 1797, soit une baisse de plus de la moitié en dix ans. Cette chute spectaculaire est cependant faussée par le fait qu'à partir de 1791 ne furent envoyés au septième emploi dont Pussin avait la charge que les fous réputés incurables, les plus calmes étant redirigés vers l'hospice. La disette, qui augmenta de façon drastique la mortalité, invalide de surcroît des estimations impossibles à établir[54].

Reste maintenant à comprendre les conditions d'émergence des « événements de la Révolution »

54. « Observations du citoyen Pussin sur les fous », AN 27 AP 8, publié par D. B. Weiner, « The Apprenticeship of Philippe Pinel », art. cité.

comme possibles inducteurs de troubles mentaux et comment ils se traduisent dans le délire et dans le quotidien de l'asile. Que nous disent-ils, entre les lignes, des rapports entre l'idéologique et le pathologique ?

Soulever cette question, c'est revenir à ce moment de la sensibilité préromantique, où émergent l'individu moderne et le sujet politique, dessinés par le Rousseau de *La Nouvelle Héloïse*, des *Confessions* et, bien sûr, du *Contrat social*. Or cet homme nouveau, qui délaisse le projet encyclopédique pour saisir l'ordre du monde à travers sa subjectivité, qui s'identifie aux personnages du roman psychologique et fonde l'introspection comme moyen de connaissance, est désormais un citoyen pourvu de droits dans un monde qui bascule, par un transfert de souveraineté, de la verticalité monarchique (Dieu, le roi, ses sujets) à l'horizontalité démocratique (le peuple, la nation). Ce choc entre la naissance de l'individu moderne et du peuple souverain décide de tout le XIXe siècle, marqué par l'invasion du politique dans la sphère privée et l'implication croissante des hommes et des femmes dans les affaires de la cité.

Impossible à évaluer dans ses impacts sur les cœurs et les esprits, cette révolution politique des mœurs s'observe dans l'évolution sociale d'un geste : le suicide. Une éclairante étude de Dominique Godineau a ainsi récemment montré que, s'il est matériellement impossible d'affirmer que le nombre de suicidés s'est accru au cours du XVIIIe siècle, le suicide à Paris est devenu, comme la folie, un sujet public d'inquiétudes, évoqué, décrit, commenté. Sans chiffres vérifiables, la société a le « sentiment » que le suicide augmente — un pic se dessine en effet en l'an II et l'an III, lié à la crise économique — et qu'il est en rapport avec la situation politique — ce dont témoignent les rapports entre 1789 et 1795 conservés aux archives de la police. Ainsi une domestique, à qui les troubles ont « tourné la tête », se précipite dans un puits le 17 juillet 1789 ; un ancien militaire se tue en l'an II, affligé à l'idée « de passer pour suspect » quand une femme se jette à l'eau parce que, dit-elle, elle est « femme d'émigré ». Ces exemples de suicidés, désespérés par la violence révolutionnaire ou jurant de mourir « républicains et démocrates[55] » en confiant leur âme à l'Être suprême, appartiennent à la même société que les internés de Bicêtre. L'ancien sujet d'une monarchie abstraite est devenu un citoyen engagé dans la tourmente — y compris à son corps défendant —, et le politique un objet de préoccupation, sinon de hantise, dont la rue se fait chaque jour l'écho.

À ces suicides liés à l'éveil d'une nouvelle conscience politique répond la mort volontaire, tentée ou accomplie, d'innombrables dirigeants : Clavière, Roland, Condorcet, Barbaroux, Buzot, Pétion, Roux, Robespierre le Jeune, Lebas, sans compter les derniers Montagnards de 1795. De même, la folie pourrait bien être partagée, entre responsables et victimes, et avoir deux faces. Les

---

55. Voir Dominique Godineau, « Pratiques du suicide à Paris pendant la Révolution française », *French History and Civilization*, vol. I, 2005, p. 126-140.

massacres de Septembre ou l'« élargissement »
de la princesse de Lamballe, dans une escalade de
l'horreur, ne font-ils pas figure de folie collective ?
Lecointre-Puyraveau n'a-t-il pas demandé, lors
de la séance du 21 mars 1793 de la Convention
nationale, que Marat soit déclaré « en état de
démence[56] » ? L'accélération de la Terreur, culmi-
nant dans une frénésie paranoïaque et une série
d'exécutions sommaires, contribuera largement à
cette assimilation triviale de la Révolution à un
vent de folie.

Que la formidable libération des énergies sous la
Révolution ait favorisé l'effervescence des esprits
et le désordre des comportements ne fait de doute
pour personne. Mais de là à prononcer à tout-va le
diagnostic de « folie » prouve, s'il en était besoin,
l'inquiétante élasticité d'un mot dont la culture populaire, toutes tendances politiques confondues,
s'est très vite emparée à des fins de propagande
idéologique. En témoigne ce conte monarchiste
paru en mai 1793, intitulé *Voyage du Diable et de
la Folie comme causes des Révolutions*, où Lucifer
et son affreuse compagne, inféodée au ministre
Insania, appellent au crime et à toutes les scéléra-
tesses[57]. Les révolutionnaires ne sont pas en reste,
qui diffusent de leur côté de pédagogiques es-

---

56. P.-J.-B. Buchez et P.-C. Roux, *Histoire de la Révolution française
ou Journal des Assemblées nationales depuis 1789 jusqu'en 1815*, t. XXV,
Paulin Libraire, 1836, p. 135.
57. *Voyage du Diable et de la Folie comme causes des Révolutions de
France, Braband, Liège & autres*, Imprimé dans la Lune, Mai 1793, l'an
quatrième du Règne des Cannibales & se trouve chez la pluspart des
Libraires en Europe.

tampes, montrant, ici, à l'occasion de la suppression des vœux monastiques, un moine et une religieuse s'embrassant sur l'autel de l'amour, avec ce titre : « L'Erreur et la folie nous avoit jette [*sic*] dans des cloîtres, mais la raison nous rend au monde » ou, là, ce fou aux oreilles d'âne, brisant le cercle qui l'enveloppe et foulant aux pieds des récoltes, baptisé « L'Athéisme[58] ». Dans la grande série des combats majuscules entre Progrès et Barbarie, Humanité et Tyrannie, l'époque pouvait-elle seulement éviter ce face-à-face si « naturel » entre Raison et Folie ?

On devine combien cette banalisation de la folie, fût-elle allégorisée, contient de dangers, en ce qu'elle vide le politique de son sens et de son dessein, brouille ses motifs en renvoyant son action à un délire qui, dès lors qu'il est exonéré de sa responsabilité pour cause d'aliénation, ne peut plus être pensé. Citer la folie au tribunal de l'Ancien Régime ou de la Terreur, c'est abdiquer devant l'analyse de leur programme méthodique et refuser d'examiner la violence concertée de leur geste. C'est le contraire du politique.

Quel est, dans ce contexte, le réel de la déraison en 1793 ? Quels sont les cris qui s'échappent de l'asile et de quoi sont-ils le symptôme ? C'est à Pinel qu'il faut s'en retourner encore, inévitable interprète de la grande crise révolutionnaire. « J'ai toujours mis, écrit-il, un grand prix à la Séméiolo-

---

58. *Collection de Vinck. Inventaire analytique*, t. II, *La Constituante*, Imprimerie nationale, 1914, p. 513, et t. III, *La Législative et la Convention*, Imprimerie nationale, 1921, p. 681.

gie[59]. » Ce terme qui recouvre l'étude des symptômes cliniques désigne aussi, dans sa graphie moderne de sémiologie, l'analyse des systèmes de signes et de communication. Observer, transcrire : deux démarches indémêlables, auxquelles l'aliéniste porte un soin particulier, dans le sillage d'Hippocrate, dont il admire la précision, la pureté du style et le laconisme de rédaction[60]. Clinicien sagace, Pinel est aussi un fin rédacteur, aux talents réels de conteur. En quelques mots, il brosse un portrait, décrit une situation, saisit un trait de psychologie. Il a, comme tout un chacun, son lexique d'élection et ses tics. Parmi les plus insistants, figurent en bonne place dans son *Traité* la « chaîne des idées », l'« ordre » (de l'asile, de l'esprit, de la raison) et le « désordre » (des sens, des organes, des idées mais aussi « scène de désordre », « nature de leur désordre », « désordres physiques ») et, dans les registres de la Salpêtrière, la « révolution », synonyme de bouleversement physiologique (celui de l'« écoulement menstruel »), parfois employé dans des expressions telles que « délire suite de révolution d'avoir vu un homme pendu » ou « elle a éprouvé une révolution à la mort de son enfant[61] ».

Pinel a passé dix-neuf mois à Bicêtre (1793-1795), réservé aux hommes, et vingt-cinq ans (1795-1820) parmi les folles de la Salpêtrière. Pour-

59. Pinel, *Traité...* [1809/2005], p. 62.

60. Pinel et Bricheteau, article « Observation », *Dictionnaire des sciences médicales*, Panckoucke, vol. XXXVII, 1819, p. 33.

61. AAP-HP, Salpêtrière, Registre des mutations (1791-An XIII).

quoi, dès lors, les hommes tiennent-ils une place si écrasante dans son *Traité* de 1800, réédité en 1809 ? La première édition était surtout composée d'anciens articles, il est vrai. Mais, neuf ans plus tard, Pinel est médecin à la Salpêtrière depuis déjà quatorze ans. Le volume a grossi de deux cents pages, où les femmes sont certes plus présentes, mais pour être cantonnées le plus souvent à des considérations générales — proportions de célibataires, durées moyennes de traitement et autres ratios de récidives. Les cas particuliers, eux, franchissent très sporadiquement le seuil de la publication : point de portraits détaillés, et de trop rares « historiettes ». L'aliénation touchait pourtant, de l'aveu même de Pinel, deux fois plus de femmes que d'hommes[62], phénomène lié à la pauvreté et au contrôle exercé sur les prostituées et les « débauchées », très nombreuses à la Salpêtrière. Ces filles publiques, mendiantes, vieillardes en démence sénile, qui souvent ne savent ni lire ni écrire, sans statut sinon de dépendre de la masse informe des indigentes, n'appartiennent pas, individuellement, à l'Histoire.

Aux femmes, donc, les généralités, les statistiques et les probabilités ; aux hommes, le récit particulier, caractérisé. Le goût de Pinel pour la narration l'attache prioritairement aux drames personnels des aliénés, au pittoresque de leurs attitudes ou de leurs harangues à l'intérieur de l'asile, au récit didactique de leur traitement — y compris

---

62. Philippe Pinel, *Nosographie philosophique*, 6e éd., t. III, J.-A. Brosson, 1818, p. 52-53.

quand celui-ci échoue. Ces « historiettes » qui ressortissent de la psychologie, relèvent aussi de la morale et du politique. Le citoyen Pinel n'hésite pas, par exemple, à considérer l'« aliénation des nobles » comme « presque toujours incurable[63] », au motif que la vie active et le travail, auxquels ils répugnent, serait la voie royale, s'il l'on peut dire, de la guérison. Cette vie régulière et mécanique qu'il préconise s'inscrit par ailleurs dans un modèle familial qui relègue les libertins, les célibataires, les dévots, les mères indignes, au diagnostic critique.

De quoi souffrent ces têtes ardentes et ces esprits égarés, victimes des « événements de la Révolution » ? Pour beaucoup, quelle que soit la classe sociale, ils ont perdu tous leurs biens, le fruit d'une vie, et la raison avec. Ils ont subi des chocs qui, souvent aggravés par le dénuement, les ont conduits à l'asile. Ce sera cette fille de cultivateur qui, pendant la guerre de Vendée, a vu massacrer sa famille et qui, folle de douleur, abandonnée et dénuée de toutes ressources, finit à la Salpêtrière. Ce sera ce jeune soldat dont le frère tombe à ses côtés et qui, frappé de stupeur, est ramené chez lui : son troisième frère, le voyant dans cet état, tombe à son tour dans la stupeur — ils seront tous deux conduits à l'asile. Ou encore cet adolescent de quinze ans qui, témoin de la mort violente de son père, s'enfonce dans le mutisme et perd les fonctions de l'entendement.

La violence meurtrière n'est pas, loin s'en faut, la seule source de traumatisme. L'ambition contra-

---

63. Pinel, *Traité…* [1809/2005], p. 228.

riée peut provoquer des dommages durables. Ainsi ce grenadier, qui était monté un des premiers à l'assaut de la Bastille et dont le mérite ne fut pas reconnu, sombra dans un délire maniaque qui le retint deux ans à Bicêtre : « Ce n'était point des bains et des douches, c'était un brevet de capitaine qu'il fallait [lui] donner[64] », commente Pinel, dans un de ces recours au bon sens qu'il affectionne. À l'inverse, la reconnaissance peut avoir des conséquences fatidiques : « Un artilleur, l'an deuxième de la République, propose au Comité de salut public le projet d'un canon de nouvelle invention, dont les effets doivent être terribles ; on en ordonne pour un certain jour l'essai à Meudon, et Robespierre écrit à son inventeur une lettre si encourageante, que celui-ci reste comme immobile à cette lecture, et qu'il est bientôt envoyé à Bicêtre dans un état complet d'idiotisme[65]. »

Ces chocs émotionnels, dont la diversité décourage une quelconque conclusion, ne sont pourtant pas *directement* imputables à la Révolution — et l'on serait tenté de croire, avec Esquirol, qu'en d'autres circonstances historiques la ruine, la mort ou les « bouffissures de l'orgueil » eussent probablement produit les mêmes ravages. Ce que la Terreur en revanche diffuse dans Paris, et qui lui est très spécifique, c'est un climat de menace et de peur, très sensible dans l'origine des admissions à l'asile. Au dire de Louis Sébastien Mercier, témoin aux premières loges, la population parisienne est alors comme frap-

64. Pinel, *Traité…* [1800], p. 239.
65. *Ibid.*, p. 168.

pée de stupeur devant la confusion et la rapidité avec
laquelle s'enchaînent les événements. Transformé en
automate, le peuple, passif, muet, emporté par une
force aveugle qui le dépasse, reste interdit devant la
violence de groupuscules assoiffés de sang, adoubés
en silence par les gouvernants. L'emballement de
la machine politique provoque un effondrement
du sens, lié à la notion de traumatisme, chez les
hommes et les femmes sincèrement épris de liberté,
qui tombent dans l'inertie et la paralysie[66]. Le peuple
est, littéralement, *médusé*. Si l'historiographie s'est
beaucoup appesantie sur la joie mauvaise d'une
populace célébrant, en d'affreuses bacchanales, les
décapitations et les massacres, il ne faut pas oublier
que la figure de la « tête coupée » a aussi, comme
Méduse, le pouvoir de pétrifier. Or, dans les asiles, la
terreur a un visage, elle s'incarne dans une forme
géométrique abstraite épousant les contours d'une
machine très concrète : c'est la guillotine.

SPECTRES DE LA GUILLOTINE

L'échafaud, dit Hugo, « a quelque chose qui hal-
lucine ». « L'échafaud est vision. » Cette « sorte
d'être qui a je ne sais quelle sombre initiative »

---

66. Laurence Mall, « Révolution, traumatisme et non-savoir : la
"longue surprise" dans *Le Nouveau Paris* de Mercier », *Études littéraires*,
vol. XXXVIII, n° 1, automne 2006, p. 11-23. Louis Sébastien Mercier
est jeté en prison après la chute des Girondins. Il y restera du 8 octobre
1793 au 28 octobre 1794.

semble doué d'une vie autonome, qui jette l'âme
dans « une rêverie affreuse[67] ». La guillotine est
une image dont la puissance formelle n'a pas
d'équivalent, un symbole, avant d'être un mode
d'exécution, qui viendra hanter les consciences et
peupler les nuits de cauchemars. En 1794, le marquis de Sade, incarcéré à la maison Coignard à
Picpus, voit de ses fenêtres la place du Trône renversé (actuelle place de la Nation) où l'on procède
aux exécutions. Les cadavres sont ensuite jetés
dans les fosses creusées au beau milieu du jardin
de sa prison. « Ma détention *nationale*, écrira-t-il,
la guillotine sous les yeux, m'a fait cent fois plus de
mal que ne m'en avaient fait toutes les bastilles
imaginables[68]. »

La familiarité avec la mort sous la Révolution
laisse intact l'effroi face à l'horreur de la décollation.
Cette forme inédite, mécanisée, de dissection à vif
provoque une frayeur parente de la crainte obscu-
rantiste qui présida longtemps à l'ouverture des cadavres. Elle est transgression d'un même interdit.
Ce que redoutent les prisonniers qui attendent l'exécution de leur verdict, ce n'est pas tant la mort que
la certitude de ce démembrement public, abolissant
l'intégrité physique dans un flot de sang. La mort du
roi avait déjà donné lieu à des actes de désespoir,
rapportés par les *Révolutions de Paris :* « On a su
qu'un militaire, anciennement décoré de la croix de

67. Victor Hugo, *Les Misérables* [1862], Gallimard, « Bibliothèque
de la Pléiade », 1951, p. 18.
68. Lettre de Sade à son avocat, 21 janvier 1795, citée par Gilbert
Lely, *Vie du marquis de Sade*, nouv. éd. entièrement refondue, Jean-
Jacques Pauvert, 1965, p. 539.

Saint-Louis, est mort de douleur en apprenant le supplice de Louis ; qu'un libraire, nommé Vente, ci-devant attaché aux Menus-Plaisirs, en est devenu fou ; qu'un perruquier de la rue Culture-Sainte-Catherine, connu pour zélé royaliste, s'est de désespoir coupé le cou avec un rasoir[69] », répétant par ce geste mimétique le martyre de son souverain. La pression s'accentue à partir de la loi des suspects[70]. Elle est votée le 17 septembre 1793. Le 11, Pinel a pris ses fonctions à Bicêtre.

Or si un trait peut caractériser les patients victimes des « événements de la Révolution », c'est bien cette hantise de perdre leur tête. Ce motif particulier de délire a pour spécificité de toucher à toutes les formes d'aliénation, des maniaques aux mélancoliques. Il est assez grave pour conduire aux dernières extrémités : « Un objet de crainte ou de terreur, dit Pinel, peut produire une consternation habituelle, et amener le dépérissement et la mort. J'ai vu succomber ainsi dans les infirmeries de Bicêtre deux soldats autrichiens faits prisonniers de guerre, et profondément convaincus qu'ils devaient périr par la guillotine[71]. » Cette conviction peut être plus ou moins motivée et il est très diffi-

---

69. *Révolutions de Paris*, nº 185, 15ᵉ trimestre, du 19 au 26 janvier 1793, p. 203.

70. « Sont réputés suspects les ci-devant nobles et leurs parents, les personnes qui se sont vu refuser des certificats de civisme, et tous ceux qui "par leur conduite, leurs relations, leurs propos, leurs écrits se montrent partisans du fédéralisme et des ennemis de la liberté" » (J. Tulard *et al.*, *Histoire et dictionnaire de la Révolution française*, *op. cit.*, p. 1105). À la veille de Thermidor, selon l'estimation d'Albert Mathiez, il y aurait eu 300 000 suspects en France, dont 8 000 à Paris.

71. Pinel, *Traité...* [1800], p. 141-142.

cile d'évaluer, dans ce climat de terreur, la part du danger réel et celle du phantasme. Ici, c'est l'intendant d'un grand seigneur, ruiné par la Révolution, incarcéré et craignant chaque jour d'être appelé à l'échafaud, dont la raison s'égare et qui finit par se croire roi de France. Là, c'est un jeune aliéné qui s'empare d'un couperet dans les cuisines de l'asile et menace quiconque de lui couper la tête[72]. Figure récurrente des hallucinations, épouvante bien réelle, la décapitation cristallise toutes les angoisses et les violences. Deux des cas cités par Pinel l'illustrent avec éloquence.

Le premier touche à un ouvrier qui, un jour, a donné en public libre cours à ses opinions sur la condamnation de Louis XVI. Dès lors considéré comme suspect dans son quartier, « et sur quelques indices vagues et quelques propos menaçants dont il s'exagère le danger », il se retire chez lui « tout tremblant et dans une sombre consternation ». Dès lors, il perd l'appétit et le sommeil, et vit dans des frayeurs continuelles. Sa tête s'égare. Il est envoyé à l'Hôtel-Dieu, où le traitement habituel, à base de saignées, n'offre aucune amélioration, puis il est transféré à Bicêtre. À son arrivée à l'asile, « l'idée d'être condamné à périr par la guillotine l'absorbe tout entier nuit et jour ; il ne cesse de répéter qu'il est prêt à subir son sort, puisque rien ne peut l'y soustraire ». Fidèle à ses principes, Pinel l'encourage à reprendre sa profession de tailleur d'habits

---

72. Pinel, *Traité…* [1809/2005], p. 188 et 224.

au sein de l'asile, et à se rendre utile en réparant les vêtements des aliénés. Les progrès se font aussitôt sentir, soutenus pendant plusieurs mois, jusqu'aux chaleurs de l'été, époque où le patient rechute et ne parle plus que de subir son arrêt de mort. Pinel décide alors d'avoir recours à une méthode dont il allait user souvent : la ruse. Il prévient le surveillant qu'une prétendue commission du Corps législatif se rendra bientôt à Bicêtre pour juger le citoyen-patient et pour l'acquitter si son innocence est reconnue. Pinel se concerte avec trois jeunes méde-cins et charge « du principal rôle celui qui a l'air le plus grave et le plus imposant » :

> Ces commissaires en habit noir et avec tout l'appareil de l'autorité, se rangent autour d'une table et font comparaître le mélancolique. On l'interroge sur sa profession, sa conduite antérieure, les jour-naux dont il faisait sa lecture favorite, son patrio-tisme. L'accusé rapporte tout ce qu'il a dit, tout ce qu'il a fait, et provoque son jugement définitif, parce qu'il ne se croit point coupable. Pour ébranler alors plus fortement son imagination, le président du petit comité prononce à haute voix la sentence suivante : « Nous commissaires en vertu du plein pouvoir qui nous a été accordé par l'Assemblée nationale, avons procédé, suivant les formes usitées, à l'examen juri-dique du cit[oyen]…, et nous reconnaissons n'avoir trouvé en lui que les sentiments du plus pur patrio-tisme ; il est donc acquitté de toute poursuite inten-tée contre lui, et nous ordonnons qu'il recouvre sa liberté entière et qu'il soit rendu à sa famille, mais comme depuis une année il se refuse avec obstina-tion à tout genre de travail, nous jugeons convenable qu'il soit encore détenu pendant six mois à Bicêtre, pour y exercer sa profession en faveur des aliénés, et nous rendons le surveillant de l'hospice responsable,

sur sa tête, de l'exécution du présent arrêté. » On se
retire en silence et tout annonce que l'impression
produite sur l'esprit de l'aliéné a été des plus profondes.

Dans les jours qui suivent, le stratagème semble
fonctionner, du moins selon les critères de Pinel,
puisque le patient demande à reprendre son travail
et sollicite le retour de son enfant — signes de guérison. Mais l'amélioration ne dure pas, le patient
retombe dans l'inaction, ravivant « les traces de son
ancien délire, ce qui fut encore favorisé par l'imprudence qu'on eut de lui indiquer comme une
simple plaisanterie la sentence définitive qu'on lui
avait prononcée au nom de l'Assemblée nationale.
J'ai regardé depuis cette époque son état comme
incurable[73] ».

Édifiante histoire, qui prodigue un éclairage
croisé sur la cause des délires et les procédés de
traitement. Que l'ouvrier, sur la foi d'indices
« vagues » et de dangers « exagérés », se soit imaginé
à tort, comme le suggère Pinel, devoir être soumis à
la guillotine semble ici très secondaire. Ce n'est pas
tant l'authenticité des faits et de leur origine qu'il
faut rechercher, que les effets de réel d'un phantasme qu'il convient de soigner, dans un climat où
la décollation s'est instituée comme le châtiment
plausible de tout délit d'opinion. Comment ? Non
pas en essayant de persuader le fou de sa méprise et
de le *ramener* à la raison mais au contraire en lui
donnant raison. Cet effort pour entrer dans le délire

73. Pinel, *Traité...* [1800], p. 235-237.

du patient et donc de légitimer sa souffrance ouvre une autre perspective dans le traitement moral, dans sa tentative de reprendre langue avec la folie ou du moins de trouver un terrain d'entente avec elle. Face-à-face biaisé, bien sûr, relevant de la manipulation, mais face-à-face tout de même, à la manière d'une relation en miroir où, à la « fiction délirante » du fou répond, inversée, la « fiction curative[74] » de l'aliéniste. La manœuvre, censée éradiquer, dans un geste symétrique, la peur (de la décapitation) par la peur (du tribunal), n'entre pas en contradiction avec l'intimidation, bien au contraire : l'« appareil de l'autorité », l'air « imposant » du (faux) président, la responsabilité du surveillant chargé (« sur sa tête » !) de veiller à l'exécution de la sentence, rappelle en tout point l'« appareil imposant de terreur » sur lequel Pinel a fondé sa méthode.

Mais le choc salutaire escompté a été de courte durée, puisque, avant même d'apprendre qu'il avait été trompé, l'aliéné est retombé dans son ancien délire. Pinel reprendra mot pour mot le début de cette histoire dans la deuxième édition de son *Traité*, mais supprimera toute la partie sur le subterfuge malheureux[75]. Le médecin consacré, le professeur et le statisticien de 1809 a pris la place du précurseur et du narrateur de 1800. Ajoutons que, dans aucun de ses écrits, Pinel ne jugera bon de rendre hommage à Joseph Daquin, médecin de Chambéry,

74. Jean Starobinski, *Histoire du traitement de la mélancolie des origines à 1900*, Bâle, Laboratoires Geigy, 1960, p. 55.
75. Pinel, *Traité…* [1809/2005], p. 304.

qui le premier avait engagé l'homme de l'art à se
« plier au caractère de l'insensé, & le devenir, pour
ainsi dire, lui-même[76] » pour guérir les maniaques,
dont l'objet du délire ne devait pas, selon lui, être
systématiquement contrarié. Cette idée avait été
développée dès 1791, dans son ouvrage sur *La Philosophie de la folie*, où étaient détaillés les principes
d'un traitement « humain » des fous, qu'il avait libé-
rés de leurs chaînes au sein de son asile… Hélas,
Daquin a brûlé toutes ses observations, qui auraient
sûrement permis de comprendre un chapitre important de la naissance de l'aliénisme.

Peut-être plus spectaculaire encore, le second
cas rapporté par Pinel concerne l'un des plus fameux horlogers de Paris, tourmenté par le mouvement perpétuel, cette chimère que l'Académie
des sciences jugeait irréalisable et avait même

76. Joseph Daquin, *La Philosophie de la folie*, Chez Née de La
Rochelle, libraire, 1792, p. 52. Militant pour l'hygiène dans les asiles,
préconisant le travail et recommandant les bienfaits de la musique,
Daquin résumait sa « philosophie » à ces mots : « On réussit infiniment
mieux et plus sûrement […] par la patience, par beaucoup de douceur,
par une prudence éclairée, par des petits soins, par des égards, par de
bonnes raisons & des propos consolans […] » (p. 97). Daquin se méfiait
de la pharmacie et suggérait que l'électricité « par commotions », soit
l'électrochoc, pourrait peut-être un jour devenir une thérapie pour le
cerveau… Pinel ne pouvait ignorer l'œuvre de Daquin, qui lui dédia la
deuxième édition de son livre en 1804, dans un vibrant hommage où il
en profitait aussi pour souligner discrètement l'antériorité de ses travaux. Délibérément écarté donc, Daquin n'en est peut-être pas pour
autant le génial inventeur méconnu. Ses théories humorales, certains
archaïsmes de sa pensée, sa conviction que les aliénés subissent
l'influence de la lune le laissent derrière le grand clinicien, certes peu
généreux, qu'était Pinel. Voir, à ce sujet, Gladys Swain, *Dialogue avec
l'insensé*, Gallimard, « Bibliothèque des sciences humaines », 1994,
p. 131-147, et M. Gauchet et Gl. Swain, *La Pratique de l'esprit humain*,
op. cit., p. 413-422.

condamnée en 1755 pour absorber inutilement d'ingénieux talents de mécaniciens. L'homme s'attelle malgré tout à l'impossible tâche, travaille avec une ardeur qui lui ôte le sommeil, exalte son imagination jusqu'au délire, délire que les « orages de la Révolution » concourent à porter à son comble et à fixer, cette fois, sur un perpétuel mouvement d'une autre nature : celui de la guillotine.

> Le renversement de sa raison est marqué par une singularité particulière. Il croit que sa tête a [*sic*] tombé sur l'échafaud, qu'on l'a mise, pêle-mêle, avec celles de plusieurs autres victimes, et que les juges, par un repentir tardif de leur arrêt cruel, avaient ordonné de reprendre ces têtes, et de les rejoindre à leurs corps respectifs ; mais que, par une sorte de méprise, on avait rétabli sur ses épaules celle d'un de ses compagnons d'infortune. L'idée prédominante de ce changement de tête l'occupe nuit et jour, et détermine les parents à lui faire subir le traitement des maniaques à l'Hôtel-Dieu ; il est ensuite transféré à l'hospice des aliénés de Bicêtre. Rien n'égale alors son extravagance et les éclats bruyants de son humeur joviale ; il chante, il crie, il danse ; et comme sa manie ne le porte à aucun acte de violence, on le laisse errer librement dans l'hospice, pour exhaler cette effervescence tumultueuse. « Voyez mes dents, répétait-il sans cesse ; je les avais très belles, et les voilà pourries ; ma bouche était saine, et la voilà infecte. Quelle différence entre ces cheveux et ceux que j'avais avant mon changement de tête ! »

Mais bientôt, l'horloger devient furieux et cède à la violence. Il est enfermé dans une loge écartée, où il reste plusieurs mois. Calmé à l'hiver, il est relâché. Toujours taraudé par le mouvement perpétuel, il est autorisé à exercer son métier. Pussin lui installe même un atelier dans sa loge, afin qu'il s'adonne à sa passion, jusqu'au jour où, persuadé d'avoir percé le mystère sans toutefois pouvoir en donner de preuve, il abandonne ses recherches. Ne restait plus qu'à soigner l'obsession qui ne l'avait pas quitté : son changement de tête.

> Une plaisanterie fine et sans réplique parut propre à l'en corriger. On prévint un autre convalescent, très plaisant et d'une humeur gaie, du rôle qu'il aurait à jouer, et on lui ménage un entretien suivi avec l'artiste ; cet autre tourne adroitement le propos sur le fameux miracle de Saint-Denis, qui, chemin faisant, portait sa tête entre ses mains, et ne cessait de lui faire des baisers. L'horloger soutient fortement la possibilité du fait, et cherche à le confirmer par son exemple propre. Son interlocuteur pousse alors un éclat de rire, et lui réplique avec un ton moqueur : « Insensé que tu es, comment Saint-Denis aurait-il pu baiser sa tête ? était-ce avec son talon ? » Cette réplique inattendue et sans réponse frappe vivement l'aliéné ; il se retire confus, au milieu des risées qu'on lui prodigue, et il n'a plus parlé désormais de son changement de tête. Une occupation sérieuse à des travaux d'horlogerie, continués quelques mois, raffermit sa raison. Il fut rendu à sa famille, et depuis plus de cinq ans il exerce sa profession, sans éprouver de rechute [77].

À délire différent, autre tactique. L'horloger n'est en effet pas affecté du même trouble que le précé-

---

77. Pinel, *Traité*... [1800], p. 66-70. Les fines plaisanteries ne fonctionnent pas toujours. À un bigot fanatique, qui se dit la « quatrième personne de la Trinité », Pinel envoie un autre convalescent, qui déclamait avec grâce et à qui il a fait apprendre par cœur le poème de Voltaire sur la religion naturelle. Le bigot s'emporte et part en imprécations terribles. Pinel ne renouvellera plus l'expérience (*ibid.*, p. 73-74).

dent mélancolique, puisqu'il affirme *n'avoir pas sa tête* et qu'il reconnaît en cela, du moins métaphoriquement, qu'il est fou. Ce qu'il réclame, c'est bien la restitution de sa tête saine, avec ses dents saines et sa bouche saine. L'astuce de Pinel consiste à exploiter cette part logique du délire, mais en lui opposant cette fois la fable d'un « miracle » donné pour véridique, par la bouche d'un *insensé* de l'asile... Que l'horloger ait cherché à justifier la possibilité d'embrasser sa propre tête n'a rien de surprenant. On peut supposer que, dans son esprit, sa tête remplacée eût très bien pu embrasser sa tête d'origine. Rien n'indique d'ailleurs qu'il ait été convaincu par ladite plaisanterie. Seule l'humiliation des quolibets semble l'avoir réduit au silence.

S'il est permis de douter de cette guérison miraculeuse, ou du moins de l'efficacité du procédé mis en œuvre, l'exemple montre à quel point la guillotine a étendu son empire sur les imaginations. Mais le plus frappant, dans les archives psychiatriques, demeure la longévité du traumatisme révolutionnaire et la persistance inouïe de cette obsession de « perdre la tête ». Que ce soit dans les registres de la Salpêtrière ou de Charenton, la colonne dévolue aux causes présumées de l'aliénation fait encore mention, des dizaines d'années plus tard, de la grande peur révolutionnaire et du spectacle de la guillotine.

À la Salpêtrière, dans le seul registre des mutations, on relève 14 cas directement liés à la Révolution, entre le 17 germinal an X (17 mars 1802) et le 13 thermidor an XII (1er août 1804) : « aliénée depuis dix ans, furieuse. Causes de la révolution », « craignant d'être guillotinée », « folie périodique depuis le commencement de la révolution », « 1re chutte [*sic*] à l'âge de 13 ans suite de chagrin d'avoir vu partir ses parens dans la révolution […]. Le 13 du présent elle s'est précipitée dans la rivière pour se détruire[78] ».

La litanie se prolonge à Charenton, institution mixte, prioritairement réservée aux militaires et à leurs familles, aux fonctionnaires de l'État et à des patients capables de s'acquitter d'une pension plus élevée. Autres classes sociales donc, mais maux identiques : « Elle est aliénée depuis 14 ans, son délire date de la révolution pendant laquelle elle a été incarcérée et a beaucoup souffert […] ce paraît être l'origine de son délire ; elle est furieuse, criant, jurant et toujours prête à frapper[79] », rapporte le médecin, à propos de Mme Camus de Lam, entrée en 1807. La mémoire de la Révolution semble indélébile, dans sa force nocive. En 1819, une femme de soixante-quatre ans est menée à Charenton, où elle décédera deux mois après son arrivée : « Elle parle de la guillotine, elle a des terreurs paniques, elle prétend que les ordres sont donnés, elle se croit persécutée[80]. » La déportation, la ruine, la dévastation des couvents ont laissé des empreintes durables. Ainsi cette sœur de la Charité, persuadée que le Saint-Esprit est descendu en elle et qui, en 1820,

78. AAP-HP, Salpêtrière, Registre des mutations (1791-An XIII), f°s 70, 216 et 225.
79. ADVM, Charenton, Registres médicaux, hommes et femmes, 1798-1826, 4X682 (2Mi60). Registre non folioté.
80. *Ibid.*, Registre d'observations médicales, hommes et femmes, 1819, 4X678, f° 31. Entrée le 14 septembre 1819, morte le 27 novembre 1819.

craint toujours « d'être empoisonnée, menée à la guillotine[81] ».

Mêmes échos parmi les hommes. Jean-Pierre Laujon, fils d'un chansonnier fameux à l'époque, avait rejoint l'Angleterre au début de la tourmente. Placé sur la liste des émigrés, il s'était enrôlé dans l'armée de Condé et avait combattu les armées révolutionnaires. Arrêté en 1796 à la frontière suisse, amené à Paris et condamné à mort, il perdit la raison, passa aux Petites Maisons puis à l'Hôtel-Dieu, et enfin à Charenton, où il est transféré en 1802. À son arrivée, Laujon montre « une haute idée de son savoir & de son talents ». Tombé en « démence complète », il passe son temps à « dessiner des figures grotesques, qui toutes semblent faites sur le même modèle. Il croit que ce sont des chefs-d'œuvre de peinture ». L'opinion du médecin qui dresse ce diagnostic semble partagée par Mlle Flore, actrice venue voir à Charenton *Le Dépit amoureux*, mis en scène par le marquis de Sade, prisonnier dans l'asile depuis 1803. « La petite scène de Mascarille, écrit-elle, fut jouée très gaiement par un autre fou [...]. C'était le fils du spirituel Laujon, le doyen des chansonniers. Ce pauvre jeune homme avait la folie de se croire un grand peintre. / Il dessinait, sur un carré de papier, des maisons, des arbres et des bonshommes, et il envoyait ses tableaux à madame de Saint-Aubin, en

81. *Ibid.*, Registre d'observations médicales, hommes et femmes (cas particuliers), 1827, 2 Mi 62, f° 217. Ce registre dresse un récapitulatif des cas entrés entre 1798 et 1827. Il comprend des annotations postérieures. Née en 1775, la patiente est entrée à Charenton le 26 juillet 1820. Elle y est encore en juillet 1827.

lui demandant 40 000 francs[82]. » Mais la folie inoffensive de Laujon s'attache aussi à des objets plus
critiques. Le médecin poursuit : « Il a les idées les
plus bizarres, il s'imagine qu'on lui a coupé la tête
& que sa tête est en Angleterre, qu'on lui en a mis
une sans doute à la place ; pour remplacer les
dents qui manquent, il porte continuellement des
morceaux de liège dans la bouche. » Autant d'éléments qui ne sont pas sans rappeler, à bien des
années d'écart, la psychose de l'horloger, déplo-
rant son changement de tête et ses dents gâtées.
Tête sectionnée, remplacée, fixation sur les dents :
la hantise de la guillotine porte avec elle celle de la
castration, d'un corps désarticulé, démembré.
Mais cet organisme en kit, aux éléments migra-
teurs, est toujours vivant. Comme si le miracle
d'avoir échappé à la mort par le couperet équiva-
lait à une victoire définitive sur elle, un triomphe
de l'imaginaire sur la menace du morcellement.
« Mr Laujon réunit aux idées bizarres qu'il a depuis longtemps, d'autres plus bizarres encore ;
ainsi à sa naissance il était de sexe féminin, il a
vécu plusieurs années dans cet état, plus tard, il
fut tué, puis ressuscité, et c'est alors qu'on lui
appliqua les signes distinctifs du mâle[83] », ajoute
le médecin dans un paragraphe postérieur. Il est

82. *Mémoires de Mlle Flore*, t. II, cité par Annie Le Brun, *Petits et grands théâtres du marquis de Sade*, Paris Art Center, 1989, p. 90.
83. ADVM, Charenton, Registre d'observations médicales, hommes et femmes (cas particuliers), 1827, 2 Mi 62, f° 13. Les procès-verbaux du directoire exécutif indiquent, lors de la séance du 27 fructidor an VI (13 septembre 1798), que Laujon aurait émigré en 1792 et se disait « commerçant » lors de son arrestation (voir AN, AF/III/543).

daté de 1829, soit quarante ans après les débuts de la Révolution.

Les compagnons d'infortune de Laujon sont nombreux à Charenton à avoir frôlé la mort ou échappé à quelque terrible péril. Un ex-capitaine, de service lors de la condamnation de Louis XVI dont « il conçut beaucoup de chagrin », après une campagne dans les montagnes du Piémont, rentra en France, « s'abandonna à quelques propos inconsidérés, fut arrêté, subit deux jugements » et fut « sur le point d'être conduit l'échafaud » : « Ces diverses commotions morales paraissent être les causes occasionnelles de sa maladie, car il répétait sans cesse dans le début qu'il était condamné, qu'on allait le conduire à la mort, qu'il partait pour rétablir les Bourbons. » Entré en 1806, il végète toujours dans sa cellule en 1825, n'ayant d'autres occupations que de priser « sans désemparer » les rations de tabac qu'on donne à tous les pensionnaires. « La démence paraît être complète. Bonne santé physique[84] », conclut le rapport.

La liste est longue ; elle est surtout étonnamment longue dans le temps. En juin 1855, on trouve encore, sous la plume de Lasègue, médecin de Bicêtre : « Mission qu'il a à remplir, son père est mort guillotiné, il est parent de Louis XVI et de l'empereur ; il est venu à Paris pour calmer les factions[85]. » La dernière occurrence que j'ai trouvée

84. ADVM, Charenton, Registre d'observations médicales, hommes et femmes (cas particuliers), 1827, 2 Mi 62, f° 36.

85. AAP-HP, Bicêtre, Registre d'observations médicales, 5e division, 1re et 2e sections, 1855-1856, 6R8, f° 97.

date de 1857 ; elle ramasse, dans une saisissante formule, la collusion du sens propre et figuré de « perdre la tête » : « Démence furieuse. Il demande à être guillotiné ou de lui mettre la camisole[86]. »

Il est très peu probable que ces derniers patients, dont ni l'âge ni la date de naissance ne sont mentionnés sur le registre, aient vécu l'époque révolutionnaire, sinon enfants. Ils ont en revanche accompagné cette génération de 1830 qui, n'ayant pas connu la Terreur, s'en est approprié une image mentale et en a conçu une représentation sans cesse plus fouillée, mais aussi gauchie et outrée par l'esprit de parti, entre histoire et fantasmagorie, alimentée par des rumeurs relayées, des souvenirs et des récits. La littérature, à partir du romantisme dit « frénétique », a sa part dans la construction d'un mythe, où le profil de la guillotine grossit comme un monstre dévorateur et creuse une ligne de partage entre les idéaux de 1789 et les fourvoiements de 1793. De la tête qui roule et regarde la foule attroupée dans *Smarra ou Les Démons de la nuit* (1821), exploration de la vie psychique par Charles Nodier, au « Secret de l'échafaud » (1884) de Villiers de L'Isle-Adam, où le condamné s'engage à cligner de l'œil une fois décapité pour prouver la subsistance de la volition après la mort, la littérature fantastique s'est nourrie au sang noir de la guillotine, dans une vision hallucinée des spectres de la Révolution.

---

86. *Ibid.*, 1856-1858, 6R10, f° 111.

Le Dernier Jour d'un condamné (1829) et les innombrables réquisitoires de Victor Hugo contre la peine de mort jusqu'à *Quatrevingt-treize* (1874), *L'Âne mort et la femme guillotinée* (1829) de Jules Janin, où l'héroïne finit dépecée à l'École de médecine, sont autant de rappels de la barbarie du démembrement, qui relèverait d'une folie capable d'égarer n'importe quel esprit sain. Mais c'est à Alexandre Dumas que revient le mérite d'avoir souligné, avec les outrances propres au genre fantastique, l'articulation de la folie et de la révolution à travers la guillotine.

En 1849, l'auteur des *Trois Mousquetaires* publie *Les Mille et Un Fantômes*, série d'histoires imbriquées les unes dans les autres, où le narrateur, en 1831, se trouve mêlé par hasard à un événement : un homme a tué sa femme en la décapitant d'un coup d'épée — mais la tête s'est rebellée et l'a violemment mordu à la main droite. C'est le point de départ d'une suite de chapitres sur les conséquences de la décollation. « Le soufflet de Charlotte Corday » rapporte la fameuse indignation *post mortem* de l'héroïne royaliste, quand « Solange » et « Albert », récits situés en 1793, racontent l'histoire d'une jeune fille décapitée, qui appelle son amant depuis le panier où sa tête est tombée. Ces têtes coupées, qui agissent et qui parlent, sont autant de morts-vivants d'une époque qui n'a pas livré ses secrets et dont on attend les révélations d'outre-tombe. Elles nourrissent les rêveries les plus noires d'un peuple qui ne parvient pas à liquider l'héritage révolutionnaire.

Dumas a « fait » 1830. Lorsqu'il écrit *Les Mille et Un Fantômes*, situé au lendemain des Trois Glorieuses, l'échec de 1848 a signé la fin de l'espoir pour toute sa génération. Sa relecture de la Révolution française s'inscrit dans le sillage de cette grande désillusion, dont il s'explique dans l'introduction : « Il est vrai que tous les jours nous faisons un pas vers la liberté, l'égalité, la fraternité, trois grands mots que la Révolution de 1793, vous savez, l'autre, la douairière, a lancés au milieu de la société moderne, comme elle eût fait d'un tigre, d'un lion et d'un ours habillés avec des toisons d'agneaux ; mots vides, malheureusement, et qu'on lisait à travers la fumée de juin, sur nos monuments publics criblés de balles[87]. » Or ce désespoir est encore plus sensible dans *La Femme au collier de velours*, roman publié la même année, exploration aux frontière de l'Histoire, de la folie, du rêve et de la décapitation.

Son héros n'est autre que E. T. A. Hoffmann, le maître du conte fantastique, qui arrive en 1793 dans un Paris de cauchemar. Persécuté par l'administration française « cette maladie endémique [...] se greffant sur le terrorisme[88] », le jeune Allemand se trouve à la fois rejeté (les musées et les bibliothèques sont fermés) et exposé (à l'obscénité du ballet des charrettes qui transportent les condamnés à la mort). Pour comble, la découverte de la capitale par Hoffmann coïncide avec l'exécution de Mme Du Barry, spectacle d'une déchéance à la-

87. Alexandre Dumas, *Les Mille et Un Fantômes*, précédé de *La Femme au collier de velours* [1849], éd. d'Anne-Marie Callet-Bianco, Gallimard, « Folio classique », 2006, p. 243.
88. *Ibid.*, p. 130.

quelle il assiste, traumatisé. Un spectacle succédant à un autre, comme au soir de la décapitation du roi, il décide le jour même d'aller au théâtre, où se produit la maîtresse de Danton, la belle Arsène, qui porte au cou un ruban noir retenu par une agrafe en diamant figurant une guillotine. Hoffmann est fasciné, amoureux déjà. Ce coup de foudre se traduit par une hallucination prophétique : « [I]l croyait voir Mme Du Barry, pâle et la tête tranchée, danser à la place d'Arsène, et tantôt Arsène arriver en dansant jusqu'au pied de la guillotine et jusqu'aux mains du bourreau[89]. » À côté de lui se tient un mystérieux personnage. Il se dit médecin ; sa tabatière est ornée d'une tête de mort. Dans les jours qui suivent, Hoffmann parvient à rejoindre Arsène, une nuit, au pied de l'échafaud. Les amants vont à l'hôtel, mais, au petit matin, il la retrouve morte. Le mystérieux médecin arrive comme par enchantement, avance son bras au cou de la jeune femme et presse le ressort en diamant qui retenait son collier de velours : « Hoffmann poussa un cri terrible. Cessant d'être maintenue par le seul lien qui la rattachait aux épaules, la tête de la suppliciée roula du lit à terre […][90]. » Arsène, décapitée la veille, n'était en réalité qu'un fantôme. Hoffmann s'enfuit en hurlant : « Je suis fou[91] ! »

89. *Ibid.*, p. 167.
90. *Ibid.*, p. 229.
91. *Ibid.*, p. 230. Le roman de Dumas s'inspire d'une histoire écrite à l'origine par Washington Irving, *Aventures d'un étudiant allemand* (1824), elle-même déjà reprise par Pétrus Borel, sous le titre *Gottfried Wolfgang* (1843). Pour une étude du roman de Dumas et ses implica-

À en croire Dumas, les spéculations et les caprices d'une imagination malade ne sont pas plus absurdes que les atrocités de l'Histoire. Au crime d'État correspond le meurtre symbolique de la raison. La relation en miroir entre la décapitation et l'égarement de l'esprit laisse néanmoins en marge un troisième personnage : le médecin. Inquiétante figure sans nom et sans âge, froide comme la mort, l'homme est omniscient. Il a bien connu Voltaire et sans doute Sade, dont il célèbre la *Justine*, suggère avoir eu une relation charnelle avec Mme Du Barry. Il est partout et ne croit à rien. Cet athée désabusé sait la relation entre les hommes et connaît d'avance le dénouement (si l'on peut dire) de l'histoire et la clé de l'énigme : la relation de la tête et du corps, des idées et de la chair, du rêve et de l'Histoire.

---

tions sexuelles, voir Catherine Nesci, « Talking Heads : Violence and Desire in Dumas père's (Post-)Terrorist Society », *SubStance*, vol. XXVII, n° 2, 1998, p. 73-91.

II

L'asile, prison politique ?

Le 6 août 1793, jour de la nomination officielle de
Pinel à Bicêtre, la maison Belhomme, où il exerçait
à titre de médecin consultant depuis 1786, devient
une prison sur ordre de la Terreur[1]. Étonnante
concomitance des dates, qui fait passer Pinel, le jour
même, d'une maison de santé devenue geôle officielle de la Révolution à un hospice surtout connu
pour être une maison de force de l'Ancien Régime.

Prison et hospice, le couple est ancien, formalisé
depuis la création de l'hôpital général par Louis XIV
en 1656, qui liait le fou, le vénérien, le mendiant, le
délinquant et le criminel dans des lieux de détention
communs, dont Bicêtre et la Salpêtrière incarnent le
symbole. L'abolition des lettres de cachet du 16 mars
1790, censée remédier à la confusion des genres
entre malades et prisonniers, semblait promettre
une nouvelle ère en médicalisant la folie. Mais les
médecins compétents sont rares, et les établissements inadaptés. En réalité, la situation ne change
guère. D'autant que, dès le mois d'août 1790, un nou-

---

1. D. B. Weiner, *Comprendre et soigner, op. cit.*, p. 76.

veau décret vient « corriger » la louable et première intention des législateurs, en confiant à la police « le soin d'obvier ou de remédier aux évènemens fâcheux qui pourroient être occasionnés par les insensés et les furieux laissés en liberté, et par la divagation des animaux malfaisants ou féroces[2] ». À peine a-t-on entrouvert la grille qu'elle se referme déjà sur le fou, toujours assimilé à la bête à enfermer.

Sous la Terreur, le pouvoir politique resserre encore l'étrange mariage entre aliénation et répression, en réquisitionnant les établissements de soins privés, qui présentent l'avantage d'être déjà des lieux d'enfermement, pour les transformer en maisons d'arrêt. Or ce qui aurait pu représenter une solution opportuniste et temporaire répondant à une conjoncture politique d'exception, va au contraire s'institutionnaliser. Sous l'Empire, la Restauration et la monarchie de Juillet, l'assimilation entre maison de santé et prison politique ne relève plus de l'ambiguïté, mais d'une réalité banale, dont le pouvoir n'a aucunement pris la peine de se cacher.

MAISONS DE SANTÉ, MAISONS D'ARRÊT

Entre pension bourgeoise et clinique, la maison de santé jouit à la fin du XVIIIe siècle d'une réputa-

---

2. Décret du 16-24 août, titre XI, article 3. Voir le site de Michel Caire, sous l'onglet « Législation » et la rubrique « Internements », qui détaille les modalités d'internement des aliénés, de l'Ancien Régime à la loi du 27 juin 1990 : http://psychiatrie.histoire.free.fr/index.htm.

tion singulière, tout entière dans l'ambivalence d'un mot qu'elle semble s'être donné pour devise : la discrétion. Alternative de luxe aux hôpitaux-mouroirs de la capitale, elle permet aux familles aisées d'éviter la honte d'une déchéance publique. Là, pas de dortoirs mais des chambres individuelles, pas de cours sinistres mais des jardins d'agrément et, surtout, un personnel médical attentif. La maison de santé est, sous ce rapport, inespérée. Mais son statut hybride, sans cadre législatif, la rend suspecte. Ordinairement élevée loin du centre de Paris, dans les faubourgs de la capitale, elle protège autant qu'elle dissimule. Derrière ses murs fermés au regard, chacun sait qu'elle joue à l'occasion le rôle d'exutoire des familles, de maison de correction ou de redressement. Saint-Just, envoyé adolescent chez Mme Sainte-Colombe à Picpus par sa mère pour avoir fugué à Paris en 1786, en avait fait l'expérience [3].

En 1793, la maison de santé fait figure de lieu idéal de détention improvisé. La Folie-Régnault, la maison Escourbiac rue du Chemin-Vert, la maison Brunet rue Buffon, la maison Coignard à Picpus, elles seront une vingtaine à être ainsi transformées en prisons. La plus célèbre est précisément celle où Pinel a fait ses débuts : la maison Belhomme, rue de Charonne, ouverte vers 1770 par un ancien miroitier, qui avait accepté de prendre en pension l'enfant idiot d'un aristocrate moyennant rétribution. L'affaire s'avéra rentable, il décida de s'agrandir.

3. Mona Ozouf, « Saint-Just », *Dictionnaire critique de la Révolution française*, vol. « Acteurs », Flammarion, « Champs », 2007, p. 273-293.

Homme d'affaires avisé mieux que philanthrope, Jacques Belhomme comprend l'avantage qu'il peut tirer de familles opulentes, désireuses de se décharger d'un vieillard encombrant, d'un fils arriéré ou d'une tante en démence, placés « de bonne volonté » ou interdits par sentence du Châtelet. Le nouveau maître de pension n'a guère intérêt à voir guérir cette clientèle fortunée. Pinel en fait le premier les frais et doit lutter contre les obstacles mis à l'application de son traitement, comme il le résumera plus tard : « influence presque nulle de ma part sur les gens de service et la police intérieure ; indifférence marquée du chef pour la guérison des pensionnaires riches, ou plutôt désir non équivoque de voir échouer les remèdes ; dans plusieurs autres cas, confiance exclusive du même chef dans l'usage des bains ou de quelques recettes minutieuses et frivoles[4]. »

En 1791, on compte chez Belhomme 47 patients, 30 hommes et 17 femmes, dont la moyenne d'âge se situe autour de quarante ans. De quoi souffre cette clientèle bourgeoise (banquier, orfèvre, chirurgien, curé, prêtre, épouses de négociants, religieuses), dont la pension est généralement payée par la famille ? Pour les trois quarts d'entre eux, de troubles de l'esprit : « aliénation » ou « folie » (38 %), « démence » (25,5 %) ou « imbécillité » (13 %). Le quart restant est entré « de bonne volonté » (12,7 %) ou souffre du grand âge ou d'infirmités (8,50 %)[5].

---

4. Pinel, *Traité...* [1800], p. 51.
5. Archives nationales, DV5, n° 58. J'ai établi ces statistiques à partir des données du registre, où un cas (2 %) n'est pas précisé. Sur

Le registre est muet sur les thérapies mises en
œuvre — ni indications pharmaceutiques ni préci-
sions sur un éventuel traitement moral, que Pinel
tente alors à grand-peine d'expérimenter.

Républicain modéré et commandant de la force
armée Popincourt, Belhomme est a priori, à cette
époque, au mieux avec les autorités. Trois ans plus
tard, après la conversion de son établissement en
maison d'arrêt, les choses se sont dégradées, comme
le révèle un rapport du Comité de sûreté générale,
qui inspecte les lieux le 5 pluviôse an II (24 janvier
1794), « pour prendre des renseignements sur les
taxes obligatoires [...] et surtout les médecins et
les chirurgiens [...] qu'on dit fort ignorants et attachés à ces maisons à des prix très modiques ». La
police dresse un procès-verbal édifiant du spectacle
qu'elle découvre. Où il s'avère qu'on se dispute autour de la table une soupe et 8 pommes pour 30 personnes ; qu'un citoyen Pelletier paie 1 000 livres par
mois un logement sans meubles ; que la citoyenne
Breteuil, « connue en cette maison sous le nom de
Tonnelier », est trouvée sans connaissance sur son
lit dans une chambre « tout au plus logeable » ; que
deux citoyens indigents et malades, « l'un couché
sur un grabas et l'autre sur de la paille », vivent sans
feu en plein hiver. La police demande à Belhomme
« pourquoi, prenant si cher aux riches, il traite si

les années de Pinel chez Belhomme, voir notamment A. Ferroni, *Une
maison de santé pour le traitement des aliénés à la fin du XVIIIᵉ siècle : La
maison Belhomme*, Paris, thèse de médecine, 1954, et Jacques Postel,
« Les premières expériences psychiatriques de Philippe Pinel à la maison de santé Belhomme », *Revue canadienne de psychiatrie*, vol. XXVIII,
nᵒ 7, novembre 1983, p. 571-575.

mal les sans-culottes. A répondu qu'il n'a pas pu
dans le moment placer ailleurs les deux citoyens ».
Le loyer moyen, de 345 livres par mois (1 725 euros,
très approximativement), payable d'avance, ne com-
prenant ni la nourriture ni les produits de première
nécessité (chandelle, bois, etc.), est jugé exorbitant,
d'autant que « la maison est de la plus mauvaise
tenue et dans l'état le plus malsain », certaines
chambres respirant « le méphitisme le plus dangereux ». Mandat d'arrêt est donc lancé contre
Belhomme, coupable « d'exaction envers les riches,
inhumanité envers les malheureux ». On l'incarcère
chez le citoyen Coignard (autre maison de santé
transformée en maison d'arrêt) puis à la prison de
la Force, dans l'attente d'un jugement qui tombe le
5 floréal an II (24 avril 1794) : Belhomme est condamné à six années de fers pour crime de concus-
sion[6].

Quel rôle Belhomme joua-t-il réellement dans
cette affaire ? Était-il, comme on l'a dit, de mèche
avec Fouquier-Tinville, pour extorquer des fortunes aux condamnés promis à la guillotine, dont il
retardait, moyennant finance, la mise à mort ? Selon Jean-Charles Sournia, auteur d'un livre sur *La
Médecine révolutionnaire*, le système était le suivant : « Lorsqu'une personne après interrogatoire
était déclarée en état d'arrestation, elle pouvait demander à être internée dans une maison privée.
Cette démarche supposait qu'elle savait l'existence

---

6. AN, F7 4592. Précisons que le patronyme complet des Breteuil est
Le Tonnelier de Breteuil — sans doute la citoyenne avait-elle trouvé
prudent de s'inscrire sous la première partie de son nom uniquement.

de cette organisation, et que l'officier de police y consentît moyennant gratification. Un certificat médical justifiant d'une maladie était une pièce utile mais non nécessaire. Si la maison avait de la place, l'incarcération était décidée, la police pouvait dès lors contrôler la présence du prisonnier, et elle versait pour lui des frais d'hébergement au gestionnaire gardien dont la responsabilité était engagée. De leur côté, les nouveaux pensionnaires payaient leur nourriture ainsi que toute faveur particulière non prévue dans l'ordinaire[7]. » Belhomme aurait ainsi gagné sur les deux tableaux, en recevant l'argent de l'État et de ses pensionnaires. Le système exigeait quatre complicités : celle du gérant, de l'officier de police corrompu, du médecin et de l'intéressé.

Belhomme a-t-il abusé du système ou s'est-il laissé déborder par l'arrivée des 132 Nantais modérés, accusés de complot, en partie logés chez lui, qui l'aurait contraint à augmenter ses tarifs pour faire face à des dépenses considérables ? Cette seconde hypothèse, qui n'exclut pas la corruption, semble prévaloir. Comment expliquer que Belhomme se soit retrouvé sous les verrous, s'il était réellement en cheville avec Fouquier-Tinville ? L'inculpé se défend, se pourvoit en cassation et remporte gain de cause. Il est libéré le 7 septembre 1794, lavé de tout soupçon, et reprend dès le surlendemain la direction de sa maison, où Gabriel de Talleyrand, oncle de l'évêque d'Autun, Volney et la

---

7. Jean-Charles Sournia, *La Médecine révolutionnaire, 1789-1799*, Payot, « Médecine et société », 1989, p. 210.

« citoyenne Penthièvre », autrement dit la duchesse d'Orléans, veuve de Philippe-Égalité, traverseront la Révolution[8].

Officialisés par la Terreur, les liens entre la police et les maisons de santé se raffermissent encore après le coup d'État du 18-Brumaire, avec le ministère de Fouché. Entre autres attributions, le ministère de la Police générale veille aux prisons, maisons d'arrêt, de justice et de réclusion. Sous le Consulat, la division du ministère compte une police secrète ou « haute police », chargée en particulier des affaires et des complots politiques. Elle travaille étroitement avec la préfecture de police créée en 1800, qui relève du ministère de l'Intérieur, puis de la Justice à partir de 1802.

Indicateurs, espions, mouchards : le réseau de la police s'étend dans la capitale comme une toile d'araignée. Le Premier consul, puis l'empereur, a toutes les raisons de craindre les complots, jacobins ou royalistes. Suspicion, surveillance, arrestations, exécutions sommaires sont à l'ordre du jour. La censure bâillonne la presse, la torture, pourtant abolie, fait parler les complices du chouan Cadoudal, guillotiné en 1804 après son attentat

8. Sur la maison Belhomme, voir Olivier Vincienne, « La maison de santé Belhomme. Légende et réalité », *Paris et Île-de-France. Mémoires publiés par la Fédération des sociétés historiques et archéologiques de Paris et de l'Île-de-France*, t. XXXVI, 1985, p. 135-208. Cet article défait la légende colportée par G. Lenôtre dans *Paris révolutionnaire : vieilles maisons, vieux papiers*, 3e série, Librairie académique Perrin, 1922, p. 119-141. Il est vrai que l'histoire de Belhomme se prête au romanesque. Cécil Saint-Laurent (Jacques Laurent) sauvera ainsi sa *Caroline chérie* de la guillotine, grâce au séjour qu'elle obtient chez le cynique « docteur » Belhomme, interprété par Raymond Souplex, dans le film de Richard Pottier (1951), avec Martine Carol dans le rôle-titre.

manqué[9]. La police ratisse le territoire national et demande à l'administration préfectorale d'infiltrer jusqu'aux établissements de cures thermales : « Je n'ai cessé d'exercer sur les Eaux du Mont d'Or, la surveillance la plus active […], écrit le préfet du Puy-de-Dôme en 1807. Je me suis assuré que soit dans les discours soit dans les activités, il ne s'y est rien passé qui puisse exciter la sollicitude du gouvernement, et que les personnes qui s'y sont rendues n'y ont été conduites que par les besoins de leur santé[10]. » La liste des curistes étrangers est jointe à son rapport.

À Paris, la police a la haute main sur tous les établissements de soins, soumis à des vérifications régulières de leurs registres. Aucune maison de santé ne peut être fondée dans la capitale sans l'autorisation de la préfecture. Cette surveillance s'étend aux asiles. Entre 1802 et 1805, près de 300 femmes sont conduites à la Salpêtrière par la police, sans passer par le bureau d'admission censé les ausculter. 107 lui seront directement remises une fois guéries[11]. L'hôpital public n'est qu'une prison parmi d'autres, où s'exerce le contrôle social. Qu'ils se succèdent ou se confondent, l'internement médical et la détention administrative se lisent dans une même continuité, rendue possible

9. Voir Jean Tulard, « 1800-1815, l'organisation de la police », in *Histoire et dictionnaire de la police du Moyen Âge à nos jours*, Robert Laffont, « Bouquins », p. 268-305.

10. AN, F7 8752. Lettre du préfet du Puy-de-Dôme au conseiller d'État chargé de la deuxième division de la police générale de l'Empire, 9 septembre 1807.

11. D. B. Weiner, *Comprendre et soigner, op. cit.*, p. 246.

par le vide juridique où se trouve la réglementation de l'aliénation mentale, entre l'abolition des lettres de cachet et la loi de 1838.

On ne s'étonnera pas, dans ce contexte, que la pension Belhomme ait conservé sous l'Empire son double rôle. C'est ce que démontre sans ambiguïté l'un de ses registres miraculeusement conservé, couvrant pour l'essentiel la période 1808-1810. D'un folio à l'autre, alternent malades et prévenus. En septembre 1808, c'est un patient venant de la maison d'Esquirol, où il a été traité pour mélancolie ; le 10 novembre, un condamné soumis à deux ans de prison par la cour criminelle de la Seine, que Belhomme est chargé de tenir « *en détention et non autrement* jusqu'à l'expiration de la peine prononcée contre lui » ; enfin le 30 du mois, c'est un individu, dont le statut n'est pas précisé, qui est envoyé par le préfet de police pour y rester « jusqu'à nouvel ordre [12] ». Lecture glaçante, qui juxtapose froidement la clinique et la prison sous un régime qui remet en vigueur, *mutatis mutandis*, l'ancienne lettre de cachet.

Ces incarcérations visent d'abord les prisonniers politiques qui, en particulier s'ils sont souffrants, se voient octroyer le privilège de purger leur peine dans un cadre moins éprouvant qu'une prison d'État. C'est le cas de Bénigne-Louis Bertier de Sauvigny, venant de la prison de la Force, et qui arrive chez

12. Registre de la maison Belhomme (1775-1810), f°s 23 et 24. Ce registre est conservé à l'Université de Californie-Los Angeles, Louise M. Darling Biomedical Library, Special collection, sous la cote MS. Coll. n° 96.

Belhomme le 10 mars 1809. Bénigne est le troisième fils de l'ancien intendant de Paris, qui avait réprimé très durement la guerre des Farines en 1775 et qui, très impopulaire au début de la Révolution, avait été soupçonné de détourner le blé pour affamer la population ; enlevé par des émeutiers, il avait été massacré devant l'Hôtel de Ville, le cœur arraché et la tête tranchée. Sous l'Empire, son fils aîné Ferdinand avec son frère Bénigne tentent de fédérer toutes les forces royalistes et de créer une société secrète. Bénigne arrêté en 1807, Ferdinand fonde seul l'ordre des Chevaliers de la foi, organisation œuvrant au retour des Bourbons, rejointe par les ultras promis à se distinguer sous Charles X : Mathieu de Montmorency, futur ministre des Affaires étrangères, Jules de Polignac, Jean-Baptiste de Villèle ou encore Guy de Delavau, préfet de police en 1821, et, peut-être, François-René de Chateaubriand, dont l'appartenance à cette franc-maçonnerie n'a jamais été formellement établie.

Les activités de Bénigne sont bien connues de la police, aussi est-ce en tant que « prévenu de manœuvres contre la sûreté de l'État » qu'il arrive dans la pension de la rue de Charonne. Un ordre du préfet Dubois précise : « Le S[ieu]r Belhomme aura le prisonnier sous sa responsabilité. Il lui est enjoint de le surveiller avec le plus grand soin et de lui interdire toute espèce de sortie, même momentanée, sans ordre formel émané de nous ou de S[on] E[xcellence] le Sénateur Ministre [13] » — c'est-à-dire Joseph

---

13. *Ibid.*, f° 25. L'ordre de Dubois est daté du 13 avril 1809.

Fouché. Bénigne y reste jusqu'au mois de mai, puis est transféré dans la maison de santé de Mme Richebracques rue du Chemin-Vert, et enfin chez le docteur Dubuisson, rue du Faubourg-Saint-Antoine[14]. Étrange destination puisque, chez Dubuisson, Bertier de Sauvigny se retrouve en contact avec les plus ardents opposants au régime.

Le pouvoir impérial, qui craint autant les monarchistes que les Jacobins, y a envoyé quelques fortes têtes, comme les frères Polignac, condamnés à mort en 1804 pour leur complicité avec Cadoudal, mais dont la peine avait été commuée en prison à vie, ou encore le général Malet, aristocrate rallié aux idées nouvelles et farouche républicain. Ce dernier avait déjà ourdi une conspiration contre l'empereur en 1808 qui avait échoué. Depuis, il mûrit sa vengeance. Si tous les détenus ne partagent pas les mêmes opinions politiques, ils communient dans une même détestation de l'Usurpateur. Aussi Malet se décide-t-il à former une alliance objective avec l'abbé Lafon, prisonnier royaliste, pour préparer son célèbre coup d'État de 1812, alors que l'empereur a commencé la retraite de Russie.

Évadé de la maison de santé, Malet surgit dans la nuit du 22 au 23 octobre à la caserne Popincourt pour annoncer, avec l'aplomb des meilleurs acteurs, la mort de Napoléon devant Moscou et la formation d'un gouvernement provisoire. Le commandant,

14. Cette maison de santé est devenue prison d'État en 1810. La même année, le docteur Claude-Henry Jacquelin Dubuisson (1739-1812) en confia la direction à son neveu le docteur Jean-Baptiste-Rémy Jacquelin-Dubuisson (1770-1836).

abasourdi, se rend et met ses hommes à la disposition du général, qui se dirige aussitôt à la prison de
la Force pour libérer les généraux républicains
Guidal et Lahorie[15]. Lahorie se précipite alors à la
préfecture de police, pour arrêter le préfet Pasquier,
puis chez le ministre de la police, Savary, duc de
Rovigo, pris au saut du lit et envoyé à la Force. Tout
se déroule à merveille pour les conspirateurs qui, en
quelques heures, avec une audace stupéfiante, parviennent à s'emparer des postes stratégiques de
Paris. Leur ascension s'arrête néanmoins à l'état-
major de la première division militaire : le responsable de la sécurité de Paris ne croit pas un instant à
la nouvelle que lui annonce Malet, dont il connaît le
passé de conspirateur et qu'il fait incarcérer sur-le-
champ.

Le complot a échoué, mais il a révélé l'extraordinaire fragilité d'un régime et d'une police réputée
infaillible. Par ailleurs, personne, dans l'affole-
ment, n'a songé au roi de Rome, ni à crier « Napoléon est mort, vive Napoléon ! », indication que la
légitimité dynastique n'a pas intégré les mentalités.
Dès le 28 octobre, Malet passe en jugement. Au
président qui lui demande qui étaient ses complices, il a ce mot superbe : « — Vous-même, Monsieur, et la France entière si j'avais réussi. » Il est
fusillé le lendemain, avec treize de ses acolytes.
L'Empire est sauf, mais son image très entamée.

---

15. Victor-Claude-Alexandre Fanneau de La Horie (ou Lahorie)
était l'amant de la mère de Victor Hugo. Longtemps caché aux
Feuillantines, dans une maison au fond du jardin, il servira de précep-
teur au petit Victor, dont il était également le parrain.

Et comme tout finit à Paris par un trait d'esprit, tandis qu'on fait des gorges chaudes de l'arrestation de Savary, rebaptisé le duc de La Force, la dernière plaisanterie à la mode consiste à demander dans la rue :

> — Savez-vous ce qui se passe ?
> — Eh non !
> — Vous êtes donc de la police[16].

Le retentissement de l'affaire devait aussi avoir des incidences sur l'image de la psychiatrie et de la folie dans leurs rapports au pouvoir politique. Le médecin-geôlier Dubuisson fut, assez logiquement, soupçonné d'avoir facilité l'évasion du conspirateur — mais un dossier de dénonciation qu'il avait remis à la police lors d'une précédente évasion de Malet suffit à prouver sa bonne foi et il fut relaxé[17]. Plus grave, la propagande gouvernementale s'empare du personnage de Malet pour assimiler et réduire toute tentative de conspiration à une folie : « Tandis qu'il était fusillé comme traître, on le représentait partout comme un fou, en traitant sa tentative d'acte de démence[18]. » Que Malet fût détenu dans une maison de santé, certes réputée pour être *aussi* une maison

---

16. Cité par J. Tulard, « 1800-1815 », art. cité, p. 301.

17. C'est en tout cas ce que rapporte Alexandre Brierre de Boismont, qui rachètera au docteur Pressat en 1847 la maison de santé du docteur Dubuisson. Voir Alexandre Brierre de Boismont, *Des hallucinations*, 3ᵉ éd., Germer-Baillière, 1862, p. 88, note 2. Ajoutons que Dubuisson est l'auteur d'une thèse, *Dissertation sur la manie* (1812), et d'un livre, *Des vésanies, ou Maladies mentales* (1816), qui confirment son statut de spécialiste de l'aliénation.

18. César Cantu, *Histoire universelle*, t. X, Bruxelles, Imprimerie et lithographie de J. Vanbuggenhoud, 1849, p. 137.

d'arrêt, encourageait, même inconsciemment, ce raccourci dont nombre de contemporains et d'historiens allaient se faire l'écho. La duchesse d'Abrantès rapporte dans ses *Mémoires* les propos de l'abbé Lafon assurant que Malet était un insensé, Thiers évoque « un maniaque audacieux » et « un fou [19] » dominé par une idée fixe, le docteur Max Billard résiste mal à le taxer de « monomane de la conspiration » pour préférer le qualifier de « sportsman du coup d'État [20] », quand l'historien de l'Empire Henri Gaubert, reprenant le diagnostic de folie, est formel : ce « nobliau » était « un exalté », « un déséquilibré à l'imagination déréglée [21] ».

Sous la Restauration et la monarchie de Juillet, l'incarcération dans les maisons de santé s'étend aux simples délits d'opinion. Casimir Pinel, neveu du « grand » Pinel, connu pour ses opinions libérales, accueille dans sa maison de la rue de Chaillot la fine fleur du journalisme d'opposition : Paul-François Dubois, fondateur du *Globe*, l'organe des doctrinaires avant la révolution de Juillet, condamné à quatre mois de prison en 1830 par le régime de Charles X ; Charles Philippon, le fondateur de *La Caricature*, en 1832, et, à la fin de l'année, son célèbre dessinateur, Honoré Daumier, pour avoir croqué Louis-Philippe, le roi-poire, en Gargantua dévora-

---

19. Adolphe Thiers, *Histoire du Consulat et de l'Empire*, t. XIV, Paulin, 1856, p. 524. Cette opinion est violemment contestée par Ernest Hamel, *Histoire des deux conspirations du général Malet*, Librairie de la Société des gens de lettres, 1873.

20. Max Billard, *La Conspiration de Malet*, Perrin, 1907, p. 37.

21. Henri Gaubert, *Conspirateurs au temps de Napoléon Ier*, Flammarion, « L'Histoire », 1962, p. 291.

teur ; enfin Ferdinand Bascans, gérant de la *Tribune des départements*, accablé de procès et de poursuites, mais très heureux de sa retraite forcée : « Cette maison est vaste, divinement exposée, avec un superbe parc, et j'y passe délicieusement mon temps entre la littérature, l'étude des langues et les bonnes causeries[22]… » Il reconnaît même dans une lettre à sa mère : « Je vous l'ai dit, et je vous le répète, je me trouve mieux ici, bien que j'y sois prisonnier, qu'à la rue de l'Oseille ou au bureau du journal. Le seul souci que j'aie, c'est qu'il prenne au préfet de police la fantaisie de me transférer, un beau matin, à Sainte-Pélagie. Heureusement que mon maigre squelette m'est un certificat de mauvaise santé qui me rassure[23]. »

Plaisant refuge, la maison de la rue de Chaillot ressemble davantage à une résidence surveillée, qui n'est d'ailleurs surveillée que d'un œil. Les émeutes provoquées par les funérailles du général Lamarque (5 juin 1832), dont le corps avait été porté par les républicains au Panthéon, plonge Paris en état de siège. L'armée, chargée de récupérer les détenus politiques, fait irruption chez Casimir Pinel pour reprendre Bascans, qui a déjà filé par les jardins[24].

22. Lettre de Ferdinand Bascans à sa mère, 12 mars 1832, citée in *La Fille de George Sand*, lettres inédites publiées et commentées par Georges d'Heylli, 1900, p. 123. Casimir Pinel avait fondé sa maison en 1829, au 76 rue de Chaillot. Il la transfère en 1845 au château Saint-James de Neuilly, où il mourra en 1866. Voir E. Gilbrin, « La lignée médicale des Pinel, leur aide aux prisonniers politiques sous la Terreur et pendant la Restauration », *Histoire des sciences médicales*, t. XI, n° 1-2, 1977, p. 29-34.

23. Lettre du 29 mai 1832 in *ibid.*, p. 125.

24. L'état de siège levé, Bascans s'engage à se rendre et tient sa promesse. En janvier 1833, il lui reste encore un an et demi à purger. Il

A-t-il été prévenu ? Quel rôle joua le médecin dans cette volatilisation ? Autant de questions sans réponses, qui en suscitent une autre, toute rhétorique : pourquoi le pouvoir confie-t-il ses opposants à des simulacres de maisons de force, ouvertes à tous vents, si ce n'est pour se prémunir, en proposant une assignation à résidence plus « décente » que les rigueurs des prisons d'État, contre l'accusation de dictature ?

De la Révolution à la monarchie de Juillet s'est ainsi instaurée une triple confusion, à l'intersection du psychiatrique et du politique : confusion de *statut* entre maison de santé et maison d'arrêt (Belhomme…) ; confusion de *nature* entre le fou et l'opposant au régime en place (Malet) ; confusion de *rôles* de l'aliéniste, qui coopère avec le pouvoir, mais protège aussi les détenus qu'on lui confie, voire les fait évader (Dubuisson, Casimir Pinel). L'institutionnalisation de ces pratiques, connues et admises, justifie en partie ou pour le moins explique le soupçon qui pèse au XIXᵉ siècle sur l'arbitraire des internements et la complicité ambiguë des psychiatres avec les gouvernements. Ambiguë, car l'autorité du médecin peut à l'inverse s'exercer *contre* un pouvoir discrétionnaire, y compris dans les asiles publics.

Pinel aurait ainsi sauvé plusieurs prisonniers politiques sous la Terreur, en les faisant passer pour

a abandonné toutes ses responsabilités journalistiques et s'interroge : « Et maintenant que ferai-je en quittant ma douce prison de Chaillot ?-… » (lettre à sa mère, 31 janvier 1833, in *ibid.*, p. 131).

fous. Il rapportera lui-même dans son *Traité* le cas
d'un homme qui, à force d'actes extravagants, avait
réussi à être transféré de la cellule de la prison aux
loges des aliénés. Mais ses efforts pour contrefaire
l'aliénation n'échappèrent pas à l'œil exercé du clinicien : « C'était à chaque visite quelque nouvelle
singerie ; tantôt il s'enveloppait la tête et refusait de
répondre à mes questions ; d'autrefois il m'accablait
d'un babil incohérent et sans aucune suite ; il prenait dans d'autre temps le ton inspiré et affectait les
airs d'un grand personnage ; cette variété de rôles
me fit connaître qu'il n'avait pas lu l'histoire de la
manie, ni bien étudié le caractère de ceux qui en
sont atteints. [...] [J]e ne fus point la dupe de ses
artifices mais comme il était condamné à la détention pour des affaires politiques, j'ajournai mon
rapport, sous prétexte de recueillir encore de nouveaux faits, et le 9 thermidor qui survint quelques
mois après, mit fin à la poursuite qu'on lui avait
intentée[25]. » Certains historiens ont reproché à
Pinel de vouloir, bien des années après les faits,
prendre ses distances par rapport à la Terreur et
faire oublier qu'il devait sa nomination à un décret
de la Montagne, en se présentant comme le sauveur
des victimes de la Révolution. Outre que Pinel a très
concrètement caché Condorcet en le confiant aux
soins d'une discrète pension de famille, une correspondance de la même époque entre Pussin et l'administration indique que le surveillant jouait sans
doute une stratégie solidaire de celle du médecin.

25. Pinel, *Traité...* [1800], p. 299-300.

Pussin doit alors se faire, nuit et jour, le geôlier d'au moins sept détenus promis au Tribunal révolutionnaire. Ces hommes passés de la prison à l'emploi Saint-Prix ont-ils *réellement* perdu la tête ou simulent-ils la folie pour gagner du temps, avec l'assentiment des responsables de Bicêtre ? La nette réticence du surveillant à envoyer un état nominatif précis des quelque 200 fous qu'il a sous sa garde appartient-elle à ces actes de résistance passive au pouvoir policier ? Le ton employé par Pussin dit bien la fermeté de sa position. L'un des sept détenus politiques, un scieur de bois de trente-six ans, devenu « fou furieux l'espace d'environ six semaines », étant désormais guéri, il réclame, non sans courage, sa relaxe à l'accusateur public. Sans réponse, il récidive deux mois plus tard auprès de la Commission des administrations civiles, police et tribunaux : « Il paraît aux renseignements qu'il m'a donnés, qu'il n'est tombé malade que de désespoir, attendu qu'il n'a été arrêté vers la fin de pluviôse dernier que comme suspect, n'ayant pas de carte de sûreté... Il atteste qu'il n'y a rien de plus sur son compte. Je pense qu'il est de toute justice de prendre des renseignements à cet égard et qu'il doit être compris dans la loi qui met les ouvriers en liberté[26]. »

Les initiatives de Pinel et de Pussin doivent-elles être versées au dossier des actes isolés ? À quel

26. Lettre de Pussin [improprement orthographié Piersin] aux citoyens membres de la Commission des administrations civiles, police et tribunaux, place des Piques, à Paris, 19 frimaire an III [9 décembre 1794], reproduite par A. Tuetey, *L'Assistance publique à Paris pendant la Révolution*, t. III, *Les Hôpitaux et hospices, 1791-An IV*, *op. cit.*, p. 373.

point les psychiatres cautionnent-ils le pouvoir, dans quelle mesure peuvent-ils lutter contre l'arbitraire ? Quelle marge leur est-elle accordée, entre l'admission contrainte d'un « prisonnier » et l'établissement d'un diagnostic de complaisance, rompant le contrat hippocratique ?

DISSIDENCE OU DÉMENCE ?

L'ambiguïté et la variété des « cas médicaux » relatifs au politique dans les registres des asiles exigent une lecture d'autant plus circonspecte que rien ne ressemble plus à un internement arbitraire qu'un certificat psychiatrique en bonne et due forme. Cela tient, pour partie, à la sécheresse de ces procès-verbaux, expédiant à l'asile des cas souvent peu documentés, où le jugement moral, servi par un vocabulaire suranné décrivant tel « fanatique royal, plein de jactance » ou tel « républicain exalté », se distingue mal du diagnostic médical. Notre lecture contemporaine, habituée à des termes plus « neutres » et, pour tout dire, rassurants, s'accommode mal de ces jugements de valeur intempestifs. Mais c'est oublier que la science est, à toutes les époques, idéologique — l'histoire de l'hystérie ou de l'homosexualité, hier considérée comme une dégénérescence, en donne assez l'exemple[27]. Et

27. Sur cette question des rapports entre l'idéologie et la science, je ne connais pas de meilleur livre que celui d'Anne Fausto-Sterling,

il y a fort à parier que l'historien du XXIIIe siècle qui lira les études actuelles sur la schizophrénie s'étonnera des travaux de nos psychiatres, dont les conclusions, si objectives et de bonne foi soient-elles, sont inévitablement orientées.

L'interprétation des archives asilaires du XIXe siècle souffre par ailleurs, depuis l'avènement de l'antipsychiatrie, des invectives répétées contre l'aliénisme qui, si elles sont parfois fondées, inclinent à une systématisation décervelée. Oui, les aliénistes ont participé à un dispositif gouvernemental de contrôle, coulé dans la morale autoritaire du siècle dans lequel ils vivaient. Non, ils n'ont pas été les geôliers sadiques de tous les délinquants de la terre. Comment rendre compte de cet écart, dont la frontière est plus difficile à tracer qu'il n'y paraît ? En s'attachant non pas à chercher l'hypothétique réalité de la maladie mentale (quasiment impossible à déterminer a posteriori), mais en s'évertuant à éclairer les critères d'internement et le système complexe qui les ordonne.

Dans la légende noire de Napoléon, il existerait « un mythe de l'enfermement des opposants comme fous[28] », pour reprendre le titre d'un article de Michael Sibalis, qui a traqué aux Archives nationales les dossiers relatifs à cet épineux sujet. Sa conclusion est contenue dans le titre de son article. La

---

Sexing the Body : Gender Politics and the Construction of Sexuality, New York, Basic Books, 2000.

28. Michael Sibalis, « Un aspect de la légende noire de Napoléon : le mythe de l'enfermement des opposants comme fous », *Revue de l'Institut Napoléon*, vol. I, n° 156, 1991, p. 9-24.

police se serait, en gros, opposée le plus souvent à
des internements sommaires de dissidents politiques dans les asiles publics, en les faisant injustement passer pour fous. Seules des exceptions
notables, comme le cas de l'abbé Fournier, confir-
meraient la règle. Le jour de la Pentecôte en 1801,
l'abbé avait fait allusion à la mort de Louis XVI dans
son homélie à Saint-Germain-l'Auxerrois. En marge
du rapport de police, le ministre avait écrit : « Si le
fait est vrai, le mettre à Bicêtre comme fou. » Sa
libération de l'asile quelques semaines plus tard, sur
avis médical, rendrait hommage aux aliénistes, ni
dupes ni complices du pouvoir. Mais que nous
disent en retour les archives médicales sur ces têtes
trop occupées de politique ?

Elles sont parfois manquantes. Aucun document ne figure dans les dossiers psychiatriques,
par exemple, sur Théodore Desorgues, poète,
auteur de l'« Hymne à l'Être suprême », interné à
Charenton en 1805, pour une chanson dont le
refrain disait « Oui, le grand Napoléon / Est un
grand caméléon » et à qui l'on attribuait cette boutade, lancée à un serveur qui lui proposait deux
parfums (orange ou citron) pour la glace qu'il
avait commandée dans un café : « Je n'aime pas
l'écorce [*les Corses*]. » Dans ses *Notes historiques*,
le Conventionnel Baudot raconte : « Je l'ai vu
quelques jours avant son arrestation ; il n'y avait
pas chez lui la plus légère apparence d'aliénation
mentale, mais il ne se gênait pas pour déclamer
contre l'usurpateur des libertés publiques, et il
lisait ses vers anticorsiques à qui voulait les
entendre. Et il fallait une raison droite pour les

faire[29]. » Desorgues a-t-il été déclaré fou « *ex officio imperatoris* », selon l'expression de Baudot, ou son internement était-il justifié par « la bizarrerie et l'incohérence[30] » de ses propos notés par la police, qui poussèrent les médecins du bureau central d'admission à confirmer son aliénation d'esprit ? Voilà qui est impossible à trancher, les deux interprétations n'étant pas forcément incompatibles, surtout si l'accusé s'est défendu trop énergiquement pour crier au scandale. À partir de quel moment et selon quels critères s'écarte-t-on d'un discours politique « raisonnable » ? À partir de quel moment et selon quels critères la dissidence s'accompagne-t-elle de débordements jugés « délirants » ? Les atteintes aux libertés fondamentales sous l'Empire ont assez été étudiées pour ne pas soupçonner la fraude intellectuelle du pouvoir par rapport à ces détenus dont le cas est douteux, parmi lesquels on peut compter un ancien chirurgien de la marine, Victor Mariette, dit Wreight, entré à Charenton le 12 mars 1806 :

> Depuis 7 ans, rêveries métaphysiques et philosophiques sur la science, la politique, la morale, la religion, ayant voyagé aux États-Unis, propos contre

29. Marc-Antoine Baudot, *Notes historiques sur la Convention nationale, le Directoire, l'Empire et l'exil des votants*, publié sous les auspices du ministère de l'Instruction publique, Imprimerie D. Jouaust, 1893, p. 62-64. Voir également Michel Vovelle, « Notes complémentaires sur le poète Théodore Desorgues ou Quand les inconnus se font connaître », *Annales historiques de la Révolution française*, n° 265, 1986, p. 341-345.

30. Michael Sibalis, « L'enfermement de Théodore Desorgues : documents inédits », *Annales historiques de la Révolution française*, n° 284, 1991, p. 243-246. Je remercie Gisèle Sapiro de m'avoir indiqué cet article.

Napoléon qu'il a appelé l'antechrist, est en prison depuis 4 ans pour cela. Auteur d'un ouvrage de politique et de législation intitulé : *Traité analytique de l'homme.* [...] Pas d'agitation, air rêveur et préoccupé, manie de ne vouloir pas être appelé Mariette, son propre nom, mais *Wright*, nom qu'il a adopté. Taciturnité. L'été de 1806 il eut de l'insomnie, agitation secrète, mouvement nerveux, augmentation de la mélancolie. L'automne l'a fait revenir à son état antérieur dont il n'est pas sorti jusqu'à sa sortie [31].

De quoi souffre cet homme, coupable de « rêveries » ou de « taciturnité » et dont la seule « manie » est de vouloir user d'un pseudonyme suggérant, du moins phonétiquement, sa conviction d'avoir *raison* et d'être dans son *droit* ? Que sépare l'internement médical de l'emprisonnement pour propos contre l'empereur, dont le rappel historique se confond avec le commentaire étiologique ? Comment interpréter sa date de sortie (23 septembre 1815), « dans le même état qu'à son entrée », précise le médecin, sinon comme une libération politique, lorsque l'on sait que Napoléon a pris la route de Sainte-Hélène en août ? En tout, Victor « Wright », dont l'aliéniste s'abstient (ou refuse ?) de commenter la « mélancolie » sinon par des remarques extramédicales, aura passé treize ans enfermé, dont neuf à Charenton.

Le 14 février 1810, un autre personnage, lui aussi atteint de « rêveries » suspectes, rejoint Wright à Charenton. Il s'agit du fameux Jacob Dupont, qui prêcha l'athéisme au cours d'une discussion sur

---

31. ADVDM, Charenton, Registre d'observations, hommes et femmes, 1799-1814, 4X681 (registre non folioté).

l'éducation à l'Assemblée, où il déclara fièrement, le 14 décembre 1792 : « Je l'avouerai de bonne foi à la Convention, je suis athée[32] » — à quoi Robespierre aurait répondu : « L'athéisme est aristocratique. »

> Ancien doctrinaire, ancien député à l'assemblée législative et à la convention ; retiré dans un petit village près de Loches, il y est depuis 8 ans avec une sœur qui est morte depuis 6 mois. Rêveries métaphysiques et révolutionnaires, fameuse proposition d'athéisme à la convention ; cours sur ce sujet fait publiquement sur la place Louis XV il y a 7 [ou 9 ?] ans. Beaucoup d'écrits pleins des mêmes folies. Point de violence, pas de délire sur les autres objets[33].

C'est écrit en toutes lettres : l'athéisme est une folie. L'assertion, en soi, n'est pas surprenante, dans une société qui partage largement l'opinion de Louis Sébastien Mercier, pour qui l'athéisme était la « somme totale de toutes les monstruosités de l'esprit humain », « une manie destructive [...] qui avoisine beaucoup la démence [34] ». Mais, cette fois, le jugement est un diagnostic, sous la plume d'un aliéniste qui, même s'il emploie le mot de « folies » au sens trivial, reconnaît que Jacob Dupont ne « délire [pas] sur les autres objets ». Le point est capital. Car il prouve, noir sur blanc, que des convictions philo-

---

32. *Gazette nationale ou Le Moniteur universel*, nº 351, dimanche 16 décembre 1792, p. 744.

33. ADVDM, Charenton, Registre d'observations, hommes et femmes, 1799-1814, 4X681.

34. Louis Sébastien Mercier, *Le Tableau de Paris* [1788], La Découverte, « Poche », 1998, p. 260.

sophiques constituent la condition suffisante pour justifier l'internement. Le cas est d'autant plus remarquable que l'aliéniste, le docteur Royer-Collard dont on aura l'occasion de reparler, ignorait sans doute que Jacob Dupont avait été forcé à la démission de l'Assemblée en 1794 à cause de son état mental et avait été arrêté l'année suivante pour avoir violé une vieille femme aveugle[35]. Les eût-il connus, ces éléments n'auraient fait, bien sûr, qu'aggraver un diagnostic dont la particularité est d'être *uniquement* fondé sur la dimension subversive d'un athéisme revendiqué. Les eût-il mentionnés sur le registre, que le cas de Jacob Dupont serait à classer parmi ces affaires ambiguës dont les archives sont noircies, quand il révèle là, dans sa franchise nue, non pas la santé psychique — impossible à prouver — d'un homme injustement envoyé à l'asile, mais, beaucoup plus déterminant, l'arbitraire assumé des critères de détention.

Tous les athées ne finissent pas à Charenton. À côté des mécréants, bon nombre d'internés atteints de « monomanies religieuses », d'une validité scientifique a priori tout aussi équivoque, grossissent les statistiques de la folie. À Bicêtre, le médecin-chef se plaint à la commission chargée des hospices de la présence des chapelains, dont les idées religieuses porteraient à son comble le désordre dans l'esprit des aliénés, et demande en conséquence leur éloignement. « La religion, écrit-il, a été reconnue par tous les médecins et par toutes les personnes qui ont

35. Auguste Kuscinski, *Dictionnaire des Conventionnels*, Société de l'histoire de la Révolution française, F. Rieder, 1916.

l'habitude de voir des aliénés comme une des causes les plus fréquentes de la folie. » Un employé aurait remarqué qu'après chaque visite du chapelain un patient, ancien instituteur, tombe dans un accès d'épilepsie suivi de fureur pendant quinze jours. « Parmi les différentes sortes d'aliénation mentale, celle qui dépend de la religion a toujours paru la plus difficile à guérir, celle qui porte davantage à la fureur et à la cruauté. J'ai vu à l'hospice de Bicêtre un fou qui avait tué sa femme parce qu'elle s'était rendue trop tard à la messe [36]. »

À la Salpêtrière, Pinel, se fondant sur ses notes journalières, dresse un constat tout aussi alarmant. Les femmes indigentes, venues en dernier recours demander charité à leur paroisse, sont les premières victimes des ecclésiastiques qui, la Révolution passée, leur reprochent de s'être confessées auprès d'un prêtre assermenté, d'avoir divorcé ou baptisé civilement leurs enfants. En leur refusant les secours de l'Église et en leur promettant les flammes éternelles, ils les précipitent dans une folie souvent incurable, nourrie d'hallucinations et de visions infernales. Pinel affirme même pouvoir « indiquer les quartiers de Paris où prédomine cette dévotion atrabilaire, tandis que dans d'autres une piété compatissante et éclairée a suspendu quelquefois le développement d'une aliénation prête à se déclarer […] [37] ».

36. AN, F[15], 2604-2605. Copie d'une lettre du docteur Lanefranque à M. Desportes, membre de la commission chargée des hospices, Bicêtre, 23 septembre 1807.

37. Pinel, *Traité…* [1809/2005], p. 255 et 271-272.

Dans tous les cas, ce que les aliénistes pointent d'un doigt accusateur, ce sont les prosélytes. En ce sens, la psychiatrie s'affirme comme une discipline moderne, soucieuse de se démarquer d'une religion qui a eu longtemps le monopole de la folie, mais qui a aussi condamné au bûcher la sorcière et l'hérétique dont elle avait fabriqué de toutes pièces l'existence. Le sentiment religieux ne serait pas une folie en soi, puisqu'une « piété compatissante » peut au contraire calmer les esprits et les ramener sur le droit chemin. Le zèle fanatique et la propagande mystique, voilà ce qui, à l'aube du XIXe siècle, doit en revanche être séparé d'une science positive, rationnelle, et résolue à triompher de l'obscurantisme.

L'athéisme présente un danger tout autre, car la folie lui est consubstantielle : « L'insensé dit en son cœur : Il n'y a point de Dieu[38] ! », est-il écrit dans le Livre des Psaumes. Au Moyen Âge, l'athée, l'impie, est assimilé au fou. Mais, depuis la Déclaration des droits de l'homme, la France a entériné la liberté d'opinion religieuse à condition, toutefois, qu'elle ne trouble pas l'ordre public. Le cas de Jacob Dupont est assez clair à cet égard : c'est pour avoir parlé, écrit et proféré l'athéisme dans l'espace public que le fauteur de trouble est considéré comme aliéné, envoyé à Charenton. Charenton où, à la même époque, languit le plus illustres des « prisonniers » de cette institution et le plus athée des philosophes, le marquis de Sade.

---

38. Ancien Testament, le Livre des Psaumes, XIV, 1.

« CET HOMME N'EST PAS ALIÉNÉ » :
SADE À CHARENTON

Sade, ce prisonnier que tout le monde réclame et
dont aucune forteresse ne veut. Saumur, Pierre-
Scise, For-l'Évêque, Miolans, Vincennes, la Bastille, Charenton, les Madelonnettes, les Carmes,
Saint-Lazare, Picpus, Sainte-Pélagie, Bicêtre : Sade
l'encombrant, qui embarrasse tous les régimes
politiques, aura connu la plupart des grandes maisons de détention du royaume, de la République et
de l'Empire. Plaintes, lettres de cachet ou ordres de
police, on l'arrête, on le séquestre, on le transfère
de prison en asile ; jusqu'à ces geôliers, honteux
d'abriter un homme aussi infâme, personne ne
veut d'un pareil scélérat, en état d'insubordination
permanente. « Littéralement et dans tous les sens »,
Sade est celui dont on ne sait pas quoi faire. Louis-
Nicolas Dubois, le préfet de police du Consulat
puis de l'Empire, décidé à mettre au secret le scan-
daleux auteur de *Justine*, l'avait envoyé à Sainte-
Pélagie en 1801, puis à Bicêtre ; sa famille obtient
finalement de le faire entrer à Charenton le 27 avril
1803, où il meurt au terme de onze ans de réclusion, le 2 décembre 1814, sans avoir jamais perdu
l'espoir de pouvoir en sortir un jour.

Le séjour de Sade à Charenton, dont l'histoire a
été faite[39], est la scène d'une étrange pièce de

39. On consultera notamment les trois biographies qui font auto-

théâtre à trois personnages : le marquis, l'abbé et le médecin. Le décor est celui d'un asile, fondé par les frères de Saint-Jean-de-Dieu en 1641, dans une petite commune de quelques centaines d'habitants, sur un coteau fertile, au confluent de la Seine et de la Marne. Des bâtiments de pierre taillée, néoclassiques, la campagne alentour.

Sade arrive à Charenton en terres connues. Il y avait déjà passé neuf mois, entre le 4 juillet 1789 et le 2 avril 1790. Transféré de la Bastille où il avait été incarcéré pour inconduite, il aurait pu, à quelques jours près, recouvrer sa liberté grâce à la prise de « ce monument d'horreur » dont il appelait la destruction de ses vœux. Mais la Révolution, grâce à l'abolition des lettres de cachet, lui ouvre les portes de sa nouvelle prison de Charenton, où il avait vécu neuf mois « au milieu des fols et des épileptiques [40] ». Ses geôliers n'eurent pas à le regretter. Le 12 janvier 1790, le frère Eusèbe Boyer adressait à l'Assemblée un état des personnes détenues à l'asile. S'il renonçait à détailler « les motifs de détention de M. le comte de Sade, c'est que l'énumération en eût été trop longue et qu'il est généralement connu de

rité : Gilbert Lely, *Vie du marquis de Sade*, nouv. éd. entièrement refondue, Chez Jean-Jacques Pauvert, 1965 ; Maurice Lever, *Donatien Alphonse François, marquis de Sade*, Fayard, 1991 ; Jean-Jacques Pauvert, *Sade vivant*, Robert Laffont, 1986-1990, 3 vol. Parmi les études s'attachant uniquement au séjour de Sade à Charenton, voir J.-F. Reverzy, « Sade à Charenton : une scène primitive de l'aliénisme », *L'Information psychiatrique*, vol. 53, n° 10, décembre 1977, p. 1169-1181 ; Michel Gourévitch, « Le théâtre des fous : avec Sade, sans sadisme », *Petits et grands théâtres du marquis de Sade*, Annie Le Brun (éd.), Paris Art Center, 1989.

40. Lettre de Sade à Gaufridy, 1790, citée par G. Lely, *Vie du marquis de Sade, op. cit.*, p. 399.

l'Assemblée nationale, que je supplie de vouloir bien me débarrasser d'un pareil sujet, ou m'autoriser à le renfermer pour mettre cette maison à l'abri des malheurs dont elle est menacée[41] ».

Lorsque Sade y est renvoyé en 1803, l'asile a beaucoup changé. Confisqués à l'ordre des frères, les bâtiments ont été fermés à l'été 1795, réunis aux Domaines nationaux, pour rouvrir le 15 juin 1797, sous la tutelle du ministère de l'Intérieur. La direction de l'établissement est confiée non pas à un médecin, comme le voudrait la lente et progressive médicalisation de la folie, mais à un philanthrope plein d'entregent, François Simonnet de Coulmier, qui va y exercer, en despote éclairé, un pouvoir absolu, refusant l'établissement d'un règlement intérieur, la constitution d'un conseil d'administration et même la tenue de registres matricules nominatifs — par souci de discrétion, assurait-il. À Charenton, Coulmier est maître en son royaume. Il investit une part de sa fortune personnelle dans la réfection des lieux, dirige les travaux, contrôle les soins aux malades, s'entoure d'un personnel de confiance et transmet à l'administration des comptes plus qu'évasifs. Le docteur Gastaldy, ancien directeur de l'hospice des insensés d'Avignon, l'assiste — et lui est inféodé. À l'heure où l'aliénisme devient une spécialité confiée aux seuls praticiens sous l'influence de Pinel (qui dirige la Salpêtrière, quand le docteur Lannefranque a pris sa succession à

41. AN, DV1, n° 7, cité par A. Tuetey, *L'Assistance publique à Paris*, *op. cit.*, t. I, p. 455.

Bicêtre), ce schéma surprenant, fondé sur le fait du prince et une tutelle thérapeutique « laïque », fait de Charenton, selon les mots de Marcel Gauchet et Gladys Swain, « l'ultime et vaine citadelle d'une idée morte[42] ». Elle contribuera à sauver les dernières années du marquis de Sade.

Sade et Coulmier ont un point commun qui, comme un aimant, les attire et les repousse. Sade a abandonné son titre de marquis pour celui de citoyen, a présidé la section des Piques, il a accompagné la Révolution avec détermination ; Coulmier est un ancien abbé des Prémontrés, acquis aux idées nouvelles, qui fut député de la Constituante. Mais ces deux hommes du XVIIIe siècle, marqués par les privilèges de la naissance, conservent de l'ancien monde une vision cosmique, interne, nourrie de fantaisie, dans le sens fort du mot, à l'intérieur de deux notions que la Révolution a congédiées : le plaisir et la volupté. Issus de l'âge du libertinage, ils partagent l'insoumission aux conventions, le goût, surtout, du théâtre — on y reviendra.

La comparaison s'arrête là. Physiquement, il faut se figurer un Sade de soixante-trois ans, imposant, obèse, mais qui conservait « un reste de grâce et d'éloquence dont on retrouvait des traces dans l'ensemble de ses manières et de son langage » et dans le regard ce « je ne sais quoi de brillant et de fin qui s'y ranimait de temps à autre comme une

---

42. M. Gauchet et Gl. Swain, *La Pratique de l'esprit humain*, op. cit., p. 67. Les diverses sources sur le sujet mentionnent deux orthographes pour le nom du directeur de Charenton : Coulmier ou Coulmiers. Je respecte la première, fidèle à la graphie de sa signature rencontrée dans les archives.

étincelle expirante sur un charbon éteint[43] ». En face, un nain, ou du moins un homme de très courte taille (les témoignages contemporains lui attribuent entre un mètre et 1,20 mètre), âgé de quarante et un ans, tout contrefait, avec des jambes torses, et que l'on disait bossu — une silhouette inconciliable avec les exigences de Hollywood, qui attribua au sémillant Joaquin Phoenix le rôle de Coulmier, ridiculement affublé d'une soutane, dans le film *Quills* (2000). Plus fondamentalement, quand Sade, malgré les persécutions, n'a jamais varié dans ses convictions philosophiques et sa « façon de penser[44] », Coulmier aura été un modèle d'opportunisme politique, siégeant même, après avoir servi l'Ancien Régime et la Révolution, au très conservateur Corps législatif de l'Empire jusqu'en 1808.

L'histoire veut que Coulmier ait défendu Sade contre de multiples avanies, ce qui est exact. Mais elle est à nuancer. Lorsqu'il arrive à Charenton, Sade adresse à Coulmier mille reproches, qui montrent que les premiers contacts ont été hou-

---

43. Charles Nodier, *Œuvres complètes*, t. VIII, *Souvenirs et portraits*, Eugène Renduel, 1833, p. 166.
44. « Ma façon de penser, dites-vous, ne peut être approuvée. Eh ! que m'importe ? Bien fou est celui qui adopte une façon de penser pour les autres ! Ma façon de penser est le fruit de mes réflexions ; elle tient à mon existence, à mon organisation. Je ne suis pas le maître de la changer ; je le serais, que je ne le ferais pas. Cette façon de penser que vous blâmez fait l'unique consolation de ma vie ; elle allège toutes mes peines en prison, elle compose tous mes plaisirs dans le monde et j'y tiens plus qu'à la vie. Ce n'est point ma façon de penser qui a fait mon malheur, c'est celle des autres » (lettre du marquis de Sade à sa femme, début novembre 1783, citée par G. Lely, *Vie du marquis de Sade, op. cit.*, p. 371).

leux. Il lui réclame des égards et des soins, que
Coulmier n'est pas prêt de lui accorder, pour des
raisons financières. Sade renvoie le directeur à sa
famille qui paie la pension, l'assure qu'il désire-
rait « d'être (et cela le plus-tôt possible) aussi loin
de Charenton [qu'il] en [est] près… ». Et ajoute :
« Je serais fort aise d'avoir appris de vous, Monsieur une très grande vérité contenue dans la
lettre que vous venés de m'écrire, *c'est qu'il y a
beaucoup de gens qui ne se croyent pas fous et qui
le sont…* Oh monsieur quelle vérité[45] ! » Sade ira
jusqu'à porter plainte au tribunal contre M. de
Coulmier, homme « fort brusque et fort violent »
qui, dans les premiers temps, l'a mis sous les verrous et ne l'autorise à sortir que deux heures par
jour, « suivi par les mêmes gardiens qui accompagnent les foux[46] ».

Qui songerait, sans paraître ridicule, à confondre
Sade avec les fous dont il partage le sort ? Beaucoup
de monde, dont le préfet de police, qui continue de
s'insurger en 1804, contre « cet homme incorrigible », « dans un état perpétuel de démence libertine[47] ». Mais certainement pas Coulmier, qui a logé
Sade dans le bâtiment central où sont les pensionnaires libres et qui, de mois en mois, apprend à
connaître son prisonnier, s'emploie à lui rendre la
vie plus douce et sa détention moins sévère. Lui

45. Lettre de Sade à Coulmier, 27 messidor an II (16 juillet 1803), in
D. A. F. de Sade. Lettres inédites et documents, correspondance publiée
par Jean-Louis Debauve, 1990, p. 488-490.
46. *Ibid*., p. 494. « Plainte contre M. de Coulmiers », Charenton,
1804.
47. Cité par G. Lely, *Vie du marquis de Sade, op. cit*., p. 634.

fournit encre et papier, le laisse errer à sa guise dans l'asile et ses jardins, autorise sa compagne la plus fidèle, la comédienne Marie-Constance Quesnet, à demeurer avec lui — Sensible, comme Sade la surnomme, a sa chambre à Charenton, dont elle ne partira qu'à la mort de l'écrivain, après des années d'un dévouement sans faille. Pour autant, les rapports entre les deux hommes, hésitant entre confiance et agacement réciproques, ne ressemblent pas à l'idylle qu'on a parfois voulu faire croire. Le directeur alterne bienveillance et brusqueries, privilèges discrets et promesses non tenues envers ce patient d'une lucidité et d'une fureur intactes. Un jour le console, le lendemain médit de lui en sa présence, devant son fils ; un matin lui fait entrevoir l'espoir d'une libération prochaine, le soir l'assure que le gouvernement a juré sa détention éternelle. Mais ce mouvement pendulaire, caractéristique d'un tempérament essentiellement capricieux, n'altère qu'en surface les largesses très réelles de Coulmier envers Sade et les faveurs dont il le fait bénéficier.

Malgré toute la malveillance dont est chargée sa description de Charenton visité en 1812, Hippolyte de Colins, ancien officier de cavalerie, a bien saisi la spécificité du lien qui unit Coulmier à Sade : « La première chose qui s'offre à mes regards est sa liaison intime avec un monstre voué à l'exécration publique[48]. » Intime, telle semble être en effet la

---

48. Hippolyte de Colins, « Notice sur l'établissement consacré au traitement de l'aliénation mentale, établi à Charenton près Paris, 1812 », reproduit en appendice du *Journal inédit* de Sade, Gallimard, « Folio », 1994, p. 116.

compréhension, par le directeur, du statut et de la personne singulière de Sade. C'est ce dont témoigne, dans les termes plus concrets de l'anecdote, M. de Gaillion, ancien préfet de l'Eure, interné parmi les pensionnaires libres à Charenton :

> Les premiers mois se passèrent fort bien, j'allais et je venais comme je voulais. Je fus très éttoné [*sic*] d'apprendre qu'au dessous de moi logeait ici un Mr de Sade qu'il suffit de nommer pour... Je n'étais pas le maître de l'impression que sa seule vue faisait sur moi lorsque je le rencontrais. Je fus ensuite éttoné d'apprendre qu'un pareil homme était dans l'intimité de Mr de Coulmier qui bientôt m'en donna une preuve. Il me demanda un jour dans son cabinet pourquoi je ne faisais pas société avec Mr de Sade, ce qu'il m'avait fait ? Je lui répondis fort éttoné qu'il ne m'avait fait que des honnêtetés, et que je les lui avais rendues, mais qu'il me serait impossible de pouvoir me lier avec un pareil homme. Il se mit en colère et il osa me dire qu'on voyait une paille dans l'œil de son voisin, et pas une poutre dans le sien. Je m'en allai en lui disant que de pareilles réflexions lui faisaient beaucoup plus de tort qu'à moi. Quelques jours après je fus insulté dans les jardins par Sade, et sur la plainte que j'en portai à Mr de Coulmier j'en fus reçu très froidement. Depuis ce temps il me fit éprouver tant de désagréments à Charenton que j'écrivis à ma famille pour n'y plus rester, et j'eus quelque peine à l'obtenir parce que Mr de Coulmier avait su capter sa confiance par des belles mais fausses paroles[49].

Sade est bel et bien dans l'« intimité » de Coulmier. Celui-ci le protège non seulement contre les

---

49. AN, F^{15} 2606-2607, lettre d'Eu. de Gaillion au ministre de l'Intérieur, Charenton, 1er août 1807. Gaillion était entré à Charenton le 15 octobre 1806 aux frais de l'État.

autorités, en lui permettant d'écrire et de vaquer, mais en défendant avec fermeté ce détenu courtois qu'on accable sans le connaître, en vertu de sa réputation. On mesure à cet événement minuscule dans la vie de l'asile la complicité de Coulmier avec Sade, inlassable contempteur de l'hypocrisie du monde, et qui aurait souscrit sans effort au dicton de la paille et de la poutre. Coulmier pousse même la solidarité de la parole aux actes. Lorsque Gaillion, qui est parvenu à se faire transférer chez Belhomme, est contraint de revenir à Charenton dix-huit mois plus tard faute d'argent, le directeur n'a rien oublié et ira jusqu'à la rétorsion, le logeant dans le redoutable pavillon des fous, lui refusant toute société, et toute promenade.

Il est sans doute trop facile de considérer que Charenton fut le théâtre personnel de M. de Coulmier. Mais il est impossible de ne pas voir chez cet homme, spectaculairement laid et difforme, le goût de la manipulation et de la mise en scène — y compris de lui-même. Ce goût s'incarne très concrètement dans les pièces qu'il fait jouer à l'asile, et dont il confie la direction à Sade, initiative qui achèvera de précipiter la fin de sa souveraineté sur Charenton.

Chaque mois, spectacle est donné. Le théâtre, avec gradins, loges et fosse d'orchestre, se situe sous la salle des femmes aliénées. On y représente des comédies légères, des pièces de Molière, de Marivaux ou de Louis Sébastien Mercier, précédées ou suivies de divertissements musicaux. Le marquis de Sade est le maître de ces cérémonies — et se fait acteur ou même chanteur à l'occa-

sion. Sur la scène, les fous se confondent avec les
comédiens professionnels ; dans la salle, les fous
se mêlent aux invités venus de Paris. Car le
théâtre, pour Coulmier, fait partie du traitement
moral. Aucun document ne détaille les intentions
du directeur dans l'emploi de ce moyen thérapeutique. Tout au plus peut-on déduire qu'il
entendait explorer le pouvoir cathartique de la
représentation théâtrale — ce que, soit dit en passant, la psychothérapie institutionnelle allait
développer au lendemain de la Seconde Guerre
mondiale. Pour Hippolyte de Colins, ce remède,
sous prétexte qu'il est fondé sur l'illusion, s'avère
un véritable poison. Il exaspère le délire des
malades, brouille leur rapport au réel, et aurait
même ruiné toute chance de guérison chez le
fameux danseur Trénitz qui, après s'être produit
devant son public, entra dans une fureur incoer-
cible à l'idée d'être dépouillé de son costume de
roi d'opérette et de retourner dans sa cellule. Mais
le vrai scandale, c'est bien sûr la présence de
Sade :

> Quelle confiance peut inspirer un Directeur auprès
> duquel on a souvent accès et faveur par un être au-
> quel je ne puis donner le nom d'homme ; un Directeur
> qui consent à prendre un tel panégyriste ; qui fait
> jouer publiquement sur son théâtre une pièce faite
> par lui et à sa louange, dans laquelle on trouve les
> flatteries les plus basses et où on le compare aux
> dieux mêmes ; que dis-je ? qui lui a permis de jouer un
> rôle dans une autre pièce, et quel rôle encore ? Celui
> du méchant qu'il rend avec toute la vérité du crime
> qu'il porte dans son cœur. J'ai vu tout un public fré-
> mir d'horreur à ce spectacle, tandis que le Directeur

général rougissait de colère de n'entendre aucun applaudissement dans la salle[50].

Rien de tout cela n'aura frappé le docteur Schweigger, en visite à Charenton en 1808. Intéressé par l'expérience théâtrale, sans doute ignorant de la présence et de l'identité de Sade, le médecin allemand reste néanmoins prudent, voire dubitatif, sur l'efficacité du procédé, mais en termes mesurés. Il confirme en revanche, à l'identique de Colins et au chapitre des thérapies en œuvre à l'asile, l'usage des douches violentes et des « bains de surprise », consistant à basculer à la renverse le malade, sanglé sur une chaise, dans un bassin d'eau froide, procédé barbare banni de Pinel et d'Esquirol, qui serait « rarement utilisé[51] ». « Ces salles [de bains], précise une plaquette de l'époque sur l'établissement, sont assez isolées pour que les cris, les vociférations des malades qu'on y amène ne puissent être que faiblement entendus de ceux dont la tranquillité serait troublée par les impressions pénibles qu'ils en éprouveraient[52]. »

Traitement moral ou physique, distribution des privilèges ou des châtiments, c'est M. de Coulmier qui décide de tout, assuré d'avoir le soutien du docile docteur Gastaldy. La mort de ce dernier, en

---

50. Cité in *Journal inédit* de Sade, *op. cit.*, p. 116.
51. « Une visite des établissements d'aliénés parisiens en 1808 » par August-Friedrich Schweigger, trad. de l'allemand par Michel Caire et mis en ligne sur son site : http://psychiatrie.histoire.free.fr/index.htm.
52. Charles-François Giraudy, *Mémoire sur la Maison nationale de Charenton*, Imprimerie de la Société de médecine, 1804, p. 7.

décembre 1805, change la donne. Le 23 janvier 1806, le docteur Antoine-Athanase Royer-Collard, frère puîné de Pierre-Paul, le politicien, est nommé médecin de Charenton, contre l'avis de Coulmier et malgré la recommandation de Pinel en faveur d'Esquirol. Le gouvernement préfère porter son choix sur cet ancien oratorien désormais père de famille, connu pour la gravité de ses mœurs, tard venu à la médecine (il est reçu docteur en 1802) et sans aucune expérience institutionnelle de l'aliénation mentale. Il est le troisième homme de cette pièce qui se joue entre Coulmier et Sade, et l'instrument de leur chute.

En 1791-1792, Royer-Collard avait publié un journal politique à Lyon, dirigé contre les Jacobins de cette ville. Son titre convient étrangement au rôle qu'il tiendra à Charenton : *Le Surveillant*. À défaut de pouvoir imprimer sa direction médicale à l'établissement où Coulmier n'a de cesse d'entraver son travail, Royer-Collard va accumuler les frustrations et les preuves de dysfonctionnement de la maison. En 1808, il adresse à Fouché une lettre qui mérite d'être amplement citée :

> Il existe à Charenton un homme que son audacieuse immoralité a malheureusement rendu trop célèbre, et dont la présence dans cet hospice entraîne les inconvénients les plus graves : je veux parler de l'auteur infâme de *Justine*. Cet homme n'est pas aliéné. Son délire est celui du vice, et ce n'est point dans une maison consacrée au traitement médical de l'aliénation que cette espèce de délire peut être réprimée. Il faut que l'individu qui en est atteint soit soumis à la séquestration la plus sévère, soit pour mettre les autres à l'abri de ses fu-

reurs, soit pour l'isoler lui-même de tous les objets qui pourraient exalter ou entretenir sa hideuse passion. Or, la maison de Charenton, dans le cas dont il s'agit, ne remplit ni l'une ni l'autre de ces deux conditions. M. de Sade y jouit d'une liberté trop grande. Il peut communiquer avec un assez grand nombre de personnes de deux sexes, les recevoir chez lui, ou aller les visiter dans leurs chambres respectives. Il a la faculté de se promener dans le parc, et il y rencontre souvent des malades auxquels on accorde la même faveur. Il prêche son horrible doctrine à quelques-uns ; il prête des livres à d'autres. Enfin, le bruit général dans la maison est qu'il vit avec une femme qui passe pour sa fille [53]. Ce n'est pas tout encore. On a eu l'imprudence de former un théâtre dans cette maison, sous prétexte de faire jouer la comédie par les aliénés, et sans réfléchir aux funestes effets qu'un appareil aussi tumultueux devait nécessairement produire sur leur imagination. M. de Sade est le directeur de ce théâtre.

Ce précieux document doit être lu comme une lettre de double dénonciation. D'une part, Royer-Collard, en tant que médecin, dénonce une méprise et une erreur de destination : Sade n'est pas fou, sa place n'est pas, en effet, dans un asile consacré au traitement des malades mentaux. C'est l'aliéniste qui parle, et on lui sait gré de cette nécessaire mise au point. Mais, d'autre part, et c'est l'objet principal de sa protestation, il s'élève en procureur contre la présence d'un homme qui, poursuivi, inquiété et régulièrement incarcéré depuis plus de quarante ans, jouit encore « d'une liberté trop grande ». L'effi-

---

53. Le marquis de Sade avait fait passer Marie-Constance Quesnet pour sa fille naturelle, afin de pouvoir la garder près de lui. Coulmier était sans doute complice de ce subterfuge.

cacité de son argumentation réside tout entière dans le glissement du diagnostic médical au réquisitoire moral, qui est subtil, puisque que Sade, sans être « aliéné », est pourtant atteint d'un « délire », celui du « vice », dont le médecin, dans toute l'autorité de sa fonction, exige qu'il soit « réprimé ». Royer-Collard n'inscrit pas seulement un jugement moral dans le sillon d'une appréciation savante, il illustre une assimilation de fait, sur laquelle se construit la discipline à laquelle il appartient : la psychiatrie moderne aurait toute légitimité pour s'ériger en juge des écarts de conduite, quand bien même ceux-ci, et de façon très explicite, n'auraient rien à voir avec l'aliénation mentale, dont on attend toujours la définition. Le marquis n'est pas *victime* de la folie, mais *coupable* d'une « hideuse passion ». Loin de l'absoudre, c'est bien sa lucidité qui est en cause et qui aggrave son cas. Étonnant tour de passe-passe, où le diagnostic que l'on pensait à décharge (« cet homme n'est pas aliéné ») devient la pièce maîtresse versée à l'instruction du procès (il doit être « soumis à la séquestration la plus sévère »).

Réhabilité d'une main par la Faculté qui le condamne plus lourdement de l'autre, quel danger Sade représente-t-il donc ? De quelle nécessité relève cette urgence à le priver, toute affaire cessante, de communiquer avec autrui, de se promener dans le parc, ou de se livrer à ce plaisir jugé « innocent » par Coulmier, diriger un théâtre ? Parce que, enfin, une réputation scandaleuse, des rumeurs (« le bruit général dans la maison… ») ne sauraient suffire à justifier, a priori, un tel acharnement. À l'image de M. de Gaillion, qui refusait *par principe* d'aborder Sade dont il n'avait reçu « que des honnêtetés », Royer-Collard fonde son rejet sur la seule réputation du prisonnier, dont il est incapable de rapporter d'éventuels outrages. Le seul argument palpable de son rapport consiste à évoquer, sans s'étendre, l'« horrible doctrine » que l'auteur de *Justine* prêcherait à l'asile, où il prêterait « des livres » à ses codétenus — toujours l'obsession de la propagande, à l'origine de l'internement à Charenton de l'athée professionnel qu'était Jacob Dupont. S'il est impossible de savoir ce que le médecin connaissait exactement des écrits de Sade et de son système philosophique, on peut supposer sans risque que ce fervent croyant, issu d'une famille janséniste, n'y voyait que péril et blasphème. Le matérialisme athée de Sade, son appel aux dérèglements de l'imagination, son obstination à proclamer la prééminence du corps sur la tête, tout en lui ne peut que révolter Royer-Collard, le spiritualiste chrétien, futur adepte des théories de Maine de Biran. La violence de ses conclusions donne la mesure de sa répulsion.

Il n'est pas nécessaire, je pense, de faire sentir à Votre Excellence le scandale d'une pareille existence et de lui représenter les dangers de toute espèce qui y sont attachés. Si ces détails étaient connus du public, quelle idée se formerait-on d'un établissement où l'on tolère d'aussi étranges abus ? Comment veut-on, d'ailleurs, que la partie morale du traitement de l'aliénation puisse se concilier avec eux ? Les malades, qui sont en communication journalière avec cet homme abominable, ne reçoivent-ils pas sans cesse l'impression de sa profonde corruption ; et la seule idée de sa présence dans la maison n'est-elle pas suffisante pour ébranler l'imagination de ceux même qui ne le voient pas ?

Extraordinaire puissance de Sade, dont la présence, l'idée seule d'une présence désincarnée, suffirait à semer le désordre et la corruption. Extraordinaire phantasme du médecin plutôt, qui exige l'éradication de l'« existence » même du marquis de Sade, dont le spectre invisible le hante au point de troubler son travail. D'autre part, et mieux que n'importe quel antipsychiatre ne rêverait de le démontrer, Royer-Collard exemplifie ici la perversité du double sens contenu dans l'expression « traitement *moral* », orthopédie mentale où la raison est sommée de s'articuler à la vertu. Conséquent avec lui-même, l'aliéniste va jusqu'au bout de sa logique de procureur, pour réclamer la réclusion perpétuelle :

> Je ne demande point qu'on le renvoie à Bicêtre, où il avait été précédemment placé, mais je ne puis m'empêcher de représenter à Votre Excellence qu'une maison de sûreté ou un château-fort lui conviendrait beaucoup mieux qu'un établissement consacré au traitement des malades, qui exige la surveillance la plus assidue et les précautions les plus délicates[54].

Une enquête est ouverte. Coulmier reconnaît le rôle de Sade au théâtre de Charenton et « dit même à cet égard qu'il a beaucoup d'obligation » envers

---

54. Lettre du docteur Royer-Collard au ministre de la Police, Joseph Fouché, 2 août 1808, citée par G. Lely, *Vie du marquis de Sade, op. cit.*, p. 640-641.

lui, et qu'il « se trouve heureux d'avoir dans son hospice un homme capable de former à la scène les aliénés qu'il veut guérir par ce genre de remède[55] ».
Mais la décision du ministre est prise : ce sera la forteresse de Ham. Plusieurs fois ajourné sur requêtes
de la famille, prétextes financiers de Coulmier et
certificats du chirurgien de Charenton déclarant
Sade trop souffrant, le transfèrement n'aura jamais
lieu. Le 18 octobre 1810, le ministre de l'Intérieur
prend un arrêté, dont il exige l'exécution immédiate.
Sade doit être isolé dans un local à part, où toute
communication, tant intérieure qu'extérieure, lui
sera interdite ; il sera privé de l'usage de papier,
d'encre et de plume. Coulmier s'y oppose avec un
courage et une fermeté qui honorent cet homme par
ailleurs si retors : « Ma naissance, les différentes
places et dignités dont j'ai été revêtu me font un
mérite d'être à la tête d'une maison d'humanité,
mais je me verrais humilié d'être un geôlier[56]. »
« Ma naissance » : un privilège, une morale, la conscience, surtout, d'appartenir à une élite, un cercle
étroit qui le lie intimement au marquis de Sade,
dans une solidarité de classe où « il y a des choses
qui ne se font pas ». De cette noblesse, qui est aussi
de sentiments, le probe Royer-Collard ne pouvait se
prévaloir.

Royer-Collard a perdu une bataille, mais pas la
guerre. Le travail de sape qu'il a entrepris porte

55. Cité par G. Lely, *op. cit.*, p. 642.
56. Lettre de M. de Coulmier au ministre de l'Intérieur, 24 décembre
1810, citée *in* marquis de Sade, *Correspondance*, vol. XXV, Genève,
Slatkine, 1997, p. 332.

peu à peu ses fruits. En 1811, la réputation de Charenton se dégradant en partie à cause du scandale provoqué par les représentations théâtrales, Coulmier, que le ministre de l'Intérieur bat froid, décide de s'adresser directement à l'empereur pour justifier son entreprise et désigner la source de tous ses malheurs :

> J'avais même imaginé des plaisirs innocents ; tels que le spectacle, les bals et la musique, afin de réveiller l'esprit des infortunés que la cruelle maladie de la démence tenaient absorbés.
> Ces moyens innocents ont obtenu les résultats les plus heureux, et même l'applaudissement général de tous les amis de l'humanité.
> Ce traitement moral avait été combiné avec M. Gastaldy, un des médecins les plus estimés de l'Europe, que j'ai eu le malheur de perdre, et celui de le faire remplacer par M. Royer-Collard[57].

Mais Coulmier n'a pas plus l'oreille du ministre que celle de Napoléon. L'empereur, qui a réduit à huit le nombre de théâtres autorisés dans Paris et mis le répertoire sous surveillance, ne daigne pas répondre à Coulmier, comme il ignore les suppliques de Sade, malade et épuisé, implorant sa libération.

D'après le jeune docteur Ramon, entré à Charenton quelques semaines avant la mort de Sade, les mœurs à l'asile étaient « fort légères et, à ce qu'il paraît, tant soit peu *décolletées*[58] ». Royer-Collard, empêché par le directeur de venir plus de

---

57. AN, F[15] 1946. Lettre de M. de Coulmier à l'Empereur, 1811.
58. Cité par G. Lely, *Vie du marquis de Sade, op. cit.*, p. 647.

deux fois par semaine pour veiller à la santé de quelque 400 patients, le sait mais peine à en réunir les preuves. Si sa hargne contre Sade n'avait pas été si aveugle et sourde au point de refuser d'approcher cet homme abominable, il aurait découvert l'initiation érotique que l'écrivain, à soixante-douze ans, avait entrepris de faire de la jeune Magdeleine Leclerc, seize ans, prostituée par sa mère, employée à Charenton, et dont son *Journal* chiffré raconte le détail. Chiffré à tous les égards. Sade passe son temps en calculs, comptes et décomptes, énumération des jours de détention, mais aussi à une rêverie superlative autour de dates et de nombres symboliques. Chiffré, car le journal est codé, par crainte (justifiée) que la police, l'ayant déjà soumis à des perquisitions, ne lui arrache et ne décrypte ses dernières notes. Il est « Moïse », Coulmier est réduit à un « C » ou un « M. de Coul » transparent. Le sigle Ø signifie sodomie, qu'il pratique avec la jeune Magdeleine moyennant quelques « figures ». L'éducation libertine prévoit aussi l'apprentissage du chant et de la lecture, auquel se prête la jeune fille, dont il compte scrupuleusement les visites — quatre-vingt-seize en tout[59].

Au chapitre de la licence, M. de Coulmier n'est pas en reste. À lire le dossier de plaintes conservé aux Archives nationales, le maître de Charenton aurait usé de son autorité pour circonvenir de jeunes patientes. En 1812, l'affaire Fanny Hanowerth déclenche une série de témoignages qui

59. Sade, *Journal inédit, op. cit.*

donne même au commentaire de Ramon l'allure d'un euphémisme.

Fanny Hanowerth a environ dix-huit ans lorsqu'elle arrive à Charenton. Cette femme de chambre a vu tomber du deuxième étage, et se tuer, l'enfant que son employeur lui avait confié. Elle en éprouve dans l'instant « des mouvements convulsifs […] suivis de délire », qui la conduisent à l'asile. Au bout de quinze jours, elle recouvre la raison. Coulmier, conscient qu'elle ne peut retourner dans son ancienne place, lui propose alors de rester à Charenton « pour être employée auprès des femmes malades, et lui offrir des avantages considérables », ce qu'elle accepte. Mais très vite, elle envoie un appel au secours à un protecteur pour qu'il vienne la sortir de l'asile. Le directeur l'aurait attiré dans son cabinet sous prétexte de parler de sa santé et se serait « jetté [*sic*] sur elle comme un furieux ». Elle se serait évanouie et Chapron, le secrétaire de Coulmier, serait intervenu[60]. Fidèle à ses méthodes de rétorsion, Coulmier l'aurait dès lors reléguée dans une chambre isolée.

Cela, c'est la première version du rapport. Un interrogatoire de l'intéressée offre pourtant un éclairage tout différent. Le directeur l'a en effet reçue dans son bureau, lui a tenu des propos « *qui ne lui convenaient pas* » et s'est « ensuite permis d'écarter son mouchoir de cou ». Effrayée par ce

---

60. Chapron est bien mentionné dans les archives comme le secrétaire de Coulmier. Son ignorance de l'orthographe m'engage à penser que, faute de pouvoir remplir techniquement cette fonction, il était plutôt le factotum du directeur.

geste déplacé, elle se trouve mal mais conserve « assez de connaissance pour s'apercevoir *que le directeur était plus embarrassé qu'elle* ». Elle confie même à Royer-Collard, qui participe à l'enquête, qu'elle n'a pas pu « s'empêcher de sourire, en voyant le Directeur » — handicapé par ses difformités, rappelons-le — « essayer de monter sur des chaises pour ouvrir la fenêtre », tandis que Chapron, appelé, arrivait à la rescousse. La lettre qu'elle aurait fait parvenir à son protecteur pour sortir de Charenton n'était pas de sa main, mais d'une autre pensionnaire qui aurait subi le même sort et qui voulait se venger.

L'affaire s'ébruite et délie les langues. Le préfet de police reçoit dans la foulée une lettre signée Julie, rappelant que Coulmier s'est jeté « comme un satyre » sur une jeune fille de la maison — ce qui, de l'aveu même de la principale intéressée, est faux. Elle affirme par ailleurs que le directeur vit « assez publiquement avec une pensionnaire appelée Émilie Cournand, il en a d'autres aussi dans l'établissement de manière qu'il ressemble plutôt à un sérail qu'à un hôpital ». Chapron, interrogé, confirme cette liaison officielle. Il est bien placé pour répondre aux questions qu'on lui fait. Sa femme est une ancienne pensionnaire de l'asile, éconduite par le directeur, et dont le sort l'avait tant touché qu'il lui avait offert sa protection et demandé sa main, bien qu'il n'eût jamais pensé « s'attacher à aucune femme ». D'après lui, le directeur entretiendrait commerce amoureux avec Mlle Christophe, fille d'une lingère de la maison, Mlle Montfort, riche pensionnaire, une danseuse de l'opéra qu'on nomme Zélie. Coulmier n'aurait pas seulement « une forte passion pour les dames ». On trouve « fort souvent près de lui » la fille d'une infirmière « qui a sept ou huit ans, et qui est d'une très jolie figure ».

La pédophilie du directeur relève-t-elle de la simple présomption, comme le scrupule ou la prudence pousse l'honnête Chapron à le préciser ? Dans le même dossier, une autre lettre anonyme, signée d'un « malheureux de l'hôpital de Charenton », signale, outre les mauvais traitements et la brutalité des infirmiers, les conditions déplorables qui règnent à l'asile. « Quant au chef, je n'ai eu l'avantage de le voir qu'une seule fois, il me fit venir dans sa chambre, à peine si j'ai pu lui parler, car il était entouré de cinq ou six petites filles[61]. » Ailleurs, c'est un autre pensionnaire, militaire invalide et alcoolique qui, dans un style fleuri, dénonce Dumoustier, ex-prémontré à la solde de Coulmier, un scélérat « plus absolu mille fois qu'un despote oriental » se vautrant « dans l'ordure et la fange ». « La seule grâce que je vous demande, Monseigneur, conclut-il, est de me faire transférer à Bicêtre, à Brest, à Rochefort, aux isles Margueritte, à Missicipi [*sic*], au bout du monde, chez les anthropophages même, voulant absolument sortir de ce gouffre où triomphe le vice[62]. »

61. AN, F^{15} 2608. Tous les témoignages cités figurent sous cette cote. J'ai respecté les italiques originales.
62. AN, F^{15} 2609-2609B. Lettre datée du 5 avril 1813. Ce militaire alcoolique était alors sous le coup d'une procédure car il volait les autres pensionnaires. Ses accusations sont peut-être un moyen pour se sortir de ce mauvais pas, selon le principe bien connu : la meilleure défense, c'est l'attaque.

Mais ce n'est pas tout. Vers 1808, Coulmier avait promu d'autorité le docteur Bleynie, qui n'en demandait pas tant et n'était pas en mesure de prétendre à ce titre, « chirurgien en chef » de Charenton. Sans doute le directeur voulait-il par ce geste s'attirer les bonnes grâces d'un homme qu'il entendait instrumentaliser contre Royer-Collard. La manœuvre échoue cependant et leurs différends ne font que s'accroître, pour virer à la haine. En 1812, Bleynie adresse une plainte au ministre de l'Intérieur. Mis au pain sec par Coulmier, qui lui retire son bois de chauffage et médit de lui devant les malades et le personnel, il subit chaque jour vexations et humiliations publiques. La source du conflit, c'est Royer-Collard, que Bleynie soutient[63].

1813 sonne le glas de l'ère Coulmier. Chapron, que l'on a dit congédié, a en réalité quitté son emploi « pour n'être plus témoin de l'inconduite du Directeur[64] ». Le 6 mai, les représentations théâtrales ont été interdites par arrêt ministériel. Coulmier est démis de ses fonctions l'année suivante et remplacé le 30 mai 1814 par l'administrateur Roulhac Dumaupas, un avocat travaillant en bonne intelligence avec Royer-Collard, qui peut enfin prendre pleinement la direction médicale de l'établissement et entamer ses réformes. Les deux hommes s'attellent aussitôt à la tâche, en rédigeant ensemble le règlement intérieur de Charenton, modèle pour les décennies à venir. Le marquis de Sade n'aura pas à

63. AN, F[15] 2608. Lettre datée du 21 avril 1812. Coulmier entrera ensuite en conflit avec Rivet, élève en chirurgie à Charenton.
64. AN, F[15] 2608.

l'appliquer. Il meurt le 2 décembre. Il sera enterré religieusement, contre sa volonté. M. de Coulmier s'éteindra quatre ans plus tard, dans l'oubli. La page est tournée.

Charenton fut le théâtre d'un conflit d'hommes et de tempéraments, l'affrontement, surtout, de deux visions du monde, opposant deux libertins à un fonctionnaire, deux aristocrates solitaires et terribles à la moralité bourgeoise du nouvel ordre disciplinaire. Parce que cet asile du XIXe siècle, tombé aux mains d'un homme de l'Ancien Régime, est une manière d'anomalie historique, il nous donne à contempler, l'espace de quelques années, le relais de deux époques incompatibles, et qui se haïssent. D'un côté, Coulmier, philanthrope d'un autre siècle, exerce une gouvernance insolente, discrétionnaire, vivant au milieu de sa cour et subordonnant ses patientes comme ses employés. De l'autre, Royer-Collard, pénétré de sa mission pour le bien public, incarne l'autorité morale et la vertu péremptoire, figure du Commandeur qui réclame la tête d'un vieillard dont la lucidité l'épouvante, et qui enquête sans relâche pour faire chuter son rival. Entre le roitelet et le chef de bureau, le bon plaisir et les bonnes intentions, on renonce à choisir.

Que l'asile fût, pour Sade et pour d'autres, une prison politique, nul doute. Mais si l'on veut bien considérer le terme de prison politique au sens large, c'est-à-dire comme lieu de réclusion où s'exerce et s'incarne le politique, alors Charenton, à la lumière de ce duel interminable entre Coulmier et Royer-Collard, devient le symbole d'une transition entre deux façons de penser le monde, fondé pour l'une sur le plaisir et pour l'autre sur le travail.

Que le théâtre fût au cœur de la bataille et l'enjeu majeur de la querelle n'est pas un hasard. Le pouvoir a très bien senti que la scène incarnait le lieu de subversion par excellence où s'exprimait cette connivence *intime* de Sade et Coulmier, bien aise d'y ressusciter, avec les conventions attachées au genre, une époque engloutie. L'imaginaire et le jeu offraient aux fous une diversion à leur vie de misère, privée du moindre événement. Sur les planches ou dans les gradins, ils se transportaient dans un ailleurs insoupçonné, libres de jouer un autre rôle que celui du fou, traversaient d'autres paysages venus animer enfin l'horizon borné de leurs cellules. On reprocha à Coulmier d'exciter leurs passions, de les jeter en pâture à un public moqueur. On s'éleva contre ce recours à l'illusion, malhonnête et mensonger. C'est oublier que Pinel se faisait volontiers metteur en scène de « fictions curatives », montant des tribunaux imaginaires et autres « historiettes » fabuleuses à l'usage de ceux qui avaient perdu la tête. Mais la différence — de taille —, c'est que l'aliéné ne le savait pas, et n'en jouissait pas, objet qu'il était d'une manipulation pénétrée de son sérieux et de ses bienfaits.

À y regarder de près, Charenton, sous le règne de Coulmier, s'inspire fidèlement, en théorie du moins, de l'asile pinélien. La plaquette rédigée en 1804 par Giraudy, l'adjoint de Gastaldy, reprend un à un les principes du *Traité sur l'aliénation mentale*, auquel il rend un hommage appuyé. Les aliénés doivent se plier à l'ordre et à l'obéissance, être l'objet de la bienveillance et du réconfort de leurs gardiens. Et l'on trouve sous la plume de Coulmier des phrases que l'on dirait décalquées de la prose philanthropique de Pinel ou de Daquin : « Je ne dois me montrer aux malades que comme un père pour les consoler, écouter leurs plaintes, bien ou mal fondées, déraisonner même avec eux afin de gagner leur confiance [65]. » La grande originalité qui singularise Charenton, c'est bien le théâtre, auquel le nom de Sade donne des proportions sataniques.

Je serais tentée de croire que le véritable scandale du théâtre de Charenton ne touchait pas tant aux questions thérapeutiques, prétextes aux cris d'orfraie poussés par les psychiatres — dont Esquirol, qui n'assista à aucun spectacle et reprit presque mot pour mot, bien des années après la mort de Coulmier, les jugements outrés d'Hippolyte de Colins. L'intolérable, pour les fonctionnaires de l'Empire et leurs successeurs, c'était l'ouverture, dans le monde forclos de l'asile, que représentait cette « autre scène », libre de tout contrôle idéologique, où Sade réhabilitait ce que la fête révolutionnaire et la propagande impériale, dans la raideur abstraite de leurs poses néoclassiques, avaient concouru à écraser : la matérialisation des corps et la circulation du désir. Contre la « mise en spectacle pédagogique et édifiante du monde [66] », contre la

---

65. AN, F¹⁵ 2606-2607. Lettre de M. de Coulmier au ministre de l'Intérieur, non datée.

66. Annie Le Brun, *On n'enchaîne pas les volcans*, Gallimard, 2006,

valeur morale de   la leçon collective, Sade propose
l'exploration et la théâtralisation de la singularité
irréductible du désir, sur une scène où l'unique rencontre le nombre. Ici loge l'indignité, dans une institution où la discipline médicale qui tente de
s'imposer s'évertue, à l'exact opposé, de contraindre
la sauvagerie du fou à se plier à la normalité et à se
fondre dans la collectivité.

À ces chimères et ces jouissances sans fruit pro-
posées par Sade et Coulmier, les hommes du traitement moral opposent dans un chœur unanime une
vertu utile et curative : le travail. Dès février 1811,
Royer-Collard avait rédigé un « État sommaire de
la maison de Charenton », où il résumait les dysfonctionnements de l'établissement et énumérait
les réformes à y apporter. En quinze points, il donnait les grandes directions de son futur règlement
intérieur, où la totalité des pouvoirs devait revenir
au médecin-chef. Ses deux dernières recommandations étaient « d'établir promptement des ateliers
de travail pour les convalescents de l'un et de l'autre
sexe » et « de supprimer entièrement et sans restric-
tions toutes espèces de bals et de représentations
théâtrales dans l'hospice [67] ». Aux folles les ateliers
de couture, aux insensés les travaux agricoles, telles

---

p. 69 et suiv. Sur la notion de théâtralité chez Sade, on renverra
également aux autres travaux d'Annie Le Brun, et notamment à *Soudain un bloc d'abîme, Sade*, Jean-Jacques Pauvert, 1986, et *Petits et
grands théâtres de Sade, op. cit.*

67. Royer-Collard, « État sommaire de la maison de Charenton sous
le rapport du service médical et aperçu des réformes qui y sont
nécessaires », repr. par Thierry Haustgen *in* « Les débuts difficiles du
Dr Royer-Collard à Charenton », *Synapse*, n° 58, novembre 1989, p. 57-
66.

sont les solutions préconisées pour rétablir l'ordre à Charenton. Tâches pénibles et monotones, chargées de dompter la folie par l'effort et l'application qu'elles supposent, tout en épuisant les corps jusqu'à l'anéantissement. Pinel livre le mode d'emploi de ces thérapies miraculeuses, dans l'asile modèle du xixᵉ siècle dont il fixe les lois et dont le triomphe va accompagner le développement de l'usine : « Les aliénés propres au travail sont divisés dès l'aurore en diverses bandes séparées ; un guide est à la tête de chacune pour leur départir l'objet du travail, les diriger et les surveiller ; la journée se passe dans une activité continuelle ou seulement interrompue par des intervalles de relâche, et la fatigue ramène pour la nuit le sommeil et le calme[68]. »

Ce modèle d'asservissement et d'abrutissement réglé est bien la voie sur laquelle s'engage le xixᵉ siècle d'un pas assuré. On sait le nom que Marx lui donnera : l'aliénation.

---

68. Pinel, *Traité*... [1809/2005], p. 237-238. Ce passage est cité en modèle par Hippolyte de Colins dans son étude sur Charenton, *op. cit.*, p. 147-148.

III

L'homme qui se prenait pour Napoléon

Dans sa grande enquête sur *Paris ou Les Sciences, les institutions et les mœurs au XIXᵉ siècle*, Alphonse Esquiros signalait, au détour d'une page, une conséquence inattendue du retour des cendres de Napoléon, le 15 décembre 1840 : « L'année où l'on ramena à Paris le cercueil de Napoléon, le docteur Voisin constata à Bicêtre l'entrée de treize à quatorze empereurs. [...] Cette présence de Napoléon parmi nous, les images, les signes extérieurs dont on entoura sa mémoire et qui semblaient pour ainsi dire multiplier sa figure, tout contribua à créer dans cet événement une cause particulière d'aliénation mentale [1]. »

L'image du monomane coiffé d'un bicorne, la main dans sa redingote grise et le regard braqué sur un horizon de gloire, n'est-elle pas, encore de nos jours, associée à une phrase qui, au fond, n'est jamais interrogée : Tous les fous se prennent pour

---

1. Alphonse Esquiros, *Paris ou Les Sciences, les institutions et les mœurs au XIXᵉ siècle*, t. II, Au comptoir des imprimeurs unis, 1847, p. 118.

Napoléon ? Proverbiale, cette allégation a-t-elle pour
autant un fondement historique ? L'empereur cris-
tallise-t-il un délire particulier dans les archives des
asiles, où les monarques se disputent la place des
prophètes, où Jésus-Christ, Mahomet et Louis XVI
suscitent déjà de multiples candidatures ? Si oui, en
quoi et pourquoi le personnage de Napoléon se prê-
terait-il plus volontiers à la mégalomanie que la figure de Charlemagne ou de Louis XIV ?

Sous ces questions, c'est en réalité un plus vaste
débat qui se dessine autour des problèmes d'identité et de subjectivité, d'usurpation et de projection,
dans les rapports de la folie à l'Histoire, entre *être* et
s'imaginer être, *se croire*, *prétendre à* et *se prendre
pour*. Si bien que l'interrogation ne serait pas tant le
classique *qui suis-je ?* mais plutôt : *suis-je bien celui
pour qui je me prends ?* — une question à laquelle
Napoléon Bonaparte lui-même, ou plutôt Bonaparte *et* Napoléon, mérite d'être soumis. Mais avant
d'atteindre ces régions, force est de comprendre
comment la psychiatrie du XIXe siècle regarde et
analyse la folie des grandeurs, qui pourrait bien
détrôner la mélancolie au titre de mal du siècle.

LA MONOMANIE ORGUEILLEUSE
OU LE MAL DU SIÈCLE

Avatar de l'*hybris* (ou *ubris*) grecque, cette pro-
pension des hommes à défier les dieux, synonyme
de démesure, la folie qui consiste à se prendre pour

un grand personnage correspond au XIXᵉ siècle
à une maladie spécifique, la monomanie dite
« orgueilleuse » ou « ambitieuse ». « Caractérisée
par un désir exagéré de puissance et de domination » (Littré), elle constitue l'une des nombreuses
déclinaisons du mot *monomanie*, forgé dans les
années 1810 par Esquirol, définie comme un
« délire sur un seul objet » ou « délire partiel ».
Monomanie homicide, incendiaire, raisonnante,
d'ivresse, érotique, les attributs se succèdent pour
qualifier ce que la psychiatrie moderne nommera
la psychose délirante chronique. Le terme ne survi-
vra pas longtemps à une certaine confusion théorique (notamment entre monomanie instinctive et
affective) et une trop grande laxité conceptuelle[2].

Les raisons pour lesquelles la communauté scientifique abandonne progressivement la monomanie
dans la seconde moitié du XIXᵉ siècle sont les
mêmes qui assurent à ce concept fourre-tout un
solide succès populaire. Dans les années 1830, la
monomanie est entrée dans le langage courant ; pas
un journal ou un roman qui ne l'évoque — on en
trouve de multiples occurrences dans les œuvres
d'Honoré de Balzac ou d'Eugène Sue —, pas un tribunal qui ne condamne son monomane du vol ou
du crime. « La monomanie ! tout le monde sait ce
que c'est… des envies qui vous prennent de tuer, de
voler… c'est plus fort que vous, et on n'en est pas

---

2. Voir notamment « Esquirol et la nosographie », in *Nouvelle his-
toire de la psychiatrie*, sous la dir. de Jacques Postel et Claude Quetel,
Dunod, 1994, et l'article « Monomanie », rédigé par Esquirol, dans le
Dictionnaire des sciences médicales, vol. XXXIV, Panckoucke, 1819.

plus méchant pour ça ! il faut des douches ! beaucoup de douches [3] », s'exclame un personnage
d'une pièce de Charles Duveyrier, *Le Monomane*, en
1835. Le terme, si bien répandu et employé à tout-
va, serait-il déjà vidé de son sens ? C'est ce que
semble suggérer Eugène Scribe, dans un vaudeville
intitulé *Une monomanie*, raillant cette mode que
rien n'arrête et qui excuserait tout. À son neveu qui
justifie par la « monomanie » l'idée d'avoir orchestré
son faux suicide pour faire parler de lui, un oncle
répond en grondant : « Ta justification, dis-tu ? Mais
si on admet une fois celle-là, elle va servir à toutes
les bassesses, à tous les crimes. [...] Celui qui vient
de se dégrader par un vol, te dira : Je suis monomane. [...] L'assassin qui frappe une victime désar-
mée, crie au jury : Je suis monomane. [...] Et toi-
même, abusé par un pareil sophisme, tu cédais à
ton délire en le croyant légitime. [...] Ô jeunes gens !
[...], vous qui avez montré tous les genres de courage, ayez encore maintenant le plus rare, mais le
plus indispensable de tous, celui de la raison [4]. »

La réalité scientifique est sensiblement plus
complexe. La monomanie est une affection cérébrale chronique qui se caractérise « par une lésion
partielle de l'intelligence, des affections ou de la
volonté [5] ». Hors d'un délire particulier, fixé sur un

---

3. Charles Duveyrier, *Le Monomane*, drame en cinq actes, Bufquin-
Desessart éditeur, 1835, p. 32.
4. Eugène Scribe, *Une monomanie*, comédie vaudeville en un acte,
théâtre du Gymnase, 31 août1832, in *Œuvres complètes*, IIᵉ série,
vol. XXIV, E. Dentu, 1876-1885, p. 123-124.
5. J.-E.-D. Esquirol, « De la monomanie », in *Des maladies mentales*,
op. cit., t. I, p. 332.

objet, les malades vivent, agissent et raisonnent normalement. Mais la corruption même inoffensive d'une faculté, qu'elle soit intellectuelle, affective ou morale, entraîne le plus souvent avec elle de fâcheuses conséquences. Combien d'aliénés tranquilles et d'apparence raisonnable doivent par exemple être nourris de force parce qu'ils refusent tout aliment, persuadés qu'on veut les empoisonner ? Combien de folles paisibles, convaincues d'être la duchesse d'Angoulême ou de pouvoir commander à la pluie et au soleil, tombent en fureur parce que leurs ordres ont été contrariés ou ignorés ? Sujets aux hallucinations et aux illusions des sens comme les maniaques ou les mélancoliques, ces malades connaissent parfois des intervalles de lucidité où ils prennent soudain la mesure de leur égarement, se morfondent de désespoir et de remords, avant de retomber dans leurs chimères.

Les sanguins, les imaginatifs, les exaltés, les esprits méditatifs, exclusifs et « les individus qui, par amour-propre, par vanité, par orgueil, par ambition, s'abandonnent à des pensées, à des projets exagérés, à des prétentions outrées sont, plus que les autres, disposés à la monomanie ». Esquirol insiste ici sur un point important : « Il est remarquable que, presque toujours, ces individus se flattaient d'un avenir heureux, lorsque frappés de quelques revers, trompés dans leurs orgueilleuses espérances, ils deviennent malades. Aussi un homme actuellement heureux, modéré dans ses désirs, qui, par une cause excitante quelconque, devient aliéné, ne sera point monomaniaque ; tan-

dis qu'un ambitieux, un orgueilleux ou un amoureux qui sera tombé dans l'infortune, ou qui aura
perdu l'objet de son amour, tombera dans la monomanie. » Punis par là où ils ont péché, les monomanes seraient donc victimes d'une passion viciée
à la base, la monomanie n'étant que « l'exagération
des idées, des désirs, des illusions d'avenir dont se
berçaient ces malheureux avant leur maladie[6] ».
Cette vision morale de la maladie s'inscrit dans le
sillage de la célèbre thèse d'Esquirol, publiée en
1805, et dont le titre dit assez en lui-même le lien
de continuité entre la source et l'effet, la passion
normale et son excès morbide : *Des passions, considérées comme causes, symptômes et moyens curatifs
de l'aliénation mentale*. Si l'orgueil est bien la
« cause » et le « symptôme » de la monomanie orgueilleuse, il sera aussi utilisé comme « moyen cu-
ratif » dans le traitement moral, qui consistera à
piquer, blesser ou réprimer la vanité du patient.
« Ici, plus que dans les autres maladies mentales et
avec plus d'espérance de réussir, insiste l'auteur,
on applique l'entendement et les passions du malade à sa guérison. On a recours à des surprises, à
des subterfuges, à des contrariétés ingénieusement
ménagées que les circonstances suggèrent, que le
génie du médecin fait naître, que l'habitude saisit
et suit à propos[7]. » Et, en effet, les aliénistes rivalisent d'inventivité pour faire plier les orgueilleux
les plus entêtés ; de la flatterie à la répression, tous
les expédients sont bons pour extirper le mal et

---

6. *Ibid.*, p. 345.
7. *Ibid.*, p. 346.

désamorcer les conflits. L'exemple le plus spectaculaire ne revient pourtant pas à un médecin mais
à Marguerite Jubline, la femme de Pussin, qui travaille aux côtés de son mari à Bicêtre, et dont
l'ingéniosité a été plusieurs fois saluée par Pinel.

> Trois aliénés, qui se croyaient autant de souve-
> rains, et qui prenaient chacun le titre de Louis XVI,
> se disputent un jour les droits à la royauté, et les
> font valoir avec des formes un peu trop énergiques.
> La surveillante s'approche de l'un d'eux, et le tirant
> un peu à l'écart : « Pourquoi, lui dit-elle d'un air
> sérieux, entrez-vous en dispute avec ces gens-là, qui
> sont visiblement fous ? ne sait-on pas que vous seul
> devez être reconnu pour Louis XVI ? » Ce dernier,
> flatté de cet hommage, se retire aussitôt en regar-
> dant les autres avec une hauteur dédaigneuse. Le
> même artifice réussit avec un second ; et c'est ainsi
> que dans un instant il ne resta plus aucune trace de
> dispute [8].

De toutes les monomanies, l'orgueilleuse est la
plus répandue, la plus immédiatement reconnais-
sable aussi. Broussais la tient pour « la principale
monomanie d'origine intellectuelle [9] », Trélat considère les orgueilleux comme les plus dangereux
des « fous lucides [10] ». Les centaines de cas croisés
dans les archives rendent leur portrait-robot facile
à tracer. Mine hautaine et dédaigneuse, le vaniteux
pathologique, sans cesse courroucé de n'être pas
obéi, tient à tout-va des propos pleins d'emphase et

8. Pinel, *Traité…* [1809/2005], p. 223.
9. F.-J.-V. Broussais, *De l'irritation et de la folie*, t. II, J.-B. Baillière,
1839, p. 368.
10. Ulysse Trélat, *La Folie lucide*, Adrien Delahaye, 1861, p. 178-223.

d'assurance, et souvent sans suite. Il est le seigneur des mondes, elle est l'impératrice de l'Univers. Leur fortune se compte en milliards, leurs armées sont invincibles, ils peuvent d'un souffle anéantir la terre. « Air habituel de joie, couronne sur la tête, propos incohérent, calme habituel excepté lorsqu'on la contrarie[11] », résume une observation, à propos d'une patiente convaincue d'être reine de France.

Au début du XIXe siècle, la monomanie orgueilleuse, maladie spécifique et curable, est parfois confondue avec une affection très grave qui étend ses ravages au fil du temps : la paralysie générale des aliénés ou encéphalite chronique diffuse. Cette maladie, caractérisée par une inflammation des méninges, a été isolée par Bayle en 1822. Elle associe troubles neurologiques et psychiques, dont la progression mène le malade à la démence et à la mort. D'abord victime d'embarras de la prononciation et d'affaiblissement musculaire, le patient entre ensuite dans une deuxième phase marquée par le délire d'orgueil. « [C]'est surtout dans cette période qu'il s'abandonne sans aucune réserve aux illusions d'une vanité ridicule, qu'il se croit roi, pape, empereur, grand dignitaire, possesseur de milliards, de trésors immenses. Celui-ci se nomme Napoléon, et a gagné toutes les batailles de l'empire ; un autre soutient qu'il a composé tous les chefs-d'œuvre qui décorent nos musées de sculpture et de peinture ; celui-là n'a qu'à secouer la tête pour élever des pa-

11. ADVDM, Charenton, Registre d'observations médicales, hommes et femmes, 1819, 4X678, f° 19. Entrée le 2 juin.

lais somptueux, des villes en cristal, des maisons en diamant, et il se livre à des mouvement bizarres ; certains paralytiques s'imaginent avoir trente pieds, quarante, cinquante coudées de haut [12]. » La troisième et dernière phase aboutit à un abrutissement moral et une dégradation physique complète.

Outre certains symptômes, la paralysie générale partagerait encore avec la monomanie orgueilleuse la même étiologie. « La violence des passions, le chagrin occasionné par la jalousie, les contrariétés d'amour, les regrets de l'ambition déçue, de l'orgueil impuissant, la crainte de la misère après que l'on a possédé de l'aisance, sont parfois les seules causes auxquelles il soit permis d'attribuer la paralysie générale incomplète des aliénés [13] », assure Calmeil, médecin de Charenton et spécialiste de la question. Il faudra attendre 1922, soit un siècle après la découverte de Bayle, pour établir définitivement que la paralysie générale était en réalité une conséquence de la syphilis. Elle ne sera donc éradiquée qu'avec la découverte de la pénicillinothérapie, au lendemain de la Seconde Guerre mondiale.

Mais pour le XIXᵉ siècle, la paralysie générale est une vésanie qui relève exclusivement de la psychiatrie. En 1841, Calmeil estime qu'elle affecte plus de 25 % des hommes à Charenton, et une femme sur

---

12. L.-F. Calmeil, « Paralysie générale des aliénés », *Dictionnaire de médecine ou Répertoire général des sciences médicales considérées sous le rapport théorique et pratique*, par MM. Adelon, Béclard, Bérard *et al.* ; 2ᵉ éd., t. XXIII, 1841, p. 141. Voir également le chapitre sur la paralysie générale in *Nouvelle histoire de la psychiatrie*, *op. cit.*, p. 203-214.

13. *Ibid.*, p. 134.

quinze, soit 6,6 %[14]. Exactement à la même époque,
dans l'année 1841-1842, la monomanie orgueilleuse
affecte à Bicêtre à plus de 25 % des hommes et 10 %
des femmes à la Salpêtrière[15]... Qu'il soit d'origine
organique ou psychique (ce qui ne change rien à sa
nature et à ses motifs récurrents), le délire d'orgueil,
paralysie et monomanie confondues, toucherait

14. *Ibid.*, p. 135-136.
15. J. Goldstein, *Consoler et classifier, op. cit.*, p. 220. En 1841, les
psychiatres apprennent encore à faire la différence entre les paralytiques généraux et certains patients atteints de monomanie
orgueilleuse, si bien qu'il serait très hasardeux de cumuler des chiffres
qui se recoupent peut-être en partie. Les troubles moteurs, dus au
dérèglement du système nerveux, finissent cependant par distinguer
les premiers sans hésitation, les principaux symptômes de la paralysie
progressive étant : inégalité pupillaire, démarche chancelante, et tremblements de la langue. Vingt ans plus tard, le docteur Macé, médecin de
Bicêtre, pouvait écrire : « Distinguer la monomanie ambitieuse de la
paralysie générale, ne saurait être l'objet de sérieuses difficultés. La
marche si différente de la monomanie et de la paralysie générale, la
présence ou l'absence des troubles de la motilité, servent de base au
diagnostic ; quant au délire lui-même, il offre des différences bien
tranchées. Les monomaniaques orgueilleux qui se disent prophètes,
fils de rois, généraux, ministres, qui s'attribuent une grande fortune,
une grande puissance, sont bien souvent des hallucinés qui, malgré
leurs idées délirantes, conservent de la vigueur et de la logique dans
leurs conceptions. Leurs allures, leur tenue, leurs paroles, sont rigoureusement conformes à leurs prétentions, ils se montrent fiers, dédai-
gneux, susceptibles, exigent qu'on leur rende des honneurs, et forgent,
à propos de leur naissance, de leur position sociale, des histoires qui,
malgré leur invraisemblance, s'enchaînent avec assez de suite et ne
sortent pas de l'ordre des choses possibles ; de plus, ils sont consé-
quents avec eux-mêmes, et les titres qu'ils s'attribuent ne présentent
entre eux rien de contradictoire. Rien de semblable, nous l'avons vu,
n'existe chez les paralytiques, dont les idées sont essentiellement
mobiles et absurdes ; ils sont à la fois pape et empereur ; tout en parlant
de leurs richesses et de leurs millions, ils avouent leur profession,
quelque humble qu'elle puisse être, et racontent qu'ils gagnent quarante sous par jour. Enfin les monomaniaques ambitieux conservent
pendant des années entières leur délire organisé et systématisé ; chez
les paralytiques, au contraire, les idées se dissocient et perdent chaque
jour de leur cohérence » (Louis-Victor Macé, *Traité pratique des maladies mentales*, Paris, J.-B. Baillière et fils, 1862, p. 477-478).

donc un pic astronomique dans les asiles parisiens, au lendemain du retour des cendres.

Le retour des cendres ne peut pas être, bien sûr, responsable à lui seul d'une telle inflation. La monomanie orgueilleuse est une maladie d'époque, comme le sera l'hystérie dans la Vienne fin-de-siècle. Elle est, en partie du moins, le symptôme, et la réponse, d'une société où triomphent l'argent et l'ennui, à la cour d'un roi bourgeois, que les journaux croquent en roi-poire. Les rêves de la Révolution se sont écroulés, la légende napoléonienne appartient à un passé héroïque, dont la génération romantique ne se console pas : « Toute la maladie du siècle présent vient de deux causes, écrit Alfred de Musset en 1836 ; le peuple qui a passé par 93 et par 1814 porte au cœur deux blessures. Tout ce qui était n'est plus ; tout ce qui sera n'est pas encore. Ne cherchez pas ailleurs le secret de nos maux [16]. » Pour cette génération tombée dans la pliure de la page, entre une épopée révolue et un avenir vide de perspectives, le présent, source d'angoisse et de dégoût, trouve son expression dans une formule terrible : le désenchantement du monde.

Or ce monde sans âme ni panache, livré aux banquiers et aux spéculateurs, dominé par le prêtre et le médecin, réclame un horizon nouveau. Il demande à être réenchanté, tâche à laquelle les romantiques s'emploient, par le merveilleux, le conte fantastique, le roman historique, le récit en rêve, le voyage,

16. Alfred de Musset, *La Confession d'un enfant du siècle* [1836], Gallimard, « Folio », 1973, p. 35.

l'expérience du haschisch… Par l'invention, aussi, de héros hors norme qui, de Vautrin à Monte-Cristo, peuplent d'une galerie neuve et singulièrement vivante la littérature contemporaine. Cette héroïsation du monde, qui doit beaucoup à l'influence de la figure messianique de Bonaparte, s'accompagne dans la société d'un souci de gloire individuelle et d'un culte du grand homme sans précédent, dans une véritable foire aux vanités où s'inventent la visibilité médiatique et l'autopromotion, à travers le développement de la presse et de la publicité. « La part de l'orgueil est si large dans la société que l'on s'étonne presque de voir les excès de cette passion compter au nombre des aberrations de l'esprit. Quels écarts si grands et si manifestes pourra-t-on lui trouver, qu'ils ne se soient en quelque sorte naturalisés parmi nous ? Faut-il qu'elle porte les hommes jusqu'à se méconnaître et à croire leur nature supérieure à celle des autres hommes ? Mais cela se voit tous les jours et partout[17] », écrit le docteur François Leuret en 1834, dans ses *Fragmens psychologiques sur la folie*, à propos de cette monomanie d'orgueil dont il fait le premier délire des passions. Quelques années plus tard, le rédacteur de la *Bibliothèque du médecin-praticien* renchérit : « Nous ne craignons pas d'être taxé d'exagération en disant que la folie du siècle est l'orgueil » et que jamais dans l'histoire « on n'a vu plus d'hommes se donner pour des sauveurs, des capacités, des talents de premier ordre[18] ».

---

17. François Leuret, *Fragmens psychologiques sur la folie*, Crochard, 1834, p. 307.
18. Dr François Fabre, *Bibliothèque du médecin-praticien ou*

L'heure est à l'exaltation du moi, dans une époque où Victor Hugo — qui a choisi pour devise *Ego Hugo* [19] — a juré d'être « Chateaubriand ou rien » et Balzac d'accomplir par la plume ce que Napoléon avait réussi par l'épée. Écrivains ou personnages imaginaires, le XIXᵉ siècle est celui des démiurges et des demi-dieux, des œuvres mondes et des cycles romanesques monumentaux, de la démesure et, surtout, de l'identification. À y regarder de près, d'ailleurs, si le héros romantique a une caractéristique, c'est bien de se prendre lui-même pour un héros de roman. Julien Sorel modèle son action sur le Napoléon du *Mémorial de Sainte-Hélène* qui s'exclamait « Quel roman que ma vie ! », les personnages de Balzac se réclament de Manfred ou de Faust, quand Mademoiselle de Maupin joue le rôle de Rosalinde dans *Comme il vous plaira*. Dans ce siècle lyrique de l'excès et de l'adhésion, où le lec-

---

Résumé général de tous les ouvrages de clinique médicale et chirurgicale, etc., vol. IX, « Maladies de l'encéphale, maladies mentales, maladies nerveuses », J.-B. Baillière, 1849, p. 494-495. L'ouvrage est rédigé par une société de médecins, mais les articles ne sont pas signés.

19. Victor Hugo avait fait sculpter cette devise dans le bois des dessus-de-porte à Hauteville House. De tous les écrivains, Hugo était le mieux destiné au diagnostic de la monomanie orgueilleuse. À un journaliste qui moquait les prétentions oraculaires du poète et réclamait un Charenton digne de lui, le docteur Despine répondait, après la Commune : « Que V. Hugo ait été mis dans l'état psychique qui constitue la folie par l'orgueil et d'autres passions, on ne saurait le contester : il a prouvé plus d'une fois son aveuglement à l'égard des idées irrationnelles dont il s'est fait l'apôtre ; mais, à coup sûr, il ne se trouverait pas un médecin qui voudrait signer pour ce poète un billet d'admission dans un Asile, dans le but de lui faire subir un traitement médical » (Prosper Despine, *De la folie du point de vue philosophique, ou plus spécialement psychologique, étudiée chez le malade et l'homme de santé*, Savy, 1875, p. 788). On connaît par ailleurs la boutade de Jean Cocteau : « Victor Hugo était un fou qui se prenait pour Victor Hugo. »

teur s'identifie à des héros qui eux-mêmes s'identifient, la monomanie orgueilleuse, par l'exagération du moi, la projection identitaire et l'obsession de la référence à un modèle historique, est une maladie typiquement romantique.

Ce lien métaphorique avec l'univers de la création romanesque excède le simple rapport d'analogie. L'effet de réel produit par les œuvres de fiction inquiète les aliénistes. Parce qu'elle favorise l'illusion et pousse à l'imitation, la littérature a mauvaise presse auprès de la Faculté, qui range la « lecture de romans » sous la rubrique des causes de l'aliénation mentale. Et il n'est pas rare de trouver dans les archives des notations comme celle-ci, à propos d'une femme atteinte de folie des grandeurs et de délire religieux : « On croit devoir attribuer le dérangement de ses facultés à la vie solitaire qu'elle a menée depuis dix-huit mois, ainsi qu'aux lectures romanesques qui l'ont sans cesse occupée. On pense aussi qu'elle a trop cherché à approfondir le livre de l'Apocalypse[20]. » Au-delà des méfaits du roman, c'est donc la lecture « approfondie », y compris des textes sacrés, qui est globalement déconseillée, en particulier aux femmes, dont on redoute les efforts de réflexion. Selon le docteur Voisin, « l'empreinte des romans modernes » est à la source de nombreuses folies, en particulier chez « des folles incomprises, indépendantes, orgueilleuses, en lutte contre leur sexe », sortes de Bovary avant l'heure, qui portent « la trace perver-

_____

20. ADVDM, Charenton, Registre médical, 1818, f° 21. Entrée le 18 mai 1818, sortie guérie le 13 mars 1819.

tie et faussée des ouvrages de Georges [*sic*] Sand qu'elles [ont] lus sans les comprendre[21] ».

La monomanie orgueilleuse, maladie romantique *et* littéraire ? En partie. Sans compter que la pathologie figure aussi au titre de motif dans les récits de l'époque, comme l'illustre une belle nouvelle de Nerval où le thème poétique du double et du reflet se confond avec une véritable description clinique de la monomanie orgueilleuse : « Le Roi de Bicêtre (XVIe siècle) : Raoul Spifame », parue dans *La Presse* en 1839.

Raoul Spifame est avocat au parlement de Paris. Lors d'une rentrée des Chambres en présence de Henri II, l'assistance se rend compte que Spifame est le sosie parfait du roi, lequel est lui-même frappé par la ressemblance. Dès lors, dans les couloirs du palais, on ne l'appelle plus en riant que *Sire* ou *Votre Majesté*, railleries malheureuses qui finissent par convaincre Spifame qu'il est réellement le souverain. Sa royale attitude, ses harangues et ses projets de réforme finissent par le conduire à la maison des fous. À l'asile, Spifame est plus que jamais persuadé d'être Henri II. Il gouverne, décrète, festoie, convaincu que « ses rêves étaient sa vie et que sa prison n'était qu'un rêve ». Jusqu'au jour où le gardien décide d'accrocher au mur de sa cellule un miroir d'acier dépoli. Spifame s'en approche et croit alors voir le roi venir à lui et lui parler, « sur quoi il se hâta de s'incliner profondément » :

---

21. Al. Esquiros, *Paris ou Les Sciences...*, *op. cit.*, p. 119-120.

Lorsqu'il se releva, en jetant les yeux sur le prétendu prince, il vit distinctement l'image se relever aussi, signe certain que le roi l'avait salué, ce dont il conçut une grande joie et honneur infini. Alors il s'élança dans d'immenses récriminations contre les traîtres qui l'avaient mis dans cette situation, l'ayant noirci sans doute près de Sa Majesté. Il pleura même, le pauvre gentilhomme, en protestant de son innocence, et demandant à confondre ses ennemis ; ce dont le prince parut singulièrement touché ; car une larme brillait en suivant les contours de son nez royal. À cet aspect un éclair de joie illumina les traits de Spifame ; le roi souriait déjà d'un air affable ; il tendit la main ; Spifame avança la sienne, le miroir, rudement frappé, se détacha de la muraille, et roula à terre avec un bruit terrible qui fit accourir les gardiens [22].

Que renvoie le miroir sinon l'adéquation parfaite d'une chimère (se croire roi) avec une réalité (lui ressembler trait pour trait, *à s'y méprendre*), la fusion d'une fonction avec une image ? Être soi et un autre, un seul individu et deux personnages ? Dans ce face-à-face, Nerval pousse aussi loin que possible le paradoxe de l'identité. Lorsqu'il surprend son reflet, Spifame voit le roi. N'est-ce pas une folie de prendre pour un étranger son image dans le miroir ? D'interpréter, dans la symétrie des

22. Gérard de Nerval, « Le roi de Bicêtre (XVIe siècle) : Raoul Spifame », *Les Illuminés*, in *Œuvres complètes*, t. II, Gallimard, « Bibliothèque de la Pléiade », 1984, p. 891-892. Ce texte a été publié pour la première fois dans *La Presse*, le 17-18 septembre 1839, sous le titre « Biographie singulière de Raoul Spifame, seigneur des Granges » et sous le pseudonyme d'Aloysius. Il sera réimprimé, sous le nom de Gérard de Nerval, dans *La Revue pittoresque*, en 1845, sous le titre « Le meilleur roi de France ». Selon les exégètes de la Pléiade, ce texte pourrait être l'œuvre non pas de Nerval, mais d'Auguste Maquet, le célèbre « nègre » de Dumas.

gestes, une forme d'empathie ? Par cette erreur, Raoul Spifame prouve néanmoins, *simultanément*, qu'il n'est pas fou puisqu'il *fait la différence* et apporte la preuve qu'il se dissocie du souverain, personnage distinct de l'avocat enfermé à Bicêtre. Comment ne pas penser à Don Quichotte, incarnation poétique par excellence, selon Esquirol, du monomane, dont le délire partiel laisse intact le reste de l'entendement ? Ce qui se traduit chez Nerval par ces mots : « Rien ne saurait prouver mieux que l'histoire de Spifame combien est vraie la peinture de ce caractère, si fameux en Espagne, d'un homme fou par un seul endroit du cerveau, et fort sensé quant au reste de sa logique ; on voit bien qu'il avait conscience de lui-même, contrairement aux insensés vulgaires qui s'oublient et demeurent constamment certains d'être les personnages de leur invention. Spifame, devant un miroir ou dans le sommeil, se retrouvait et se jugeait à part, changeant de rôle et d'individualité tour à tour, être double et distinct pourtant, comme il arrive souvent qu'on se sent exister en rêve[23]. »

À l'époque désenchantée où Nerval écrit sa nouvelle, qu'en est-il de la réalité de la maladie ? Pour qui se prend-on sous la monarchie de Juillet ? Il

23. *Ibid.*, p. 892. Rappelons que cette pratique du dédoublement, Nerval, qui avait écrit « Je suis l'autre » sous l'un de ses rares portraits photographiques, l'a expérimentée lui-même tout au long de sa vie. Elle l'a conduit, à deux reprises, chez le docteur Blanche, où il commence en 1853 le manuscrit d'*Aurélia*, tentative pour comprendre ce que la société nomme folie et qu'il décrit comme « l'épanchement du songe dans la vie réelle ». Raoul Spifame mérite d'être replacé dans cette perspective.

faut l'admettre : rarement pour Louis-Philippe.
C'est même l'un des traits saillants des archives.
On se prend pour « un » roi, mais est-ce pour autant celui qui est sur le trône ? « Retire-toi, grosse
bête ; ne vois-tu pas que je suis Roi de France[24] ? »
répond systématiquement à ses interlocuteurs
une folle internée à la Salpêtrière en 1833, tombée
en démence des suites d'une monomanie ambitieuse. Mais ce roi de France, est-ce le roi des
Français ? D'une façon générale, le roi bourgeois
se prête mal aux désirs d'identification ; il laisse
froides les imaginations et décourage la folie,
preuve que la symbolique de la fonction royale
nécessite d'être incarnée pour devenir une image
délirable. Non pas que le monarque soit absent des
registres des asiles. Mais le plus frappant — et,
pour tout dire, le plus cocasse —, c'est que les aliénés assimilent le plus souvent Louis-Philippe à un
pensionnaire ou au directeur de l'asile. Autrement
dit, le rapport s'est inversé : on ne se prend pas

24. AAP-HP, Salpêtrière, Registre d'observations médicales, 5e division, 1re section (1820-1851), 6R1, f° 26. Le destin de cette patiente
mérite d'être mentionné. Virginie Deveaux entre le 25 septembre 1833
à la Salpêtrière, où elle meurt le 12 décembre 1851. Pendant de longues
années, elle est restée immobile à côté de son lit, répétant qu'elle était le
roi de France. Le docteur Ulysse Trélat, rédacteur de l'observation,
ajoute : « Il était impossible d'obtenir d'elle d'autres paroles. On parvint
un jour à la conduire à la séance de chant ; là, il s'effectua en elle un
changement remarquable. On découvrit qu'elle chantait & elle ne tarda
pas à faire entendre une voix des plus agréables qui puissent charmer
l'oreille. Meyerbeer, Geraldi & Liszt vinrent un jour à l'improviste
visiter la Salpêtrière, & n'hésitèrent pas à comparer la flexibilité du
chant de Melle Deveaux à celle "qui caractérise la voix de Melle
Persiani". Aujourd'hui, elle est tombée tout à fait dans l'anéantissement, ne se rappelle plus rien, est absolument incapable de chanter, n'a
plus de santé, est en voie rapide de dépérissement physique aussi bien
que moral. »

pour le roi, on prend le roi pour un personnage ordinaire ou familier.

Difficile de ne pas voir dans ce renversement de perspective (humaniser le roi plutôt que de sacrer sa propre personne) un effet de cette extralucidité que l'on prête aux fous, qui jettent ici, par réfraction, une lumière originale sur un trait du règne de Louis-Philippe. « La majesté lui faisait défaut. […] Sa grande faute, la voici : il a été modeste au nom de la France », résume Victor Hugo, qui brosse le portrait d'un souverain aux qualités réelles mais sans relief, représentant de « la classe moyenne » et incarnation de « la transition régnante[25] ». Or on ne s'identifie pas à une transition. Trop humain, trop simple, trop bourgeois, ce père de famille plein de bonhomie, qui promeut un idéal conservateur, désamorce le délire identificatoire. Il est le contraire de la grandeur. En dédaignant avec fermeté son modèle, c'est exactement ce qu'exemplifient les monomanes.

Ramené aux dimensions « moyennes » de cette classe qu'il défend, Louis-Philippe devient dans les asiles un homme abordable, même s'il conserve son statut de chef d'État. Cette accessibilité s'étend à sa famille et à son entourage. « Ce fut en nous recommandant le plus grand silence que M. P. nous confia ses secrets », raconte le médecin de Charenton en 1831, au sujet d'un propriétaire de quarante-cinq ans, que Bicêtre a renvoyé sans renseignement sur son cas. « En venant de son pays, il

---

25. V. Hugo, *Les Misérables*, *op. cit.*, p. 848-849.

s'est trouvé en diligence avec le roi et son fils, il les
connaît beaucoup, a écrit en leur faveur, est reçu
au palais-royal &. Pendant son séjour à Bicêtre, il a
vu Louis-Philippe déguisé confondu avec les aliénés ; il couchait dans la même chambre que le
prince royal qui était également déguisé et qui lui a
confié les secrets du gouvernement. À la messe, il
s'est trouvé à côté de la reine qui avait un costume
de paysanne, il a vu le préfet de police déguisé en
cuisinier. Lafayette et une vingtaine de républicains se trouvaient aussi cachés à Bicêtre dans le
même temps. Quant aux motifs qui ont conduit
dans ce lieu tous ces illustres personnages, M. P.
les ignore entièrement. Bientôt nos questions
éveillent ses soupçons, il croit que nous voulons le
trahir, se fâche et ne veut plus rien dire[26]. » Dans
un retour de confiance, M. P. avoue qu'il craint
d'être assassiné s'il viole son secret et qu'en restant
à Charenton il se soumet aux ordres du roi, auquel
il est très attaché. Quoique recommandé par le patient qui a écrit des lettres en sa faveur, Louis-
Philippe garde donc le pouvoir d'interner qui bon
lui semble.

Un même mélange de déférence et de familiarité
affecte le délire d'un autre patient qui, lui, s'est persuadé que Charenton était l'habitation royale de
Louis-Philippe, nom qu'il attribue à un pensionnaire de l'asile, où tous les aliénés seraient des des-

26. ADVDM, Charenton, Registre d'observations médicales,
hommes et femmes, 1831, 4X699, f° 69. Entré le 29 mai 1831. Charenton est à l'époque dirigé par Esquirol, qui a pris la suite de Royer-
Collard à sa mort, en 1825.

cendants des Bourbons. Trop heureux d'être au service de cette illustre famille, « il se livre à tous les soins du ménage, lave la vaisselle, balaie la salle, ne parle jamais à personne même aux infirmiers sans les appeler mon prince et sans s'incliner jusqu'à terre ». Que le patient confonde les Bourbons et les Orléans n'est pas anodin. Le principe monarchique reste indissolublement lié à la branche aînée, dont le prestige et la légitimité demeurent intacts, même en 1843, époque où l'observation est rédigée, alors que Louis-Philippe Ier est depuis treize ans sur le trône. L'aliéniste, d'ailleurs, se préoccupe de ce hiatus historique et tente de pousser son patient dans ses derniers retranchements : « Comme je lui demandais comment il se faisait que Louis-Philippe qui avait chassé les Bourbons en 1830 se trouva[it] aujourd'hui habiter avec eux, il m'a répondu que Louis-Philippe n'avait pas du tout chassé les Bourbons, qu'en 1830 des méchants avaient effectivement voulu chasser cette famille mais qu'elle s'était réunie et que d'un commun accord on avait décidé que Louis-Philippe prendrait les rênes du gouvernement parce qu'il était le plus capable de tenir tête aux factieux[27]. » Logique imparable, qui fait de Louis-Philippe l'opportuniste qu'il fut réellement.

La réputation du roi-citoyen ne s'est guère améliorée avec le temps dans les asiles. En mai 1848, une patiente arrive à Charenton au motif qu'elle

---

27. ADVDM, Charenton, Registre d'observations médicales, hommes et femmes (cas particulier), 1812-1844, 2Mi63 (non folioté). Entré le 21 août 1839.

s'est persuadée depuis la révolution de Février
« que la personne qui demeure au-dessus d'elle,
chez sa sœur, n'est autre que Louis-Philippe lui-
même. Si cette personne vient à se trouver sur
son passage, elle l'accable aussitôt d'injures[28] ».
Délaissé, puis oublié, Louis-Philippe, mort en
1850, sera finalement relégué dans les mémoires
folles à des tâches subalternes. Sous le Second
Empire, un patient de Bicêtre, qui se dit cousin
par alliance de Napoléon III, affirme que « Louis-
Philippe et ses enfants battent le grain dans sa
grange[29] ». Un crime (posthume) de lèse-majesté
inconcevable envers le souverain qui éclipse tous
les autres dans les asiles de France : l'empereur
Napoléon Ier.

LE MAÎTRE DE L'UNIVERS

« Vivant il a manqué le monde, mort il le possède[30]. » Cette phrase de Chateaubriand à propos de
Bonaparte, prophétisant un « despotisme de sa
mémoire », ne saurait mieux s'appliquer à la puissance que Napoléon exerce sur l'imaginaire collectif, à mesure que sa présence s'éloigne et que grandit

28. ADVDM, Charenton, Registre d'observations médicales,
femmes, 1848-1849, 4X723, f° 63. Entrée le 27 mai 1848, transférée à
la Salpêtrière le 30 septembre 1849.
29. AAP-HP, Bicêtre, Registre d'observations médicales, 5e division,
1re et 2e sections, 6R18 (1860-1861), f° 307. Entré le 15 février 1861.
30. Fr.-R. de Chateaubriand, Mémoires d'outre-tombe, op. cit., t. I,
p. 1008.

la légende. Dès l'exil à Sainte-Hélène, Napoléon dérobé aux regards suscite une fascination croissante. Pour la seule année 1818, on note à Charenton l'arrivée d'un seul fils de Louis XVI (qui se prend aussi pour Jésus et les prophètes Élie et Samuel) contre cinq empereurs : le premier « nomme aux députés » et « destitue », le deuxième « a acheté l'Italie, s'est emparé de l'Asie », le troisième possède « quarante mille tonneaux remplis d'or[31] », et ainsi de suite. Cinq empereurs sur les 92 patients entrés cette année-là, cela porte à 5,4 % la folie impériale à Charenton, chiffre qui peut paraître faible, mais qui n'a guère de pertinence étant donné que de nombreux cas ne sont pas renseignés ou suffisamment détaillés pour établir une statistique.

La proportion de 1 à 5, entre le dauphin et l'empereur, est en revanche digne d'intérêt. Du Directoire jusqu'au Second Empire, les affaires de « faux dauphins » secouent régulièrement l'actualité en France. Le fils de Louis XVI, mort au Temple en 1795 à l'âge de dix ans, mais prétendument enlevé ou évadé, a suscité une centaine de vocations à travers l'Europe, dont celle d'un fils de sabotier angevin, Mathurin Bruneau, jugé en février 1818 et incarcéré au Mont-Saint-Michel. Victor Hugo prétendait que Louis XVIII était hanté par deux figures : Mathurin Bruneau et Napoléon. Autrement dit, les deux fantômes dont il craignait par-dessus tout le retour[32].

Pourquoi ces imposteurs royalistes remplissent-

---

31. ADVDM, Charenton, Registre médical, hommes et femmes, 1818, 4X677, f°s 35, 39 et 47.

32. V. Hugo, *Les Misérables*, *op. cit.*, p. 123.

ils les tribunaux et pas les asiles ? Jean Hervagault, Mathurin Bruneau, Claude Perrin, le baron de Richemont, Karl-Wilhelm Naundorff, tous passeront par la prison. Pourquoi sont-ils poursuivis par la justice et non par la Faculté ? La réponse semble aller de soi : la survie de Louis XVII reste, dans les mentalités, une probabilité infinitésimale mais néanmoins *crédible*, servie par la difficulté d'identifier un enfant sous les traits d'un homme d'une trentaine d'années — ou plus, selon les époques où il se manifeste. Mettre ces prétendants au trône chez les fous, ce serait reconnaître l'absurdité d'une telle éventualité historique. Le fait que la famille royale a tenu à les faire juger plutôt qu'interner tendrait-elle à prouver qu'elle-même, première menacée par cette réapparition miraculeuse, ne considérait pas l'hypothèse comme tout à fait *déraisonnable* ? Ou sont-ce les médecins qui auraient refusé de considérer les faux dauphins comme d'authentiques monomanes ?

Les faux dauphins sont des aventuriers qui incarnent un personnage dont le corps a disparu et dont l'existence est par conséquent virtuellement envisageable. Ils profitent d'une faille, d'un phantasme, et instillent le doute, malgré la fragilité de leurs arguments — la plupart tiraient leurs informations d'un roman populaire et très fantaisiste, *Le Cimetière de la Madeleine*, spéculant sur la substitution de Louis XVII. Tandis que les faux Napoléons sont des fous qui délirent *de toute évidence* puisque chacun sait que l'original languit à Sainte-Hélène. Rares, en effet, sont ceux qui parviennent à convaincre leur entourage de leur impériale identité, si ce n'est ce monomaniaque, interné en 1826 (soit cinq ans après la mort de l'empereur), qui « se croit Bonaparte père de Napoléon II » et dont « les prétentions sont fortifiées par la croyance de quelques dupes qui ajoutent foi à ce qu'il dit et qui le regardent comme victime des persécutions[33] ». Mais le médecin ne précise pas si ces dupes sont les autres aliénés de l'asile.

Ce qui sépare les faux dauphins des faux Napoléons est à la fois infime et gigantesque, difficile à cerner et gros comme une maison. Dans les deux cas, il y a bien usurpation d'identité. La première serait une imposture représentant un danger politique, une escroquerie lucide, la seconde une folie sans conséquences (sinon pour l'entourage) qui ressemble à une farce. Mais les choses sont-elles aussi tranchées ? Car rien ne dit que les faux dauphins ne délirent pas *aussi* et ne se croient pas *réellement* les héritiers de la Couronne, à l'image de ces mythomanes pris à leur propre mensonge, dont l'Histoire a donné tant d'exemples, du mystère Anastasia à l'affaire Wilkormiski[34]. Comment

---

33. Thierry Haustgen, *Observations & certificats psychiatriques au XIXᵉ siècle*, Rueil-Malmaison, Ciba, 1985, p. 238-239.

34. Au début du XXᵉ siècle, Anna Anderson, parmi d'autres candidates, a prétendu être la grande-duchesse Anastasia, fille de Nicolas II, qui avait été massacrée avec toute sa famille par les bolcheviks. Les tests ADN pratiqués sur les dépouilles de la famille impériale ont depuis achevé de démontrer la supercherie. Quant à Binjamin Wilkormiski, c'est le nom sous lequel Bruno Grosjean a écrit un témoignage qui a bouleversé le monde sur sa déportation à Maïdanek à l'âge de quatre ans. Ces prétendus Mémoires étaient une pure fiction — ce qui n'empêche pas Binjamin Wilkormiski de soutenir qu'il est juif et qu'il a été déporté, quand il a passé son enfance dans un orphelinat en Suisse.

expliquer, par ailleurs, qu'à part le patient de Charenton en 1818, peut-être impressionné par l'affaire Mathurin Bruneau toute récente, Louis XVII apparaisse si rarement dans les registres[35], à l'inverse de sa sœur bien vivante, la duchesse d'Angoulême, dont le nom est très prisé à la Salpêtrière ? Ne se croit-on le dauphin qu'à l'extérieur des murs de l'asile ? La légende de Louis XVII repose sur une absence. Personne ne sait à quoi l'enfant devenu adulte pourrait ressembler exactement. Cette désincarnation, qui ouvre une voie somme toute royale aux opportunistes, est peut-être ce qui décourage le délire d'identification dans les asiles. Louis XVII ne fait pas *image*, au contraire, et ô combien, de Napoléon Ier.

Jamais prénom n'a signifié à ce point le génie stratégique et la volonté de puissance, ni silhouette si bien incarné la quintessence du pouvoir et de la domination hégémonique. Un bicorne, une redingote, et c'est l'empereur qui surgit. Jusqu'à son tempérament, abrupt, tyrannique, Napoléon se confond avec sa caricature.

L'homme qui se prend pour Napoléon a toujours le même profil. Autoritaire, capricieux, colérique.

Voir Claude Arnaud, *Qui dit je en nous ? Une histoire subjective de l'identité*, Grasset, 2006.

35. Que je n'aie pas trouvé d'autres occurrences dans les registres ne signifie pas nécessairement qu'il n'y ait pas eu d'autres prétendus dauphins à l'asile — les diagnostics se contentent parfois d'un « se prend pour un grand personnage » dont on ne sait pas l'identité. Il n'en reste pas moins que cette absence est frappante, ne serait-ce que statistiquement. Précisons par ailleurs qu'Esquirol affirmait avoir soigné de nombreux patients qui se prenait pour le dauphin.

Impérial. Il ne règne pas sur la France, il est le maître de l'Univers. Son pouvoir est sans limites. Tout doit plier devant sa volonté. Sa mine est grave, il donne sans arrêt des ordres, exige la dévotion d'un entourage qu'en gros il méprise. De tous les sujets, la politique étrangère l'occupe surtout. Quand de nombreux monomaniaques rêvent du bonheur de l'humanité, veulent éteindre les conflits et supprimer les impôts, ceux-là, belliqueux, violents, entendent d'abord se faire obéir en despotes, comme l'illustre ce diagnostic daté de 1831, qui pourrait en résumer beaucoup d'autres :

> Le premier jour nous le trouvons élégamment vêtu, portant la tête haute, ayant l'air fier et hautain ; son ton est celui du commandement & ses moindres gestes indiquent la puissance et l'autorité. Bientôt, il nous apprend qu'il est empereur des français, riche à millions, que Louis-Philippe est son chancelier &. Puis saisissant un manuscrit, il déclame avec emphase des vers de sa composition dans lesquels il distribue des couronnes, règle les affaires de la Belgique et de la Pologne &. Dans la journée, il a tout brisé parce qu'on ne voulait pas obéir à ses moindres volontés. Il a été calmé par une douche et renfermé ensuite dans une loge. Le lendemain, nous l'y trouvons entièrement nu, il a tout déchiré, il crie, menace & [36].

Démunis devant tant de fureur aveugle, les aliénistes ont souvent recours aux moyens de coercition et de répression les plus énergiques. D'autres

---

36. ADVDM, Charenton, Registre d'observations médicales, hommes et femmes, 1831, 4X699, f° 77. Entré le 10 juin 1831, sorti pas entièrement guéri le 7 septembre.

préfèrent la ruse, comme le docteur Leblond, qui dirige avec son père une maison d'aliénés, où un capitaine de dragons vit dans une rage perpétuelle. Il frappe, injurie les domestiques qui l'approchent, passe son temps à vitupérer. « N'est-ce pas une indignité de traiter ainsi l'empereur Napoléon ? ces affreux valets ont osé me lier, je vais les faire fusiller », déclare-t-il au médecin, qui lui réplique sans s'émouvoir : « Oui, vous êtes l'empereur Napoléon, mais Napoléon à Sainte-Hélène. » À ces mots, le fou se tait et répète : « Sainte-Hélène, Sainte-Hélène[37]... » Puis il demande à ce qu'on le détache, et tient sa promesse de rester tranquille, jusqu'à sa libération.

Faut-il croire à ces histoires si séduisantes de guérisons miraculeuses ? La tentation est grande d'accréditer l'efficacité de ces saillies de théâtre, qui rapporte le délire à un jeu de langage et donnent de la folie une image comique, tout en faisant du psychiatre un médecin capable d'entrer dans le délire de son patient et un homme doué d'un sens exceptionnel de la repartie. Dénier au patient son titre d'empereur, c'eût été redoubler sa colère ; le lui reconnaître tout en insistant sur sa déchéance, c'est le mettre sur la voie du réel. Comme Napoléon à Sainte-Hélène, le fou à l'asile est un être en exil, *aliéné*, prisonnier. La malice de l'aliéniste consiste à exploiter le délire du patient pour

---

37. Dr François Fabre, *Bibliothèque du médecin-praticien ou Résumé général de tous les ouvrages de clinique médicale et chirurgicale etc.*, vol. IX, *Maladies de l'encéphale, maladies mentales, maladies nerveuses*, J.-B. Baillière, 1849, p. 496.

établir une coïncidence *logique* avec l'Histoire, et établir une relation métaphorique entre une vérité et une fiction, afin d'instiller du sens là où il n'y en a pas. L'ironie de la situation réside tout entière dans la cohérence de ce rabat mécanique d'une image vraie sur un discours faux.

Les aliénistes seront nombreux à promouvoir les prodigieux effets d'un traitement moral visant d'abord à amadouer un patient incontrôlable et à le ramener à la raison, fût-ce par une voie très détournée. Le docteur Guillaume Ferrus, médecin militaire présent à Austerlitz, Eylau, Wagram, et qui avait fait toutes les campagnes de l'Empire jusqu'à la retraite de Russie, était sans doute le mieux placé pour écouter les doléances de ces monomaniaques obsédés par la figure de l'empereur. C'est ainsi qu'il voit un jour arriver à Bicêtre, « dans l'état de la plus violente agitation », un jeune homme qui déclare être le fils de Napoléon :

> — J'ai été médecin de votre père, lui dit M. Ferrus, venez causer près de moi, vous m'exposerez vos griefs, et je vous ferai donner satisfaction. À ces mots, il l'entraîne familièrement, bras dessus bras dessous, vers les arbres qui garnissent la cour, et, lui demandant la cause de son agitation, il en apprend qu'il a fait vingt-cinq lieues à cheval. — Mais, lui objecta-t-il aussitôt, vous devez savoir que lorsque S. M. l'empereur et roi, votre auguste père, avait fait de semblables courses, ce qui lui arrivait souvent, il ne manquait jamais de se mettre au bain. Le malade offrit presque de lui-même d'en faire autant, et il se mit au bain en effet. Encouragé par ce premier succès, M. Ferrus lui prit le bras et lui dit : — Savez-vous que votre majesté a le pouls fort, dur, agité, et qu'elle ferait bien de se faire tirer

un peu de sang ? non pas au bras, car cela pourrait vous empêcher de signer vos ordres, mais à une petite veine du cou. Le malade consentit à se faire saigner. En quinze jours, le fils de Napoléon, saigné, baigné, consolé, était redevenu tout simplement le fils de son père[38].

C'est aussi en quinze jours, mais avec d'autres méthodes, que François Leuret, assistant d'Esquirol, aurait tout obtenu de Paul Dumont (nom fictif), fils d'un employé de l'administration de la guerre, qui s'était persuadé d'être le fils de Murat, puis de Napoléon, camarade de collège du duc de Bordeaux, enfin chevalier d'honneur de la reine Marie-Amélie. Obsédé par la noblesse des origines, il distribuait des particules à tout le monde, s'attribuant à lui-même, selon son humeur, le nom de Paul de Murat, Paul de Napoléon, etc. À l'asile, on l'appelle M. Paul, « ce qui n'excluait pas dans son esprit, la qualité de fils de Napoléon ». L'aliéniste demande alors aux infirmiers de ne plus l'appeler que M. Dumont, lequel s'emporte et se plaint amèrement auprès du responsable, qu'il persiste à nommer le docteur *de* Leuret. Pour venir à bout de cette infatuation, le médecin propose, chaque fois que le patient se trouve dans l'erreur, la douche froide et brutale. « Ce malade n'eût pas été en état de profiter des exhortations qu'on aurait pu lui faire ; j'ai agi sur son esprit d'une manière que l'on pourrait appeler mécanique, en attachant en quelque sorte une sensation douloureuse à l'exer-

---

38. Esprit Blanche, *Du danger des rigueurs corporelles dans le traitement de la folie*, A. Gardembas, 1839, p. 21.

cice de ses hallucinations[39]. » Pour le psychiatre, qui prétend définir le traitement moral sans hypocrisie et dire tout haut ce qui se pratique tout bas dans les hôpitaux, il n'y a guère qu'une voie pour guérir les plus récalcitrants. Ne jamais se « laisser prendre » à leur jeu mais les ramener à la *raison* par le *raisonnement*, user de la carotte et du bâton, et recourir à la répression lorsqu'elle est nécessaire : « Une seule corde vibre encore chez eux, celle de la douleur, ayez assez de courage pour la toucher[40]. »

Les aliénistes luttent contre la folie, et plus encore contre sa formidable obstination. À cet égard, l'homme qui se prend pour le fils de Napoléon est au moins aussi têtu que son père. « Dans sa chambre presque tout le jour, il demeure debout les mains dans les poches de son pantalon et lorsqu'on lui adresse quelques questions il y répond et termine toujours en disant qu'il est le fils de l'empereur. Il n'adresse jamais la parole à personne[41] », lit-on par exemple dans les registres de Charenton en 1836. Se prendre pour le fils de Napoléon ne revient pas à s'identifier au duc de Reichstadt,

---

39. Fr. Leuret, *Fragmens psychologiques sur la folie, op. cit.*, p. 321. Voir également *Du traitement moral de la folie, op. cit.*, p. 418-462, où Leuret relate l'histoire d'un ancien militaire persuadé pendant quinze ans d'être Napoléon, et qui aurait guéri en quelques mois grâce à une combinaison de ruses et de brutalités.

40. *Du traitement moral de la folie, op. cit.*, p. 424. Voir également François Leuret, « Du traitement des idées ou conceptions délirantes », *Gazette médicale de Paris*, n° 37, 10 septembre 1837, p. 577-581, où le médecin cite plusieurs autres cas de Napoléons guéris par la douche.

41. ADVDM, Charenton, Registre d'observations médicales, cas particuliers, 1812-1844, 2Mi63, non folioté. Le cas est daté 3 juillet 1836.

mais plutôt à un Napoléon *bis*. De même, celles qui se disent épouses de l'empereur ne se prennent ni pour Joséphine ni pour Marie-Louise, figures sans pouvoir, mais plutôt pour une rivale triomphante. Dans les asiles, être affilié ou mariée à l'empereur signifie se prévaloir des mêmes dons surnaturels qu'on prête au souverain : « Elle dit avoir *le soleil dans le ventre* », note le médecin de Charenton en 1818 à propos d'une rentière de quarante-six ans. « Elle se croit la *femme de Napoléon*. Elle gouverne l'Univers au moyen du feu électrique qu'elle a dans le corps et qu'elle lance à volonté[42]. »

Ajoutons, pour être complet, mais aussi, il faut l'admettre, avec une pointe de déception : l'homme qui se prend pour Napoléon est rarement une femme. Je n'en ai trouvé, au cours de mes recherches, qu'une seule, monomaniaque de soixante et onze ans, internée en juin 1852, dont on ne sait d'ailleurs si elle se prenait pour Napoléon Ier ou Napoléon III, mais qui était fermement convaincue de son état et très cohérente avec elle-même : « Elle se dit Napoléon ; elle crie *Vive Napoléon*[43] ! »

Le formidable regain d'intérêt pour Napoléon au moment du retour des cendres, époque à laquelle, rappelons-le, la monomanie orgueilleuse va atteindre plus de 25 % des diagnostics, marque

42. ADVDM, Charenton, Registre médical, hommes et femmes, 1818, 4X677, f° 21. Entrée le 18 mai 1818, sortie guérie le 13 mars 1819.
43. AAP-HP, Salpêtrière, Registre d'observations médicales, 5e division, 2e section, Cote (1851-1854), 6R24, f° 108. Entrée le 16 juin 1852, transférée le 20 juillet 1856.

un tournant dans la légende. Cette cérémonie grandiose, voulue par la monarchie de Juillet dans un effort de réconciliation nationale malgré le risque de voir relancé le bonapartisme, a mobilisé le pouvoir pendant de longs mois en 1840. Louis-Philippe a envoyé son fils, le prince de Joinville, à la tête d'une expédition pour récupérer la dépouille de l'empereur, mort et enterré à Sainte-Hélène en 1821. À l'ouverture du cercueil, en présence de plusieurs témoins dont un médecin, surprise et émotion générale. Sa peau, ses mains, son visage ont été préservés. Le corps de Napoléon Ier est intact.

Le convoi arrive en France fin novembre et, le 15 décembre 1840, le char monumental portant le cénotaphe recouvert de crêpe violet semé d'abeilles, tiré par seize chevaux caparaçonnés, passe l'Arc de triomphe, descend les Champs-Élysées et s'achemine vers les Invalides, devant une foule immense et bouleversée, aux cris de « Vive l'empereur ! », « Vive le Grand Napoléon ! ». Dans le cortège on distingue un cheval blanc avec, sur le dos, la selle de Bonaparte à Marengo. La foule retient son souffle, persuadée, en dépit des lois de l'arithmétique et de l'espérance de vie animale, qu'il s'agit du cheval de bataille de l'empereur[44]. Comme son des-

---

44. Le plus curieux est que le très conservateur *Journal des débats* du 16 décembre 1840 répercute cette information, mathématiquement impossible, puisqu'un cheval vit au mieux trente-cinq ans et que la bataille de Marengo avait eu lieu le 14 juin 1800, soit quarante ans auparavant. Voir également le témoignage de Victor Hugo in *Choses vues (1830-1848)*, éd. présentée, établie et annotée par Hubert Juin, Gallimard, « Folio », 1972, p. 154.

trier, Napoléon serait-il immortel ? En pleine révolution de 1830, un homme qui ressemblait de façon frappante à Napoléon avait fait irruption au beau milieu d'une émeute place de l'Odéon, vêtu d'une redingote, sur un cheval blanc. Dans le tumulte et la confusion, l'effet produit avait été immédiat. « Vive l'empereur ! » s'était écriée la foule d'une seule voix, tandis qu'une femme tombait à genoux en se signant : « Oh ! Jésus ! je ne mourrai donc pas sans l'avoir revu [45] !... » Les badauds de 1840 ne sont pas plus fous que les émeutiers des Trois Glorieuses. Le mythe de l'homme providentiel et du sauveur de la nation a survécu à la dépouille du dictateur et du proscrit. On « reconnaît » son cheval sur les Champs-Élysées, plus de vingt-cinq ans après Waterloo, on le « voit » surgir au milieu de la tourmente de 1830. Napoléon est toujours « parmi nous », et bien vivant, dans les imaginaires.

Par métonymie, on parle de translation des « cendres ». L'intégrité physique du cadavre, lue comme un symbole, dit bien la puissance magique attribuée à ce corps et à cette image que ni la mort ni le temps ne parviennent apparemment à réduire. Pour s'en convaincre, il suffit de lire *Napoléon apocryphe. Histoire de la conquête du monde et de la monarchie universelle, 1812-1832*, paru en 1841. Ce livre, publié anonymement en 1836, avait été retiré de la circulation et réédité au lendemain du retour des cendres sous la signature de Louis Geoffroy, abréviation de Louis-Napoléon

---

45. Alexandre Dumas, *Mes Mémoires*, vol. XV, Alexandre Cadot, 1853, p. 213.

Geoffroy-Château. Il s'agit du premier vrai livre de politique-fiction, manière d'utopie appliquée à l'Histoire, non pas telle qu'elle a été mais telle qu'elle aurait pu être, que Charles Renouvier baptisera « uchronie » en 1857. L'ouvrage repose sur une hypothèse : si Napoléon n'avait pas été défait devant Moscou, que serait-il advenu ? Le dominateur de l'Europe aurait continué ses conquêtes et se serait rendu le maître de l'Univers, des Amériques à l'Asie, répond Louis Geoffroy, qui contribue à faire se dilater et grandir le fantôme de Napoléon, à l'heure où les rumeurs courant sur les circonstances de sa mort se multiplient. L'empereur est-il mort d'un cancer de l'estomac ou a-t-il été assassiné ? A-t-il rendu son dernier soupir ou se serait-il échappé de Sainte-Hélène ? Est-ce bien son cadavre qui a été inhumé aux Invalides ou l'a-t-on substitué ?

C'est dans ce contexte qu'il faut lire les effets produits sur les esprits les plus fragiles par le retour des cendres, qui va jouer un rôle déclencheur dans les délires. Au cours des mois qui suivent, les empereurs se succèdent à l'asile. Jamais l'expression « le mort saisit le vif » n'aura été plus adaptée. On note des comportements étranges, des excès en tout genre. « [L]e jour de la translation des cendres de l'empereur, ayant bu plus que de coutume, il manifesta à la vue du char funèbre la plus grande exaltation, gesticulant et proférant des gestes et des paroles extravagantes », est-il écrit d'un cultivateur de quarante et un ans qui, par la suite, est persuadé *« qu'on lui a jeté un sort »* et *« qu'il allait par son influence, faire cesser les dissensions qui régnaient dans le pays, et accorder tout le monde*[46] ». Parmi les femmes, une peintre de trente-cinq ans, aux idées mélancoliques, assiste à l'événement, point de départ d'une série de troubles mystiques : « La vue du char funèbre traînant les dépouilles mortelles de Napoléon (15 Xbre) fit sur elle une impression extraordinaire. Voilà donc, s'écria-t-elle, où aboutit la gloire !... Le lendemain, comme on la félicitait de ses succès à plusieurs expositions : *Ma gloire*, dit-elle, *ressemble à celle de l'Empereur et me conduira au même but* ! / Quelques jours après, elle assiste à un sermon sur le salut : elle en sort vivement émue, gémit, sanglote, dit *que l'enfer s'ouvre devant ses yeux et qu'elle y voit plusieurs personnes de sa connaissance*[47]. »

Le retour des cendres marque une génération entière et s'inscrit comme une date repère. De nombreuses années après, l'événement reste une référence, comme dans ce curieux cas d'une marchande d'oranges de trente-trois ans, entrée à la Salpêtrière en 1851 pour un commencement de paralysie générale.

> Elle se dit elle-même enfant de troupe, issue d'une négresse & du colonel de la Mauselière. Jusqu'à l'âge de seize ans, elle a passé, dit-elle, pour garçon, & faisait partie d'un régiment de chasseurs. Elle avait été délaissée par sa mère, qui ne l'appelait

---

46. ADVDM, Charenton, Registre d'observations médicales, hommes, 1841-1842, 4X708, f° 83. Entré début juin 1841, sorti le 31 août 1842 « tombé dans une sorte d'imbécillité ».

47. ADVDM, Charenton, Registre d'observations médicales, juin 1841-octobre 1843, 4X721, f° 51. Entrée le 29 avril 1841, sortie guérie le 30 octobre 1841.

jamais que son *petit*, & qu'on appelait *Mère Noire*. Elle ajoute que cette méchante femme détruisait toutes les filles ; elle prétend aussi avoir fait partie de l'expédition, qui, sous les ordres du prince de Joinville, a été chercher les cendres de l'empereur à Ste Hélène. Elle décrit les sites de l'île, la disposition de la tombe, les mesures prises pour l'exhumation & pour le retour, des scènes de familiarités entre le prince de Joinville & elle. Ce qui étonne au milieu de son délire, c'est que cette malade qui s'exprime avec facilité & ne manque pas d'esprit de répartie, parle de ses années de service & du plaisir qu'elle avait à monter son petit cheval, avec une apparence d'habitude parfaite & en toute connaissance de cause. Sur la demande qu'on lui fait indiscrètement, si elle n'aurait jamais eu d'amoureux parmi les chasseurs, elle se lève avec indignation & sort en proférant ces mots : « Je préférerais un soufflet au mépris [48]. »

Délire de la race et de l'aristocratie à travers le métissage de ses origines, revendications sur la place des femmes dans la société, substitution de sexe et attributions de pouvoirs ordinairement dévolus aux hommes, les observations médicales concentrent plus d'une problématique qui laisse les aliénistes à la fois perplexes et goguenards au sujet de Mme Chapiron « ou de la Mauselière », comme il est prudemment inscrit à la rubrique de son état civil. Âgée de vingt-deux ans en 1840, la patiente aurait-elle pu participer à l'expédition, déguisée en soldat, comme certaines femmes d'officiers ayant embarqué en 1797 avec leur mari

48. AAP-HP, Salpêtrière, Registre d'observations médicales, 5e division, 1re section, 1820-1851, 6R1, f° 298. Entrée le 14 février 1851, transférée le 11 février 1852.

pour l'Égypte ? Ou n'a-t-elle que fidèlement retenu les récits que lui en aurait fait un chasseur de ses amants, comme le subodore le corps médical ? À moins que, plus simplement, la malade n'ait été frappée par l'événement au point de lire les journaux et les souvenirs sur le sujet et de s'en être imprégnée assez parfaitement pour s'imaginer y avoir participé.

Comme la guillotine, la figure de l'empereur est l'un des motifs les plus récurrents et surtout des plus persistants dans les registres. Elle traverse les époques, se moque des scrutins, et des changements de régime. « Il se croit fils de Napoléon, et par conséquent prétendant au fauteuil de la Présidence de la république [49] », lit-on au sujet d'un maçon entré en octobre 1848 à Charenton. Quand Louis XVI a disparu des archives au mitan du siècle, Napoléon le Grand hante toujours les couloirs de maisons de fous, bien après la Commune.

Après le retour des cendres, l'avènement du Second Empire marque bien sûr la deuxième grande résurgence de cette « napoléonite » aiguë. Mais l'accession au pouvoir de Napoléon III provoque des délires significativement différents. Les mêmes méthodes (le coup d'État) et les mêmes prénoms, dans une même famille, ne produisent pas les mêmes effets. On se souvient des mots célèbres de Marx, ouvrant *Le 18 Brumaire de Louis Bona-*

---

49. ADVDM, Charenton, Registre d'observations médicales, hommes, 1847-1848, f° 201. Entré le 25 octobre 1848, transféré à Bicêtre le 10 mai 1849.

parte : « Hegel fait quelque part cette remarque que tous les grands événements et personnages historiques se répètent pour ainsi dire deux fois. Il a oublié d'ajouter : la première fois comme tragédie, la seconde fois comme farce[50]. »

Quel tour la farce prend-elle à l'asile ? Les empereurs seconde version ne s'identifient pas, ou rarement, à Napoléon III. Ils réclament le trône comme leur dû sans se soucier d'incarner un personnage spécifique. « Il est empereur », répètent les registres, sans préciser s'il s'agit de l'oncle ou du neveu. Autrement dit, on délire le titre et la fonction, mais pas la personne du souverain régnant, qui n'est jamais caractérisée — ce qui, vu sous cet angle, rapproche Napoléon III de Louis-Philippe, comme si l'empereur bourgeois avait succédé au roi bourgeois.

Sous le Second Empire, l'immense majorité des victimes de la monomanie orgueilleuse sont arrêtés par la police devant les Tuileries ou à Saint-Cloud, où ils se rendent pour prendre la place de l'empereur, qui leur revient. Ce sera tel garçon pharmacien qui « par le raisonnement [...] s'est convaincu qu'il était l'empereur » et entend « se faire reconnaître[51] », tel courtier en vins « voulant parler à l'empereur et prétendant être l'empereur lui-même[52] » ou encore ce fruitier qui s'est introduit dans la cour du château de Saint-Cloud « pour causer affaire avec l'impératrice et pour lui propo-

---

50. Karl Marx, *Le 18 Brumaire de Louis Bonaparte*, Éditions sociales, 1969, p. 15.

51. AAP-HP, Bicêtre, Registre d'observations médicales, 5e division, 1re et 2e sections, 1847-1853, 6R2, fo 297.

52. *Ibid.*, 1858-1859, 6R13, fo 353.

ser de remplacer l'empereur[53] ». Lorsque l'homme
qui se prenait pour Napoléon Ier s'était coulé dans
le moule du despote, imprégné de son modèle
jusqu'au moindre défaut de son caractère, le monomane du Second Empire fait simplement valoir ses
droits, sans recours au coup d'État ou à quelque
crise de fureur, en négociant avec l'imposteur ou
avec sa femme. À défaut, on collabore avec lui à
d'utiles projets d'amélioration sociale, comme ce
patient de Bicêtre, mort quelques semaines après
son arrivée à l'asile, en 1868 : « Il s'est associé avec
l'Empereur pour acheter l'Europe et l'Asie. Il fera
la guerre avec des fleurs et des pièces d'or. Il
fera pousser le fourrage sur les rochers etc.[54]… »

Les revendications à monter sur le trône sont
souvent justifiées par une filiation imaginaire.
Elle renvoie toujours à la même figure : « Il est le
fils du grand Napoléon. On lui a pris son trône[55] » ;
« Il est le fils de l'Empereur, il le sait par instinct[56] » ; « Il est le fils de Napoléon et vient à Paris
réclamer ses titres[57] » ; « Il est le prince de Reichstadt [*sic*], parent du pape[58] » ; « Il se croit et se dit
Napoléon II[59] ». Dans ce schéma, Napoléon III se
trouve doublement renvoyé à l'illégitimité par
deux fantômes. Il ne peut se prévaloir ni du degré
de filiation de l'Aiglon (mort en 1832), qui occupe

53. *Ibid.*, 1863-1864, 6R23, f° 314.
54. *Ibid.*, 1867-1869, 6R31, f° 319.
55. *Ibid.*, 1853-1856, 6R6, f° 133.
56. *Ibid.*, 1858-1859, 6R13, f° 479.
57. *Ibid.*, 1859-1860, 6R15, f° 268.
58. *Ibid.*, 1862-1863, 6R21, f° 208.
59. *Ibid.*, 1864-1865, 6R25, f° 314.

encore la fonction du dauphin dans les imaginaires, ni du rayonnement de Napoléon Ier représentant, dans tous les cas de figures, l'ultime et
écrasante référence.

L'USURPATEUR

Ce tour d'horizon des délires attachés à la personne de Napoléon ou à sa légende laisse en sus-
pens une question : pourquoi ? Pourquoi s'identifie-
t-on à Napoléon Ier, mieux qu'à n'importe quel
autre monarque ? La réponse tombe d'abord sous le
sens. Quitte à choisir un rôle, autant prendre celui
du plus fort, du plus craint — qui se trouve être
aussi le plus proche dans le temps. Et Napoléon est
la figure par excellence du surhomme, le symbole
même de la domination et de la toute-puissance
moderne. Soit. Mais la singularité du cas repose
encore sur un autre trait qui l'isole de tous les
autres souverains l'ayant précédé et qui le suivront.
Face aux rois, incarnations d'une histoire dynastique fondée sur une monarchie de droit divin sécu-
laire, Napoléon est l'Usurpateur, le petit caporal
corse parvenu seul à la tête de l'Europe. Sa légitimité a été non pas *héritée* mais *acquise* par les
armes et le génie politique. Quand le roi recevait la
couronne par la volonté de Dieu et les hasards de
la naissance, l'empereur en ceint d'autorité son
front et la dépose sur la tête de Joséphine, en tournant le dos au pape, convoqué à Notre-Dame, com-

me le montre le célèbre tableau du *Sacre* de David. Sauveur ou dictateur, adulé ou honni, peu importe, Napoléon offre, aux yeux de ses contemporains et des générations suivantes, le cas unique d'un aventurier parvenu par lui-même à la tête de l'État. L'exemple, au fond, de ce qu'aux États-Unis on appellerait un *self-made-man*.

Enfant de ses œuvres, selon une formule chère au XIXe siècle, Bonaparte est devenu Premier consul par un coup d'État et a été promulgué empereur par sénatus-consulte, ratifié par un écrasant plébiscite. Arrivé au sommet libre de toute justification généalogique, il instaure néanmoins dès 1804 avec l'Empire un régime héréditaire, rétablit le principe de légitimité dynastique et fabrique en quelques années une noblesse de carnaval, sans racines ni passé. Pour ses innombrables ennemis et pour les cours d'Europe qui exècrent cet héritier de la Révolution, Napoléon a conquis le pouvoir illégalement. Tacitement dénié dans ses droits, l'Usurpateur n'en est pas moins obéi dans les faits par la plupart des grandes puissances, soumises à la marche forcée de ses conquêtes victorieuses. Avec la domination militaire, grandit un culte de la personnalité et une légende, noire ou dorée, qui singularise à l'extrême Napoléon, son tempérament, son caractère. Jamais le pouvoir n'aura été à ce point incarné et personnifié.

« Le monarque, écrit Benjamin Constant, est en quelque sorte un être abstrait. On voit en lui non pas un individu, mais une race entière de rois, une tradition de plusieurs siècles. [...] La monarchie n'est point une préférence accordée à un homme

aux dépens des autres ; c'est une suprématie consacrée d'avance : elle décourage les ambitions, mais
n'offense point les vanités. L'usurpation exige de la
part de tous une abdication immédiate en faveur
d'un seul : elle soulève toutes les prétentions : elle
met en fermentation tous les amours-propres[60]. »
Gageons que c'est cette fermentation qui a favorisé
tant de projections dans l'esprit d'hommes et de
femmes, souvent fragilisés par l'existence, et qui
se sont un jour autorisé à s'identifier à Napoléon,
ce « prodigieux phénomène de volonté », nous dit
Balzac, « qui pouvait tout faire parce qu'il voulait
tout[61] ». À travers son image de conquérant assuré
qu'*impossible n'est pas français*, le pouvoir devient
a priori accessible à quiconque est désireux de fonder une nouvelle dynastie et de changer le monde,
comme ce Pierre Carra, aliéné de Charenton, s'ins-
tituant « l'Empereur Carra Pierre régnant depuis la
chute de Bonaparte[62] » ou ces provinciaux qui,
ayant quitté leur village pour venir à Paris et réclamer leur droit à se faire nommer empereurs, se
font en général jeter à Bicêtre pour vagabondage.

L'homme qui se prend pour Napoléon usurpe
donc la personnalité d'un usurpateur, sans compter que, victime de monomanie orgueilleuse, il
s'identifie à un souverain lui-même atteint, dit-on,
de folie des grandeurs. Autrement dit, l'homme qui

60. Benjamin Constant, *Œuvres politiques*, introd., notes et index par Charles Louandre, Charpentier et Cie, 1874, p. 47.
61. Honoré de Balzac, *Autre étude de femme*, *La Comédie humaine*, Gallimard, « Bibliothèque de la Pléiade », 1993, p. 700-701.
62. ADVDM, Charenton, Registre médical, hommes et femmes, 1818, 4X677, f° 35.

se prend pour Napoléon est un usurpateur qui se prend pour un usurpateur et un mégalomane qui se prend pour un mégalomane. De ce phénomène au carré, ou plutôt au cube, doit-on pour autant déduire que le fou se prenant pour Napoléon est un fou qui, en toute logique, se prend pour un fou ? Des témoignages contemporains aux études de spécialistes, il est très rare que la « folie » de l'empereur ne soit pas suggérée, et que les guerres napoléoniennes ne soient assimilées à une « démence » meurtrière. Bien évidemment, c'est dans leur sens populaire, trivial, que sont employés ces mots, censés caractériser les débordements ou la démesure du dessein impérial. Mais face à ces énoncés d'ordre psychologique ou moral, qu'en est-il du jugement médical sur le cerveau de l'empereur, de l'énigme de ses rouages, dont la réputation confine au prodige ?

Médecin consultant de l'empereur à partir de 1805, Pinel eut l'occasion de voir Napoléon à son retour de l'île d'Elbe, lors d'une réception à l'Institut. L'empereur lui demanda alors si les fous étaient plus nombreux. « Je répondis que non ; mais je pensais en moi-même, disait-il en souriant malignement, que les génies supérieurs, les conquérants illustres et ambitieux, n'étaient peut-être pas exempts d'un grain de folie [63]. » Napoléon aurait, paraît-il, lui-même souscrit à ce jugement. D'après une autre source, l'empereur aurait déclaré un jour

---

63. *Lettres de Pinel*, *op. cit.*, p. 33. Le neveu de Philippe Pinel, qui rapporte ce témoignage, assurait tenir l'anecdote de son oncle.

à Pinel qu'entre « *un homme de génie et un fou, il n'y a pas l'épaisseur d'une pièce de six liards* ». Sur quoi il ajoutait : « *[I]l faut que je prenne garde de tomber entre vos mains* [64]. »

À l'époque où ces anecdotes apocryphes sont rapportées, la parenté du génie et de la folie est en passe de devenir un lieu commun dans la littérature médicale. La psychiatrie, soucieuse de revendiquer son champ d'expertise, récupère un sujet dont la philosophie a largement débattu, d'Aristote à Schopenhauer, et de Montaigne à Diderot. Et elle se penche sur le passé des grands hommes. Mémoires, anecdotes, souvenirs, les médecins font flèche de tout bois pour reconstituer, interpréter et théoriser la psychologie des artistes ou des hommes d'État, du délire de persécution de Rousseau à la mélancolie de Louis XI. Comment la personnalité et le destin hors norme de Napoléon pouvaient-ils échapper à cette mode du diagnostic rétrospectif ?

On étudie les tempéraments et les complexions, on palpe aussi les crânes, depuis que Franz Joseph Gall a fondé au début du siècle une science nouvelle, établissant une corrélation entre les dispositions intellectuelles et morales de l'homme et la

---

64. Scipion Pinel, *Physionomie de l'homme aliéné*, Librairie des sciences médicales, 1833, p. 40-41, note. Scipion Pinel était le fils de Philippe Pinel. C'est lui qui répandit la légende selon laquelle son père libéra les aliénés de leurs chaînes, dans un coup d'éclat, malgré les mises en garde de Couthon, venu visiter Bicêtre en 1792 (alors que le médecin n'y fut nommé qu'en 1793). Philippe Pinel n'avait jamais revendiqué ce geste et la légende a depuis été défaite. Scipion Pinel, lui-même aliéniste, a largement contribué à édifier le mythe d'un Pinel philanthrope et génial. Veut-il ici établir une symétrie entre l'empereur et le fondateur de la psychiatrie ? On est en tout cas en droit de douter de ses propos.

configuration de sa tête, connue sous le nom de phrénologie. Cette théorie, résumée par l'expression populaire de « la bosse des maths » ou de « la bosse du crime », émet l'hypothèse d'une localisation des fonctions cérébrales, dont le développement influencerait la morphologie du crâne. En tâtant les différents renflements ou dépressions de la tête, y compris sur un buste ou un moulage, les phrénologistes prétendent décrypter les aptitudes ou les carences psychologiques du patient. Les têtes d'exception — génies, fous, criminels, microcéphales, etc. — étant les cobayes d'élection de la nouvelle doctrine.

Napoléon n'avait qu'aversion et mépris pour la phrénologie. Aussi, lorsque Gall et Spurzheim présentèrent un mémoire sur l'anatomie et la physiologie du cerveau à l'Académie des sciences en 1808, se virent-ils barrer la route, probablement sur ordre de l'empereur, par la commission chargée d'évaluer leurs travaux, présidée par Cuvier, et où figurait Pinel. Napoléon avait également à cœur de faire jouer la préférence nationale — un Anglais venait d'être récompensé en chimie, et la victoire de ces Allemands aurait encore fait ombrage au mérite des scientifiques français. Dans le *Mémorial de Sainte-Hélène*, l'empereur déchu confirma son agacement sans appel pour cette théorie de charlatans : « Un petit bossu se trouve un grand génie ; un grand bel homme n'est qu'un sot. Une large tête à grosse cervelle n'a parfois pas une idée, tandis qu'un petit cerveau se trouvera d'une vaste intelligence. Et voyez l'imbécillité de Gall : il attribue à certaines bosses des penchants et des crimes qui ne sont pas dans la nature, qui ne viennent que de la société et de la convention des hommes : que devient la bosse du vol s'il n'y avait point de propriétés ? La bosse de l'ivrognerie, s'il n'existait point de liqueurs fermentées ? Celle de l'ambition, s'il n'existait point de société[65] ? »

Dans une étude publiée en 1835 consacrée à *La Phrénologie et Napoléon*, le docteur David Richard, aliéniste, magnétiseur et phrénologiste ami de George Sand, suggère que l'hostilité de l'empereur envers le matérialisme de la théorie de Gall relevait d'un mélange de convictions philosophiques, de superstition et d'un certain opportunisme politique — et l'on est bien prêt de le suivre sur cette pente : « L'opinion métaphysique que l'âme et ses opérations ne peuvent se manifester par des formes extérieures, caressait le penchant de Napoléon pour le merveilleux, et tendait de plus à renforcer le préjugé populaire, qui s'imaginait l'empereur animé d'un esprit insaisissable, surnaturel, divin, qu'on trouvait en lui seul et devant lequel on devait se prosterner en silence[66]. » Nul doute que Napoléon trouvait la phrénologie inepte et intellectuellement nulle ; mais l'intérêt personnel de ce grand propagandiste était également d'entretenir le mystère de

---

65. E. de Las Cases (père), *Mémorial de Sainte-Hélène* [1823], t. II, Garnier frères, 1961, p. 58, cité par Marc Renneville, *Le Langage des crânes. Une histoire de la phrénologie*, Institut d'édition Sanofi-Synthélabo / Les Empêcheurs de penser en rond, 2000, p. 82. L'ouvrage de Marc Renneville a constitué ma principale référence sur l'histoire de la phrénologie pour ce chapitre. On se reportera notamment aux pages 165-173.

66. David Richard, *La Phrénologie et Napoléon*, Imprimerie Pihan Delaforest, 1835, p. 3.

son génie, qu'il n'aurait jamais risqué de voir réduit à une vulgaire cranioscopie. Sa défiance était telle qu'il avait même interdit à Joséphine de se faire « dire les bosses » — mais l'impératrice passa outre et soumit en cachette sa tête à Gall, dans l'atelier du peintre Gérard. Rien ne filtra de l'entretien, mais l'on sait que le peintre sera l'un des premiers membres de la Société de phrénologie... Du crâne de Napoléon, le médecin allemand ne put évidemment s'approcher. À défaut de palper le modèle original, Gall allait se baser sur les bustes existants de Napoléon pour y déceler, sans surprise, cet instinct meurtrier ou carnassier, situé immédiatement au-dessus des oreilles, et que l'on retrouve aussi prononcé que chez Caligula, Néron, Sylla, Septime Sévère, Charles IX, Richard Cœur de Lion ou Ravaillac[67]...

Entre le plus grand capitaine du monde et la science des crânes, la guerre est ouverte. Elle va connaître des rebondissements inattendus, au-delà de la tombe. En 1821, le docteur Antommarchi assiste Napoléon dans son agonie à Sainte-Hélène. À sa mort, il moule son masque mortuaire, seule « vraie » trace du visage de l'empereur, englobant la partie supérieure de son crâne dont, en phrénologiste amateur, il tire de fantaisistes conclusions, publiées dans son livre de souvenirs paru en 1825. Napoléon aurait notamment été doté d'un organe

---

67. Franz Gall et G. Spurzheim, *Anatomie et physiologie du système nerveux en général, et du cerveau en particulier*, Imprimerie Haussmann et d'Hautel, Librairie Schoell, vol. III, 1810-1819, p. 184-185, cité par Marc Renneville, *Le Langage des crânes, op. cit.*, p. 67.

des conquêtes et de l'imagination, qui n'existent pas dans la nomenclature de Gall, lequel balaie d'un revers de la main les propos d'Antommarchi[68]. L'affaire aurait pu en rester là. Mais, en 1833, une commission est nommée en vue de diffuser un buste de l'empereur, coulé à partir du moule original, la partie inférieure et manquante du crâne, factice, étant déduite de la partie supérieure. L'année suivante, la *Gazette médicale de Paris* profite de cette actualité pour publier un article en feuilletons, non signé, intitulé « Commentaire phrénologique sur la tête de Napoléon ». Sous la sobriété du titre se cache en réalité un réquisitoire visant à ridiculiser la théorie de Gall.

En ouverture de son article, l'auteur remarque que le masque mortuaire de Napoléon, seul élément authentique pour fonder une étude sérieuse, ne ressemble pas aux portraits de l'empereur, idéalisé par les artistes. La peinture et la sculpture ont

---

68. Dans la liste des organes relevés par Antommarchi sur le crâne de Napoléon figuraient les organes de la dissimulation, des conquêtes, de la bienveillance, de l'imagination, de l'ambition ou de l'amour de la gloire. Voir Dr F. Antommarchi, *Derniers momens de Napoléon*, Bruxelles, H. Tarlier libraire, 1825, p. 156-160. L'histoire du masque mortuaire de Napoléon a donné lieu à une littérature abondante. Pour une synthèse bibliographique, on se reportera à Chantal Lheureux-Prévot, « L'affaire des masques mortuaires de Napoléon », *Napoleonica. La Revue*, 3/2008, n° 3, p. 60-75. Enfin, il faut savoir que la partie postérieure du crâne de Napoléon a bien été moulée à Sainte-Hélène. Elle devait être réunie au masque pour former un buste complet. Mais le docteur Burton, médecin anglais qui avait participé à l'opération et qui entendait se charger de sa réalisation, eut l'imprudence de confier le masque dit « Antommarchi » (le visage et la partie supérieure du crâne) à la maréchale Bertrand, qui le mit dans ses bagages et partit pour la France. Après plusieurs tentatives pour récupérer ce qu'il considérait comme son bien, Burton détruisit la partie postérieure qu'il possédait.

régularisé ses traits, exhaussé sa taille. Mais surtout, « on donna de l'ampleur au crâne. La doctrine
de Gall ne fut peut-être pas étrangère à cette dernière modification ; on était alors très-disposé à
croire qu'un grand génie ne pouvait habiter une
petite tête, et on sent que pour Napoléon il ne fallait
pas épargner l'espace[69] ». Or ce qui frappe à l'examen de la « tête véritable », c'est « la petitesse du
crâne ». Quoique bien proportionné et conformé,
il est jugé « petit, étroit, mesquin[70] » et d'une cir-
conférence banale (50 % des hommes auraient un
crâne de cette taille). Dès lors, les désillusions
s'enchaînent. Contrairement à ce que soutenait
Antommarchi, l'organe de la dissimulation n'offre
aucun développement. La fameuse « bosse des
maths » est introuvable, on y constate à la place
une dépression — or chacun sait que Napoléon,
auteur d'un fameux théorème, excellait dans cette
discipline. Même chose pour l'organe de la destructivité, qui est nul. En bref, on chercherait en vain
ce qu'on veut y trouver à toute force : « Ni le génie
de Napoléon, ni ses passions, ni ses aptitudes
connues ne sont représentés sur son crâne. Jamais
démenti plus éclatant n'a été donné à l'hypothèse
phrénologique[71]. »

Pour les phrénologistes, l'ironie est amère. Car ce
serait le crâne même de son ennemi légendaire qui
viendrait apporter, comme un pied de nez d'outre-

69. « Commentaire phrénologique sur la tête de Napoléon », *Gazette
médicale de Paris*, vol. II, n° 28, 12 juillet 1834, p. 435.
70. *Ibid.*, p. 436.
71. « Commentaire phrénologique sur la tête de Napoléon », *Gazette
médicale de Paris*, vol. II, n° 29, 19 juillet 1834, p. 453.

tombe, la preuve de l'inanité du système de Gall. Les réponses indignées des spécialistes se succèdent. Elles sont unanimes pour juger l'étude anonyme bâclée, mais elles sont contradictoires dans les arguments qu'elles lui opposent. Pour les uns, il est impossible de procéder à un examen phrénologique sur un plâtre incomplet ; pour les autres, la partie existante suffit, mais elle aura été mal interprétée. Les avis divergent aussi sur la légitimité d'un recours aux portraits et aux bustes de l'empereur, considérés comme tantôt dénués d'intérêt parce que trop imprécis, tantôt riches d'informations. L'étude de David Richard, déjà citée, est la plus complète et la plus approfondie. Cet ardent phrénologiste reprend un à un les arguments du commentateur anonyme, qu'il identifie en post-scriptum comme étant le docteur Peisse[72], réfute ses erreurs de calculs sur la taille de la tête (qui serait d'un volume supérieur à la normale chez Napoléon) et corrige les nombreuses approximations, en précisant que la localisation de l'aptitude au calcul ou « bosse des maths », située à l'angle extérieur de l'œil, serait chez l'empereur d'un développement proportionnel à ses prédispositions. Malgré ses défauts, le masque mortuaire confirme bien la validité de la doctrine de Gall, le crâne de l'empereur faisant ressortir notamment combativité, destructivité, secrétivité (ruse), fermeté ou encore estime de soi. Et si tout n'est pas

---

72. Le docteur Peisse était un habitué de la vulgarisation médicale. Journaliste, traducteur, spécialiste de l'histoire des sciences et de la philosophie, il finira sa carrière comme conservateur de l'École des beaux-arts.

lisible sur cette relique, c'est qu'elle ne reflète pas le monarque dans sa force mais un homme usé, dont la morphologie a été atrophiée par les douleurs de la maladie et de l'exil.

Si les phrénologistes (ou leurs adversaires) peuvent tout faire dire au crâne de Napoléon, les aliénistes sont-ils à même de percer le secret de son âme et de révéler d'éventuels désordres de son esprit ? Sous la monarchie de Juillet, la vogue des études médico-historiques bat son plein. Louis-Francisque Lélut a été le premier à se distinguer dans ce domaine des pathographies, en livrant des ouvrages polémiques sur Socrate et Pascal, tous deux victimes d'hallucinations et donc, pour le médecin, d'aliénation mentale[73]. Or Napoléon aurait été, lui aussi, victime d'hallucinations. C'est ce que rapporte Brierre de Boismont, et à sa suite Moreau de Tours, dans son ouvrage majeur consacré à *La Psychologie morbide dans ses rapports à la philosophie de l'Histoire*, paru en 1859. L'empereur « voyait » sa bonne étoile. Il aurait ainsi, un jour de 1806, saisi le général Rapp par le bras et lui aurait dit : « "Voyez-vous là-haut ?" Le général resta sans répondre, mais interrogé une seconde fois, il dit qu'il ne voyait rien. "Quoi ! reprit l'Empereur, vous ne la découvrez pas ? Elle est devant vous, brillante" ; et s'animant par degrés, il s'écria : "Elle ne m'a jamais abandonné ; je la vois dans toutes les grandes occasions ; elle me dit d'aller en avant, et c'est pour moi un signe constant de bonheur." »

Cette anecdote, rapporté par un tiers qui la tenait lui-même d'un tiers, fait-elle pour autant de l'empereur un fou ? Moreau de Tours préfère penser que « certaines hallucinations, loin d'apporter le moindre trouble dans l'ensemble des facultés, *ont pu être un stimulant plus vif pour l'exécution des projets conçus*[74] ». Si la génialité est bien une névrose, elle ne se confond pas nécessairement avec la folie. Génie et aliénation mentale ne sont pas assimilables, mais auraient plutôt une base commune, dans l'irritabilité du système nerveux et le terrain héréditaire morbide[75].

C'est dans la lignée de ces travaux que s'inscrit le médecin et anthropologue italien Cesare Lombroso avec *Genio e follia* (1864) puis avec *L'Uomo di genio in rapporto alla psichiatria, alla storia ed alla estetica* (1888), livres à succès auprès du grand public, mais plus controversé dans le milieu médical. Pour analyser le cas de Napoléon, Lombroso s'est exclusivement fondé sur un portrait de l'empereur tracé par Taine, qui avait d'ailleurs valu à ce dernier les félicitations de Nietzsche, paru dans la *Revue des Deux Mondes* en 1887[76]. Le texte, reproduit sur cinq

---

74. J. Moreau de Tours, *La Psychologie morbide dans ses rapports avec la philosophie de l'Histoire ou De l'inflence des névropathies sur le dynamisme intellectuel*, Victor Masson, 1859, p. 559-560. L'auteur reprend les travaux de son collègue Alexandre Brierre de Boismont, *Des hallucinations*, Germer-Baillière, 1852, p. 60-61.

75. M. D. Grmek, « Histoire des recherches sur les relations entre le génie et la maladie », *Revue d'histoire des sciences et de leurs applications*, vol. XV, n° 1, 1962, p. 51-68.

76. « Je suis très heureux que mes articles sur Napoléon vous aient paru vrais, et rien ne peut résumer plus exactement mon impression que les deux mots allemands dont vous vous servez : *Unmensch und*

pages, occupe l'intégralité du passage consacré à l'empereur dans le livre de Lombroso. Napoléon y est décrit en tyran médiéval, en « condottiere de la plus grande espèce » et en « artiste supérieur », dont le « moi colossal », au lieu de servir l'État, subordonne l'État à sa propre personne. D'un tempérament violent et brutal, l'empereur a les nerfs irritables, il est sujet aux convulsions et aux larmes. « Il n'y eut jamais, affirme Taine, même chez les Malatesta et les Borgia, de cerveau plus sensitif et plus impulsif, capable de telles charges et décharges électriques, en qui l'orage intérieur fût plus continu et plus grondant, plus soudain en éclairs et plus irrésistible en chocs. » Nul doute que cette dernière remarque a contribué à alimenter la conclusion de Lombroso, qui est aussi la seule phrase de sa plume sur le sujet : « Maintenant pour qui connaît la trempe psychologique de l'épileptique, il devient clair que Taine nous a donné ici le diagnostic clinique le plus délicat et le plus précis d'une épilepsie psychique avec ses gigantesques illusions mégalomaniaques, ses impulsions, et la plus complète absence de sens moral[77]. »

La désinvolture du procédé de Lombroso, qui se contente de recopier un texte sans étayer à aucun moment sa thèse, pouvait-elle aboutir à autre chose qu'à cette conclusion inconsistante ? N'importe, la

Uebermensch » (lettre d'Hippolyte Taine à Friedriech Nietzsche, Genève, 12 juillet 1887). Comme l'on sait, Nietzsche s'est inspiré du personnage de Napoléon pour sa théorie du surhomme.

77. Cesare Lombroso, *L'Homme de génie*, trad. par Fr. Colonna d'Istria, Felix Alcan éditeur, 1889, p. 478-479.

mèche était allumée. Les convulsions de l'empereur allaient faire couler beaucoup d'encre, d'autant que l'épilepsie est assimilée à l'aliénation mentale et, pour Lombroso, au génie — César, saint Paul, Charles Quint, Luther, Dostoïevski, Flaubert en étaient atteints. En 1902, les *Archives d'anthropologie criminelle* posent encore la question : « Napoléon était-il épileptique ? » Le dossier est épineux, personne n'est d'accord. On oppose les Mémoires de Bourrienne et les témoignages de Constant (qui réfutent) aux souvenirs de Talleyrand (qui affirme[78]). En 1893, les docteurs Corre et Laurent avaient rejeté l'éventualité dans la *Revue scientifique*, sous prétexte que l'épilepsie altère l'intelligence ; « et tout en croyant que les remueurs de foule sont des névropathes, ils attribuent à Napoléon Ier un tempérament d'hystérique[79] ». Le docteur Augustin Cabanès reprendra à nouveau la question dans

78. Les rumeurs sur l'épilepsie de Napoléon sont parties de cette anecdote, rapportée par Talleyrand. La scène se passe à Strasbourg en 1805, quand l'empereur prend Talleyrand par le bras et l'entraîne dans sa chambre : « À peine y étions-nous, que l'empereur tomba par terre ; il n'eut que le temps de me dire de fermer la porte. Je lui arrachais sa cravate parce qu'il avait l'air d'étouffer ; il ne vomissait point, il gémissait et bavait. M. de Rémusat lui donnait de l'eau, je l'inondais d'eau de Cologne. Il avait des espèces de convulsions qui cessèrent au bout d'un quart d'heure ; nous le mîmes sur un fauteuil ; il commença à parler, se rhabilla, nous recommanda le secret et une demi-heure après, il était sur le chemin de Carlsruhe » (*Mémoires du prince de Talleyrand*, publiés avec une préface et des notes par le duc de Broglie, t. I, Calmann Lévy, 1891, p. 295-296). Dans ses *Mémoires*, Constant dément : « Jamais l'empereur n'a été sujet à des attaques d'épilepsie. C'est encore là une de ces histoires dont on a tant débité sur son compte » (*Mémoires de Constant, premier valet de chambre de l'empereur, sur la vie privée de Napoléon, sa famille et sa cour*, t. II, Ladvocat, 1830, p. 17, note).
79. Louis Proal, « Napoléon était-il épileptique ? », *Archives d'anthropologie criminelle*, n° 101, 1902, p. 261.

sa série à succès, *Les Indiscrétions de l'Histoire* (1903-1906), pour conclure par la négative, Napoléon n'ayant manifesté aucune crise à Sainte-Hélène. Fondateur de la *Chronique médicale* et animateur de la Société médico-historique, cet auteur prolifique, auteur de dizaines de pathographies très commerciales, se penchera encore *Au chevet de l'empereur* en 1924. Des tares héréditaires et des maux intimes du grand homme, rien ne nous est épargné. Issu d'une lignée d'arthritiques, atteint de la gale à Toulon, Bonaparte, dont le teint jaune signale le tempérament bilieux, aurait souffert de dysurie (inflammation de la vessie), d'irritation de l'estomac et de diverses blessures, avant de mourir d'un cancer de l'estomac, compliqué par la tuberculose. Mais de troubles psychiques, de mélancolie ou de monomanie orgueilleuse, point. Même la tentative de suicide à Fontainebleau en 1814 ne suscite aucun commentaire chez Cabanès, qui s'acharne à trouver la composition du poison, à une époque où la « folie-suicide » relève pourtant de la maladie mentale. Quant aux absences de l'empereur à Waterloo, où l'on a parlé « d'engourdissement, de torpeur cérébrale, d'un "voile de léthargie" », elles puiseraient leur origine dans une explication nettement plus prosaïque. Napoléon, qui était d'une lucidité parfaite dans son génie tactique et stratégique, souffrait en effet « d'une indisposition nullement grave, mais très douloureuse » : « une crise hémorroïdale, qui lui rendait fort pénible l'exercice du cheval[80] ».

---

80. Dr Augustin Cabanès, *Au chevet de l'empereur*, Albin Michel, 1958, p. 279. Pour ce qui est de l'état mental de Napoléon, Cabanès

On s'étonne, à travers cette littérature médicale au demeurant assez pauvre, de trouver si peu d'études monographiques sérieuses sur Napoléon signées par quelque aliéniste de renom. À l'école du professeur Lacassagne, fondateur des *Archives d'anthropologie criminelle* et grand promoteur de l'archéologie médicale, on préfère se consacrer à Olympe de Gouges, Rousseau ou Marat qu'à Napoléon. Le corps médical se montre bien plus soucieux d'élucider les causes de sa mort (cancer de l'estomac ? empoisonnement ?) que d'étudier sa mégalomanie proverbiale. N'était-on pas en droit de s'attendre à une analyse clinique plus poussée des ambitions de l'empereur ? Mais non. Tout au plus est-il mentionné, en passant, dans des articles sur la question. Même Maurice Beaujeu, auteur d'une thèse sur la « césarite », notion élaborée par Lacassagne, désignant une « forme spéciale de la monomanie des grandeurs » liée au pouvoir, s'arrête à cette simple phrase : « C'est par cette maladie que Napoléon se sentait atteint quand il disait : "J'ai couché dans le lit des rois ; j'y ai contracté une maladie terrible[81]." » Napoléon ne méritait-il pas mieux que ce commentaire

---

reprend les conclusions du docteur Ravarit, ancien chef de clinique des maladies mentales à l'hôpital de Poitiers, auteur d'une communication à la Société médico-historique et d'un article dans la *Chronique médicale*, 1er février 1909.

81. Maurice Beaujeu, *Psychologie des premiers Césars. Une étude de médecine légale dans l'Histoire*, faculté de médecine et de pharmacie de Lyon, no 796, thèse pour obtenir le grade de docteur en médecine, Lyon, Imprimerie de A. Storck, 1893, p. 52.

expéditif ? N'était-il pas l'incarnation par excellence du César moderne, du soldat devenu *imperator*, atteint de cette folie d'orgueil qui augmente avec la puissance, qui doit tout aux circonstances politiques et rien à l'hérédité ?

Les historiens, favorables ou hostiles à l'empereur, se montrent nettement plus prolixes et catégoriques sur la question. « Qui donc eût pu prévoir que le sage de 1800 serait l'insensé de 1813 et de 1815 ? s'exclame Adolphe Thiers, dans son *Histoire du Consulat et de l'Empire*. Oui, on aurait pu le prévoir, en se rappelant que la toute-puissance porte en soi une folie incurable, la tentation de tout faire quand on peut tout faire, même le mal après le bien[82]. » Michelet confirme. Précisons que l'auteur de l'*Histoire de France* entretient une relation complexe à Napoléon, à la folie et aux deux conjugués. Son père, imprimeur, avait été ruiné par les lois napoléoniennes sur la censure et avait réussi à trouver une place d'employé puis d'intendant dans une maison de santé, chez le docteur Duchemin, rue de Buffon. Entre 1815 et 1818, Michelet a donc passé une partie de sa jeunesse, de l'âge de dix-sept à vingt ans, au milieu des aliénés. Tous les soirs, il dîne avec les pensionnaires libres et observe l'influence des secousses politiques sur la vie de l'esprit. « Jamais il n'y eut tant de maladies mentales qu'après l'orage de la Révolution et les razzias de l'Empire, assure-t-il. La vie nerveuse semblait atteinte dans ses sources

---

82. Adolphe Thiers, *Histoire du Consulat et de l'Empire*, Paulin, [puis] Paulin, Lheureux et Cie, [puis] Lheureux, 1845-1869, 21 vol.

mêmes[83]. » Son jugement sur l'empereur peut-il être tout à fait étranger à ces souvenirs d'adolescence, lorsqu'il lance, dans son *Histoire du XIXe siècle*, un appel aux spécialistes pour expliquer « l'état d'orgueil, de fureur insensée » de Napoléon, à l'heure de la campagne de Russie ? « C'est aux *aliénistes* à le décrire. Ce qu'ils appellent la *monomanie lucide* dépasse quelquefois la folie[84]. »

Nombreux sont les historiens à faire basculer l'empereur dans la folie à partir de 1812. À la Berezina militaire correspondrait une Berezina mentale, un effondrement du sens dû à une volonté de puissance aveugle et délirante qui a atteint sa limite. Pierre Larousse, dans sa notice du *Grand Dictionnaire universel*, abonde dans ce sens et va même plus loin. Selon lui, Napoléon aurait été « le politique, nous dirions le plus fou, si Alexandre n'avait pas existé », qui « présenta au monde le triste spectacle du génie descendu à l'état d'un pauvre insensé ». Pire : « Sa force de calcul appliquée aux détails ne servait qu'à lui justifier sa folie, et ses paroles, ses rêves insensés, même après Waterloo, attestent qu'à cet égard son mal était incurable[85]. »

On sait l'aversion de Larousse pour l'empereur, à qui il ne pardonna jamais d'avoir renié ses idéaux révolutionnaires, comme en témoignent les premiers mots de sa fameuse notice consacrée à Bona-

83. Jules Michelet, *Ma jeunesse*, Calmann-Lévy, 1884, p. 148.
84. Jules Michelet, *Histoire du XIXe siècle*, t. III, Michel Lévy frères, 1875, p. 347.
85. Pierre Larousse, « Napoléon », *Grand Dictionnaire universel du XIXe siècle*, t. XVI, 1866-1876, p. 809.

parte : « général de la République française, né à Ajaccio (Corse), le 15 août 1769, mort au château de Saint-Cloud près de Paris, le 18 brumaire, en l'an VIII de la République française, une et indivisible (9 novembre 1799) ». Pour plusieurs générations, la distinction entre l'empereur conquérant et le mégalomane piégé devant Moscou est précédée par une césure beaucoup plus grave, d'ordre idéologique : Napoléon a trahi Bonaparte. Beethoven n'a-t-il pas changé, de rage, la dédicace de sa symphonie intitulée « Bonaparte », à l'annonce de la proclamation de l'Empire, et inscrit à la place : « Symphonie héroïque, composée en mémoire d'un grand homme » ? Lorsque l'empereur décéda à Sainte-Hélène, il aurait eu ces mots sans merci : « J'ai déjà composé une musique pour cette catastrophe. »

Ces mises à mort symboliques disent combien Napoléon et Bonaparte sont deux termes facilement désolidarisés. Comme on oppose volontiers 1789 à 1793, les droits de l'homme à la Terreur, le vainqueur d'Arcole au profil romantique est incompatible avec le tyran empâté de l'Empire. « Oui, insiste Larousse, il y a deux hommes en cette personnalité, en cet être si singulièrement doué, dont le double nom et le double visage, d'un caractère tout particulier, se sont trouvés admirablement appropriés au double rôle qu'il a joué dans le monde. Auguste a beau s'appeler Octave ; Octave a beau se nommer Auguste ; c'est toujours le même homme, rusé, timide, hypocrite, astucieux, reniant ses amis quand son intérêt lui commande de les sacrifier. Ici, nous le répétons, nous avons deux hommes distincts, en même temps que deux noms séparés[86]. »

Or cette dualité ou plutôt cette succession de deux personnages en un, a priori riche d'implications dans l'analyse des psychismes dissociés, les aliénistes semblent l'avoir négligée. Elle n'aura pas échappé en revanche à Jacques Lacan qui, abordant l'infatuation du sujet, remarque : « [S]i un homme qui se croit un roi est fou, un roi qui se croit un roi ne l'est pas moins. » Qu'insinue Lacan par là ? Que se prendre pour un roi lorsqu'on est employé de bureau, c'est à l'évidence délirer et avoir perdu pied avec la réalité. Mais le roi qui se croit roi tombe lui aussi dans un piège, puisqu'il se prend pour l'image du personnage que lui renvoie le monde. Le leurre n'est pas équivalent, mais il est analogue. L'un se prend pour un souverain, l'autre se prend pour une fiction de souverain. Napoléon, que l'on penserait être l'exemple caricatural de cette folie du pouvoir renvoyée à elle-même, aurait justement évité cette erreur, grâce à l'existence de Bonaparte. « Qu'on n'aille pas me dire que je fais de l'esprit, ajoute Lacan par prétérition, et de la qualité qui se montre dans ce mot que Napoléon était un type qui se croyait Napoléon. Car Napoléon ne se croyait pas du tout Napoléon,

---

86. Pierre Larousse, « Bonaparte », *Grand Dictionnaire universel du XIXe siècle*, t. III, 1866-1876, p. 920. Alfred de Vigny avait souligné autrement ce divorce entre les deux hommes qui composaient Napoléon Bonaparte : « Bonaparte, c'est l'homme. Napoléon, c'est le rôle. Le premier a une redingote et un chapeau. Le second une couronne de lauriers et une toge » (*Journal d'un poëte*, Michel Lévy frères, 1867, p. 82).

pour fort bien savoir par quels moyens Bonaparte avait produit Napoléon, et comment Napoléon, comme le dieu de Malebranche, en soutenait à chaque instant l'existence[87]. » D'après le psychanalyste, c'est à Sainte-Hélène que, dictant à Las Cases ses exploits et bâtissant sa légende, Napoléon se serait finalement pris pour Napoléon — et aurait donc basculé dans une forme de folie. Metteur en scène de lui-même, l'empereur déchu aurait alors aboli cette forme de dissociation si salutaire et serait entré en adhésion avec le mythe de Napoléon, dont il a ordonné le récit dans ce chef-d'œuvre de propagande qu'est le *Mémorial*.

L'hypothèse de Lacan est séduisante en ce sens qu'elle aide à tracer une ligne de partage entre Napoléon et ses épigones jetés à l'asile. Car, tout compte fait, que distingue *en théorie* (en pratique, la chose est aisée) le Napoléon de Sainte-Hélène et un homme qui se prend pour Napoléon ? L'un des patients de Leuret, qui se prenait pour Mahomet, a parfaitement résumé dans une lettre à ses médecins les limites du problème : « Vous n'avez rien de plus à me reprocher, si ce n'est de parler avec feu, avec énergie et d'avoir ce qu'on appelle une imagination exaltée. Mais beaucoup de jeunes gens ont l'imagination exaltée : dans les temps de révolution, dans les combats, l'imagination s'exalte et il n'est venu dans la pensée d'aucun médecin de faire donner des douches à Mirabeau, à Alexandre, à Napoléon[88]. »

87. Jacques Lacan, *Écrits I* [1966], Seuil, « Points », 1999, p. 170.
88. Fr. Leuret, « Du traitement des idées ou conceptions délirantes », art. cité, p. 579.

Objection recevable, à cela près que le fou s'identifie au prophète *sans médiation*, quand en Mirabeau, Alexandre et Napoléon s'accomplirait un processus dialectique.

À partir de quand et jusqu'où adhère-t-on à ses chimères ? À quel moment l'identification confine-t-elle au délire ? Ces questions se posent avec d'autant plus d'acuité en temps de révolution, où le processus d'adhésion et d'identification s'applique non plus (ou pas seulement) aux grands hommes, mais aux idéaux politiques. L'infime interstice qui sépare le fou de l'homme sain ne serait jamais plus mince qu'à ces époques de passion démocratique, dont la psychiatrie a tenté de faire une maladie de l'esprit. Mais ceci est une autre histoire, à suivre.

1 Villeneuve, *Réception de Louis Capet aux Enfers*, 1793. Déposé par la barque de Charon, Louis XVI, sa tête fraîchement coupée sous le bras, est accueilli par Charles IX, «comme lui assassin des Français», les monarques européens, et quelques aristocrates, présentant leurs têtes détachées. Cet imaginaire de la décapitation coïncide avec les délires de nombreux patients, persuadés d'avoir «perdu la tête» et de vivre avec une tête de remplacement.

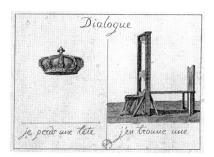

2 La guillotine instaure la mort sérialisée et dépersonnalisée. Même le roi est réduit à «une» tête parmi d'autres et une absence, comme dans ce *Dialogue* glaçant daté de 1793 : *Je perds une tête* (dit une couronne) *j'en trouve une* (répond la guillotine).

3 Inventoriée sous le titre *Exécution de Marie-Antoinette* (entre 1793 et 1799), cette gravure passe également pour représenter Charlotte Corday, dont la tête, sortie du panier et souffletée par l'adjoint du bourreau, aurait «rougi d'indignation». Cet épisode, qui serait ici figuré dans le ciel, viendra alimenter le débat sur la survie de la conscience après la décapitation.

4 Sous la Terreur, les produits dérivés de la guillotine font florès, comme ces boucles d'oreilles en or et métal doré figurant la «faux de l'égalité», surmontée d'un bonnet phrygien, et ornée d'une tête couronnée en guise de pendeloque.

5 Sous le titre *Les Formes acerbes* (1796), cette eau-forte de Poirier de Dunckerque représente Joseph Le Bon, qui envoya à la guillotine des centaines de suspects dans la région d'Arras. L'image offre une puissante synthèse de l'épouvante suscitée par la décapitation, la mutilation des corps et la soif de sang des «terroristes».

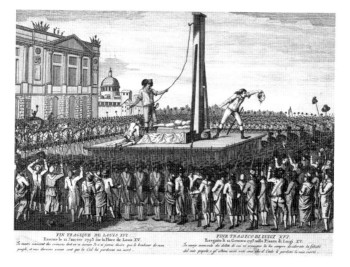

6 Très populaire, cette gravure anonyme d'origine allemande, intitulée *Fin tragique de Louis XVI, exécuté le 21 janvier 1793 sur la place de Louis XV*, met en valeur un moment crucial dans le rituel de la guillotine : la monstration de la tête comme exhibition d'un trophée.

7 *Le docteur P. Pinel faisant tomber les chaînes des aliénés*, de Tony Robert-Fleury (1876), situe à la Salpêtrière un événement qui se serait déroulé sur plusieurs années à Bicêtre, sous l'impulsion du surveillant Pussin. Le tableau participe à la construction d'un mythe, qui fonde la naissance de la psychiatrie française sur un acte solennel du philanthrope Pinel.

8 *L'hôpital de Bicêtre*, anonyme, 1710. En 1632, Louis XIII ordonne la création d'un hôpital destiné aux militaires sur les ruines du château de Bicêtre. Le bâtiment, transformé en hospice, prison d'État et asile d'aliénés, devient le symbole du «grand renfermement». Pinel y prend ses fonctions en 1793.

9 *Vue de l'hôpital de la Salpêtrière à Paris*, Pérelle, 1680. Premier des bâtiments de l'hôpital général voulu par Louis XIV en 1656, la Salpêtrière est le plus grand établissement d'enfermement d'Europe pour femmes, mendiantes, prostituées ou folles. Véritable ville dans la ville, l'hospice compte dix mille détenues à la veille de la Révolution.

10 *La Salpêtrière : loges d'aliénées construites par Viel en 1789*, G. C. Guillain et P. Mathieu, 1925. À la fin du XVIIIe siècle, l'architecte Viel est chargé de reconstruire les loges destinées aux folles furieuses ou dangereuses, situées en rez-de-chaussée. Le bâtiment n'existe plus, mais ce document exceptionnel nous le montre tel que l'a connu Pinel à son arrivée en 1795.

Laujon, Jean Pierre.

Entré le 27 Juillet 1802.

Né en 1763.

Il est le fils du célèbre Laujon le poëte.

Il émigra en 1789. Il fut mis dans la liste des émigrés. Il servit dans l'armée de Condé, & combattit contre les armées révolutionnaires.

En 1795, il fut pris, amené à Paris & condamné à mort. Quoiqu'il allât être exécuté, il conduit comme tel, d'abord aux petites maisons, puis à l'hôtel Dieu, & delà à Charenton.

Dès son entrée, il avait une haute idée de son savoir & de ses talents : sauf cela, il s'occupait de peinture, de politique & sa son intelligence était déjà fort affaiblie.

Bientôt la démence fut complète. Il s'occupe sans cesse à dessiner des figures grotesques, qui toutes semblent faites sur le même modèle. Il veut qu'on le nomme le chef d'œuvre de peinture. Il les dit les plus bizarres. Il s'imagine d'en être coupé la tête, & que sa tête est en Angleterre, qu'on lui en a mis une sans doute à la place, pour remplacer la sienne qui manque, il porte continuellement des morceaux de liège dans la bouche.

_____ ... de pénétrer. ~~En 1807~~ (en Mars 1807) (A.C.)

... qu'il a depuis longtemps, d'autres plus bizarres encore ; ainsi à ... ... , il a vécu plusieurs années dans cet état, plus tard, il ... ... qu'on lui appliqua les signes distinctifs du mâle. Il fait ... ... qu'il fait faire les singes, il les mange, & les donne comme horaiblogique. ... Il n'a pas encore fait abandon de la haute idée de ses valeurs.

Sa santé physique excellente.

Ce 11 août 1829

Laujon fils. État.

11

12

13 Charenton, au temps du marquis de Sade.

11 · 12 Portrait de Jean-Pierre Laujon, dessiné par G.-F.-M. Gabriel, vers 1823, et page du registre de Charenton consacrée à son cas. Émigré en 1789, arrêté à la frontière suisse en 1796, Jean-Pierre Laujon avait été condamné à mort et en avait perdu la raison. À Charenton, il est occupé par une idée fixe : «Il s'imagine qu'on lui a coupé la tête & que sa tête est en Angleterre.» Il participera aux spectacles donnés par le marquis de Sade.

14

15

14 à 16 «Homme incorrigible»,
en «état perpétuel de démence
libertine», le marquis de Sade (14),
représenté sur fond de Bastille en
flammes dans ce *Portrait imaginaire*
de Man Ray (1938), est incarcéré à
Charenton en 1803.
Il y bénéficie de la protection du
tout-puissant directeur, M. de
Coulmier (15), qui l'encourage
à monter des spectacles dans le
théâtre de l'asile. L'arrivée, en 1806,
de l'austère Antoine-Athanase
Royer-Collard (16), médecin imposé
par le gouvernement, va mettre fin à
ces «libéralités».

16

17 Avec *L'Empereur Napoléon Ier se couronnant lui-même*, Jacques-Louis David ramasse dans une pose saisissante la détermination de Bonaparte, appuyé sur son épée, parvenu seul au sommet de l'État, et l'infatuation de Napoléon, incarnation du pouvoir temporel tournant le dos au pouvoir spirituel, représenté par Pie VII.

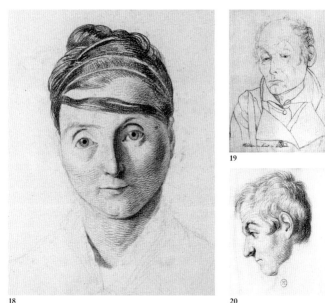

18 à 20 Sous la Restauration, le docteur Esquirol demande à G.-F.-M. Gabriel de dessiner une centaine de «têtes d'aliénés» à Charenton. Qu'il s'agisse d'un *Militaire se disant roi de Suède* (19), d'un *Officier, devenu fou par opinion politique* (20) ou d'une *Couturière orgueilleuse* (18), la passion du pouvoir et l'ambition jugée démesurée figurent parmi les critères les plus courants de la monomanie.

21 Commande personnelle d'un vieux soldat de la Grande Armée, *Napoléon s'éveillant à l'immortalité* (1846) de François Rude a été exécuté dans une période où l'empereur, depuis le retour des cendres (1840), est l'objet d'un nouvel engouement. Il se traduit dans les asiles par la multiplication des patients qui se prennent pour Napoléon.

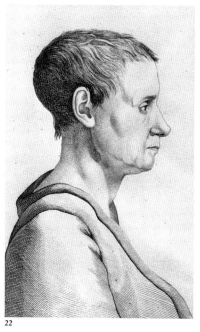

22

23

22 Amazone de la Révolution, Théroigne de Méricourt sombre dans la folie sous la Terreur. Elle sera soignée par Esquirol à la Salpêtrière, qui attribuera sa démence à son engagement révolutionnaire.

23·24 En 1838, Esquirol publie son monumental *Des maladies mentales*, illustré par des gravures d'Ambroise Tardieu, censées identifier les différentes formes de folie, comme la démence (24) ou la manie (23), tout en offrant de l'asile l'image d'un lieu où la violence est contrôlée.

24

25 Publié dans
La Caricature du 31 mai 1832, «Le
Charenton ministériel» d'Honoré
Daumier assimile les ministres
de Louis-Philippe à des aliénés
atteints de différentes monomanies
politiques : le comte d'Argout,
à cheval sur des ciseaux géants,
«joue à la censure (c'est son dada)»,
le général Sébastiani jongle avec
l'Europe, Guizot (les bras levés, à
droite) «prêche dans le désert»…
On reconnaît de dos, innommé,
à la gauche d'un président du
conseil subissant la douche, Louis-
Philippe, «le roi poire», atteint de
«monomanie des poignées de main»
dont «personne ne veut plus».

26 Posant sous le buste de
son maître Pinel pour le
peintre Auguste Pichon,
Étienne Esquirol, directeur
de Charenton et pionnier
de la psychiatrie clinique,
est à l'origine de la loi de
1838 sur les aliénés, qui va
déterminer les conditions
d'internement jusqu'en
1990.

monomanies des aliénés politiques

Pierre Leroux emprunte ses petits peupliers à un
pensionnaire de l'établissement national de Charenton.

27 Le 15 mai 1848, le peuple envahit le Palais Bourbon. Le caricaturiste Cham livre, dans *L'Assemblée nationale comique* (1850), sa version de l'événement, lu comme un vent de folie. Au centre, on reconnaît Blanqui, coiffé de la cloche du président. À gauche, Louis Blanc est hissé par un manifestant qui le tient dans la paume de sa main.

28 Dans son projet de constitution en 1848, le réformateur socialiste Pierre Leroux voulait doter chaque commune de France de peupliers, symbole du peuple et de l'égalité. Cham saisit l'occasion pour moquer le projet de Leroux, empruntant ici ses peupliers à un pensionnaire de Charenton.

29 À travers *Faim, folie, crime* (1853-1854), le peintre belge Antoine Wiertz, démocrate militant, révèle l'horreur des conditions de vie au XIXᵉ siècle, où la misère précipite dans la déraison une femme réduite à manger son propre enfant, dont la jambe cuit dans le chaudron.

32 *La femme émancipée répandant la lumière sur le monde* (1871) d'Eugène Girard stigmatise la pétroleuse de la Commune comme une furie en démence, opinion partagée par la bourgeoisie et la plupart des psychiatres.

30

31

30 - 31 Inauguré en 1867,
l'hôpital Sainte-Anne pratique
l'hydrothérapie avec assiduité,
l'eau ayant trois vertus
essentielles : sédative, tonique
ou révulsive. Seul le médecin est
autorisé à délivrer les douches
(30) et à prescrire les bains dans
des baignoires fermées (31),
où les patients peuvent rester
jusqu'à dix heures par jour.

32

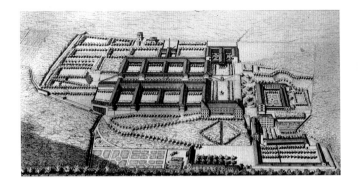

33 Plan de la «Maison impériale de Charenton» de Léon Gaucherel, publié en 1866. L'asile, selon Esquirol, était en lui-même un instrument de guérison.

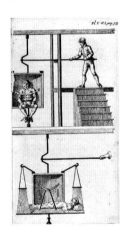

34 Le «pirouettement» par fauteuils rotatoires ou «tourniquets à secousses», censé provoquer une crise vagotonique, oppose un vertige à un autre vertige, le délire. Surtout utilisé en Allemagne et en Belgique, ce moyen «thérapeutique» est abandonné dans la deuxième moitié du XIXᵉ siècle.

35 Charenton aujourd'hui, rebaptisé hôpital Esquirol. L'établissement abrite toujours un service psychiatrique. Au sommet, se détache le fronton de la chapelle.

IV

Morbus democraticus

L'assimilation de la révolution à la folie a très tôt relevé du truisme. Les soulèvements populaires, dans leur violence et leur spontanéité, versent toujours du côté de l'élan sauvage et de la déraison, les mouvements de réforme et de transformation sociale dans l'excès et le désordre — sans que l'on songe jamais à interroger la folie dormante et la sourde violence de l'ordre établi. Que, sous l'Ancien Régime, une jeune fille de quinze ans soit pendue pour le vol d'une cuiller en vermeil ou un garçon écartelé pour avoir écrit un libelle contre le roi ne provoquera pas de débats sur la folie du système judiciaire sous la monarchie de droit divin. On préférera citer la frénésie spectaculaire et l'hystérie collective des massacres de Septembre, pour illustrer ce thème de la démence politique, cher aux conservateurs, comme Edmund Burke ou Chateaubriand, qui précisera, à l'adresse d'éventuels nostalgiques du souffle révolutionnaire : « La terreur ne fut point une invention de quelques

géants ; ce fut tout simplement une maladie
morale, une peste[1]. »

La révolution, une dérive pathologique ? Dans
leur majorité, les aliénistes le pensent et le répètent
tout au long du siècle, stigmatisant l'exaltation
républicaine et ses funestes effets sur les populations — frayeurs, sidérations, délires de persécution, etc. La France offre, il est vrai, un poste
d'observation hors de pair : 1789, 1830, 1848, 1871,
le siècle est riche de révolutions et de guerres civiles. Une par génération, au bas mot — ce qui faisait dire à Freud que le peuple français était « le
peuple des épidémies psychiques, des convulsions
historiques de masses[2] ». Les médecins, confrontés
à un accroissement des effectifs dans les asiles, es-
saient de rationaliser et de mettre en mots savants
ce désir d'émancipation, de liberté et de progrès.
On parle de monomanie politique, puis de *morbus
democraticus* (maladie démocratique), enfin de
névrose révolutionnaire ou de paranoïa réforma-
trice[3], dans une surenchère de termes, témoins
d'une psychiatrisation croissante du politique. Si ri-
sibles ces inventions peuvent-elle paraître a posteriori, elles ne doivent pas occulter la réflexion
menée par les aliénistes sur la folie en corrélation

---

1. François-René de Chateaubriand, *Œuvres complètes*, t. IV, *Études
historiques*, Pourrat frères, 1834, p. 84.
2. Ernest Jones, *La Vie de Sigmund Freud*, PUF, 1958, p. 204.
3. La « névrose révolutionnaire » a fait l'objet d'un livre par le
docteur Cabanès ; quant à la « paranoïa *reformatoria* », c'est-à-dire à
« idées réformatrices », elle figure, avec l'hystérie et l'hypertrophie du
moi, parmi les pathologies dont aurait été atteinte Olympe de Gouges,
selon le docteur Guillois, qui lui a consacré une étude (voir Bibliogra-
phie).

avec l'idéologie. Que nous disent, en face de ces déclarations, les archives des asiles ? Les traces répétées du traumatisme révolutionnaire, vérifiables dans les registres, suffisent-elles à démontrer l'impact des troubles politiques sur la folie ? Quelle est la part de la réalité factuelle et du choix subjectif du médecin dans l'explication de la maladie mentale ? Si les insurrections dont le XIXe siècle a été secoué ont bien constitué la source initiatrice de certains délires, où commence la construction politique et épistémologique de la déraison par les aliénistes ?

Autant de questions qui nécessitent non pas de jeter un soupçon ou un discrédit systématique et stérile sur la prose du psychiatre, mais de déplier le sens du diagnostic, de rétablir le contexte de son élaboration, d'analyser ses présupposés et ses motivations, d'explorer, en somme, en la dédoublant, une lecture rendue plus complexe à mesure que l'on s'enfonce dans le temps et que se sédimente la hantise révolutionnaire. Car l'ombre de 1793 s'allonge tout au long du siècle ; elle plane sur 1830, recouvre 1848, et resurgit, triomphante, au cœur de 1871. La grande scène primitive, référence ou repoussoir, parle à chaque génération par sa voix de ventriloque. Cet éternel retour à l'origine restitue au mot traumatisme sa signification profonde : la réminiscence.

Or c'est bien sur la mémoire, et à partir d'elle, que la psychiatrie travaille. Elle fouille les antécédents du patient, traque son hérédité, remonte sa généalogie, retrace son histoire familiale, cherche à comprendre son caractère, ses actes et ses engagements, dans un interrogatoire censé dessiner une physiologie, une psychologie et, dans ce siècle austère, une morale de la maladie. Le masturbateur, la dévergondée, l'asocial, le vagabond, l'alcoolique, figurent en bonne place dans le cortège d'hérétiques qui défile à l'asile, où les contestataires et les révoltés, les féministes et les insurgés entrent en toute logique. Il ne s'agit pas ici de discuter rétrospectivement la validité médicale d'un diagnostic ou de crier prématurément à l'internement arbitraire — un onaniste ou un révolutionnaire peuvent être délirants *par ailleurs* —, mais plutôt d'interroger la hiérarchie des critères employée par l'aliéniste qui a, lui aussi, comme tout un chacun, une histoire personnelle et des souvenirs, des convictions religieuses et des opinions politiques. C'est au lieu même de cette rencontre entre patient et psychiatre qu'il faut essayer de dégager les tenants et les aboutissants de l'interprétation scientifique et ce qu'elle suppose de construction idéologique.

THÉROIGNE DE MÉRICOURT OU LA MÉLANCOLIE RÉVOLUTIONNAIRE

Sous l'Empire et la Restauration, les aliénistes ont l'occasion de soigner nombre de patients traumatisés par la Révolution, toujours poursuivis par la hantise de la guillotine, notamment. Il leur arrive aussi de recevoir d'anciens révolutionnaires. On se souvient que Jacob Dupont était entré à Charenton en 1810 pour fait d'athéisme. Mais le cas le plus célèbre demeure celui de Théroigne de Méricourt, dont l'histoire demande à être brièvement rappelée.

Née en 1762 à Marcourt dans une famille aisée de la paysannerie ardennaise, Anne-Josèphe Therwagne perd sa mère à cinq ans. Son père se remarie quelques années plus tard. Soumise à une forme d'esclavage par sa marâtre, elle s'enfuit du foyer, connaît une vie d'errance, trouve une place de vachère puis de demoiselle de compagnie, est éconduite, devient finalement courtisane à Paris et contracte le mal vénérien. Lorsque la Révolution éclate, cette jeune femme, dont la vie a été une suite de malheurs, s'engage avec une ferveur sans mélange au service des idées nouvelles, persuadée que ce vent de liberté aidera à désaliéner le sort des femmes.

Ici commence le mythe d'une furie révolutionnaire, d'une passionaria féministe assoiffée de sang à la tête d'une armée d'amazones. Dans la biographie qu'elle lui a consacrée, Élisabeth Roudinesco a rétabli les faits et analysé le parcours de la « belle Ardennaise », en le dépouillant de ses fables. Il en ressort que, contrairement à la légende, Théroigne n'a pas pris part aux journées d'Octobre, sinon peut-être en spectatrice ; qu'elle a bien appelé au jugement et au massacre des royalistes le 10 août, mais n'a pas tué de sa main, pas plus qu'elle n'a assassiné d'un coup de sabre son ennemi juré, le journaliste Suleau ; qu'elle n'a pas participé, comme on le répète encore, aux massacres de Septembre. Théroigne militait pour le droit des femmes, notamment à se battre — d'où sa proposition de constituer des phalanges d'amazones pour défendre la nation. Ce féminisme guerrier, déformé et ridiculisé par la calomnie monarchiste, a beaucoup contribué à noircir le portrait d'une femme intelligente, habile et courageuse, dont la passion révolutionnaire a surtout consisté à nourrir le débat d'idées à travers le club des Amis de la Loi, à haranguer les foules et à contribuer à l'émancipation des femmes. Cible des royalistes qui la haïssent, elle passe pour une catin, quand elle est froide et cérébrale, et pour une espionne ourdissant des complots improbables — qui d'ailleurs n'existent pas : enlevée et incarcérée au Tyrol sur de fausses accusations, interrogée pendant des mois, elle sera finalement libérée par l'empereur Léopold II d'Autriche, faute de preuves et après s'être énergiquement défendue.

À son retour en France, elle se range derrière Brissot et les Girondins. Mais le 15 mai 1793, elle est prise à partie à l'entrée de la Convention par des mégères qui l'accusent de modérantisme, soulèvent ses jupes et la fouettent cul nu en public. Marat intervient et la sort des griffes de ses persécutrices, en la prenant sous sa protection. De cette humiliation, Théroigne de Méricourt ne se serait jamais relevée. À partir de l'épisode de la fessée, elle s'efface de la scène, pour n'y plus reparaître, demeurant seule chez elle, incapable d'écrire. En 1794, elle est déclarée officiellement folle, sur la demande de son frère, sans doute pour lui éviter la guillotine, qui n'a épargné ni Mme Roland ni Olympe de Gouges, exécutées en novembre 1793. Théroigne entame alors une errance de vingt-trois ans dans diverses institutions spécialisées, la maison des folles du faubourg Saint-Marceau (1795-1797), l'Hôtel-Dieu (1797-1799), la Salpêtrière pour un mois (décembre 1799-janvier 1800), les Petites Maisons (1800-1807) et la Salpêtrière à nouveau, de 1807 à sa mort, en 1817.

Pendant ces dix dernières années, elle est soignée par Étienne Esquirol, dont le parcours recoupe à certains égards celui de Philippe Pinel. Comme lui originaire du Languedoc, ce clerc tonsuré s'oriente d'abord vers une carrière ecclésiastique qu'il abandonne pour l'étude de la médecine, à Toulouse puis à Montpellier, et enfin à Paris, où il arrive en 1798. Mais neuvième d'une famille de dix enfants, aisée, monarchiste et catholique, Esquirol n'a pas eu à souffrir, comme son maître, des humiliations de l'Ancien Régime. La Révolution, en revanche, a brisé sa famille. Elle a ruiné son père, négociant toulousain et administrateur prospère, mais surtout tué son frère aîné, François-Antoine, jugé comme l'un des chefs de l'insurrection royaliste de Haute-Garonne en l'an VII, et exécuté le 22 vendémiaire an VIII (14 octobre 1799)[4]. A-t-il croisé l'héroïne révolutionnaire au mois de décembre 1799, lors de son transfert momentané à la Salpêtrière, alors que le deuil venait de le frapper ? La chose n'est pas impossible. À l'époque, Esquirol fréquente déjà le service de Pinel, dont il va devenir

4. Jacques Postel, *Éléments pour une histoire de la psychiatrie occidentale*, L'Harmattan, 2007, p. 189. D'après Jacques Postel, c'est ce drame « qui explique la fidélité de sa famille à Louis XVIII et les futures facilités politico-administratives qu'il [Étienne] trouvera auprès des gouvernements successifs de la Restauration ».

l'élève favori. Il retrouvera Théroigne, de toute
façon, huit ans plus tard. Sans nécessairement
fausser le diagnostic du médecin ou induire quelconque malhonnêteté intellectuelle, l'ensemble de
ces traits biographiques est difficile à ignorer, dans
l'analyse du dossier qu'il constituera sur Théroigne
de Méricourt, destiné à une belle postérité.

C'est en 1820, à l'entrée « Lypémanie » du *Dictionnaire des sciences médicales*, que le docteur Esquirol
publie le cas « Téroenne, ou Théroigne de Méri-
cour[5] », plus tard repris dans son ouvrage majeur,
Des maladies mentales. À quarante-huit ans, le
médecin, dont la réputation égale l'autorité, est
désormais à la tête de Salpêtrière d'où Pinel, malade, s'est retiré la même année. L'article condense
des années de recherches sur ce que les Anciens ap-
pelaient mélancolie et qu'Esquirol propose de remplacer par le terme plus scientifique de lypémanie,
dont il ne parviendra pas à imposer l'usage mais
dont l'étude contribuera à l'élaboration du concept
de dépression. Dans ce contexte, le cas de Théroigne, censé illustrer l'action de la Révolution sur
la maladie mentale, promet d'intéresser « ceux qui
aiment les phénomènes politiques et ceux qui re-
cherchent les faits extraordinaires en médecine ».

L'observation se découpe, en gros, en trois parties.

La première, biographique, concerne les années
d'avant l'internement. Esquirol s'inspire ici très
fidèlement d'un article plein d'erreurs de la *Bio-*

5. Une première version avait paru dans le *Journal général de médecine*, 2e série, t. I, 1818, p. 341-347.

graphie moderne, dictionnaire des personnages marquants de l'histoire de France depuis la Révolution. Tout l'intérêt de son plagiat réside bien sûr dans les menus arrangements qu'il va apporter à l'original. Les exemples parlent d'eux-mêmes et se passent de commentaires.

> *Biographie moderne* : « Elle joua un rôle remarquable dans les premières années de la Révolution. »
> Esquirol : « [Elle] joua un rôle bien déplorable dans les premières années de la Révolution. »

> *Biographie moderne* : « [Elle] se lia avec divers chefs du parti populaire. »
> Esquirol : « Elle se livra aux divers chefs du parti populaire. »

> *Biographie moderne* : « [Elle] contribua surtout le 5 octobre 1789 à Versailles, à corrompre le régiment de Flandres, en conduisant dans les rangs, d'autres filles dont elle avait la direction[6]... »
> Esquirol : ... « [Elle] contribua surtout le 5 et 6 octobre 1789, à corrompre le régiment de Flandres, en conduisant dans les rangs, des filles de mauvaise vie. »

L'article ne dit rien de la participation éventuelle de Théroigne aux massacres de Septembre, mais assure que c'est elle qui aurait appelé à faire tuer le journaliste royaliste Suleau, son ennemi juré, lors de la journée du 10 Août. Esquirol néglige (ou

---

6. Alphonse de Beauchamps et Étienne Psaume, *Biographie moderne ou Galerie historique, civile, militaire, politique, littéraire et judiciaire*, vol. III, Imprimerie de Mme Vᵉ Jeunhomme, 2ᵉ éd., 1816, p. 287, entrée « Théroigne de Méricourt ».

transforme ?) l'information en déclarant que Théroigne aurait été largement impliquée dans les événements de septembre 1792 (ce que l'on sait être faux) et aurait tranché « la tête avec son sabre à un malheureux que l'on conduisait au tribunal de cette prison. On assure que c'était un de ses anciens amants[7] ».

Dans cette série de « corrections », qui dit assez l'opinion d'Esquirol sur le passé de sa patiente, on reste frappé par la dimension sexuelle, virtuelle ou explicite, introduite dans les exemples retenus. Théroigne se *livre* aux chefs de parti, conduit des *prostituées* et décapite ses *amants*. Certes, en travestissant la réalité de la sorte (ou du moins la source d'origine), le médecin ne fait rien que d'entonner une vieille antienne : s'engager en politique, pour une femme, signifie sortir de sa « condition naturelle » et finir par tomber fatalement dans les anomalies sexuellement monstrueuses, hybrides — ce qui se traduit, en l'espèce, par le portrait d'une femme dévergondée et castratrice. Olympe de Gouges, Claire Lacombe, Mme Roland, la plupart des femmes de la Révolution subiront ce sort d'incarner le dégoûtant mariage d'un pouvoir dénaturé et d'une folie lubrique, qui touchera jusqu'à Marie-Antoinette, accusée d'inceste lors de son procès. « Mégères révolutionnaires, harpies royalistes, toutes les femmes se valent lorsqu'elles se mêlent de politique[8] », résumera le docteur

---

7. J.-E.-D. Esquirol, *Des maladies mentales*, *op. cit.*, t. I, p. 220.
8. A. Cabanès et L. Nass, *La Névrose révolutionnaire*, *op. cit.*, p. 525.

Cabanès, dans *La Névrose révolutionnaire*, près d'un siècle plus tard.

Esquirol ne cède pas seulement aux préjugés et aux phantasmes ordinaires de son époque. Il procède à une troublante désinformation sur les opinions politiques de Théroigne, qui haranguait le peuple, recopie-t-il à raison, « pour le ramener au *modérantisme* et à la Constitution ». Mais, s'empresse-t-il d'ajouter en glissant une petite phrase de son cru, « ce rôle ne put lui convenir longtemps ». Bientôt, on la vit surgir au milieu des Jacobins, « un bonnet rouge sur la tête, un sabre au côté, une pique à la main, commandant une armée de femmes ». Modérantisme de façade donc, démenti par la fureur de son comportement et de ses actes. Esquirol pousse très loin le déni, puisqu'il passe sous silence son arrestation sous la Terreur et l'épisode, pourtant crucial dans l'histoire de sa maladie, de la fessée[9]. À la Salpêtrière, précise encore le médecin, la patiente n'aura d'ailleurs de cesse d'accuser les modérés, mis dans le même sac que les royalistes. Mais si elle les accuse, ne serait-ce pas parce qu'ils l'ont abandonnée ?

La deuxième partie du texte d'Esquirol concerne l'observation médicale elle-même, décrivant la vie de Théroigne à l'asile. Elle est marquée par une rupture grammaticale très signifiante. Esquirol rédige en effet la partie sur les premières années de Théroigne à la Salpêtrière au passé, pour rapporter qu'elle ne cessait d'injurier et de menacer tout le

---

9. Signalons que la *Biographie moderne* n'en parle pas non plus.

monde, n'ayant à la bouche que les mots de liberté, comité de salut public, révolutionnaire, etc. « En 1808, poursuit-il, un grand personnage, qui avait figuré comme chef de parti, vint à la Salpêtrière. Téroenne le reconnut, se souleva de dessus la paille de son lit sur laquelle elle restait couchée, et accabla d'injures le visiteur, l'accusant d'avoir abandonné le parti populaire, d'être un modéré, dont un arrêté du comité de salut public devait faire bientôt justice. » Mais dès que sa patiente tombe dans la démence et la décrépitude, l'auteur passe brusquement au présent de l'indicatif, renforçant ainsi la tension dramatique et l'impact de son récit. De fait, cette deuxième partie sera abondamment reprise, citée ou résumée, par les historiens, frappés, à juste titre, par la puissance des images.

En 1810, elle devint plus calme, et tomba dans un état de démence, qui laissait voir les traces de ses premières idées dominantes.

Téroenne ne veut supporter aucun vêtement, pas même de chemise. Tous les jours, matin et soir, et plusieurs fois par jour, elle inonde son lit, ou mieux la paille de son lit, avec plusieurs seaux d'eau, se couche et se recouvre de son drap en été, et de son drap et de sa couverture en hiver. Elle se plaît à se promener nu-pieds dans sa cellule dallée en pierre et inondée d'eau. [...]

Quoique dans une cellule petite, sombre, très-humide et sans meubles, elle se trouve très-bien ; elle prétend être occupée de choses très-importantes ; elle sourit aux personnes qui l'abordent ; quelquefois elle répond brusquement : *Je ne vous connais pas*, et s'enveloppe sous sa couverture. Il est rare qu'elle réponde juste. Elle dit souvent : *Je ne sais pas ; j'ai oublié*. Si on insiste, elle s'impatiente, elle parle seule, à voix basse ; elle articule des phrases entrecoupées des mots *fortune*, *liberté*, *comité*, *révolution*, *coquins*, *décret*, *arrêté*, etc. Elle en veut beaucoup aux modérés.

Elle se fâche, s'emporte, lorsqu'on la contrarie, surtout lorsqu'on veut l'empêcher de prendre de l'eau. Une fois elle a mordu une de ses compagnes avec tant de fureur, qu'elle lui a emporté un lambeau de chair : le caractère de cette femme avait donc survécu à son intelligence.

Elle ne sort presque point de sa cellule, et y reste ordinairement couchée. Si elle en sort, elle est nue, ou couverte de sa chemise : elle ne fait que quelques pas, plus souvent elle marche à quatre pattes, s'allonge par terre ; et l'œil fixe, elle ramasse toutes les bribes qu'elle rencontre sur le pavé et les mange. Je l'ai vue prendre et dévorer de la paille, de la plume, des feuilles desséchées, des morceaux de viandes traînés dans la boue, etc. Elle boit l'eau des ruisseaux pendant qu'on nettoie les cours, quoique cette eau soit salie et chargée d'ordures, préférant cette boisson à toute autre [10].

Théroigne de Méricourt ou l'histoire clinique d'une déchéance. Dans ce portrait pathétique d'une passionaria qui a sombré, tout le talent d'Esquirol consiste à articuler violence révolutionnaire, démence, animalité, dans la trame d'un tissu dont on ne distingue plus les fils. Car ce sont bien les « idées dominantes » de la révolutionnaire qui œuvrent au cœur de la maladie, comme Esquirol l'annonce dès le début, idées dont on comprend d'ailleurs qu'elles sont sans suite, inintelligibles et réduites à des mots inlassablement répétés. À travers une Théroigne bloquée dans un passé révolu,

10. J.-E.-D. Esquirol, *Des maladies mentales*, *op. cit.*, t. I, p. 220.

les idées nouvelles sont devenues caduques, pire, gâteuses. Seule la violence sauvage demeure : lorsque Théroigne emporte un lambeau de chair en mordant une de ses compagnes, ce n'est pas la folie qui l'égare ou la démence qui ruine son cerveau mais, au contraire, son caractère qui « survit » à son intelligence. Théroigne appartient-elle encore à la civilisation ? « J'ai voulu la faire écrire ; elle a tracé quelques mots ; jamais elle n'a pu former de phrase », ajoute Esquirol, qui revient pour la troisième fois sur sa nudité : « Tout sentiment de pudeur semble éteint en elle, et elle est habituellement nue, sans rougir, à la vue des hommes. » Si l'écriture et la pudeur sont bien ce qui nous distingue des animaux, que reste-t-il à Théroigne ? Elle incarne un univers d'idées mortes, dépassées, quand son indifférence à ce qui l'entoure signe son retrait du monde des vivants : « L'ayant fait dessiner en 1816, elle s'est prêtée à cette opération ; elle n'a paru attacher aucune importance à ce que faisait le dessinateur [11]. »

Le portrait évoqué est parvenu jusqu'à nous, sous sa forme gravée. Il montre une femme sans âge, légèrement voûtée, les cheveux très courts ramenés en avant, le regard fixe et morne perdu au loin. Une morte-vivante en effet, qui contraste singulièrement avec l'amazone au regard de feu, chapeau piqué d'une plume et sabre à la main, de l'imagerie romantique. L'auteur du portrait s'appelle Georges-Marie-François Gabriel. Il est surtout connu pour deux

---

11. *Ibid.*, p. 222.

séries de dessins, conservées à la Bibliothèque
nationale : des portraits de condamnés à mort, pour
la plupart prêts à périr sous la guillotine, et des
portraits de fous à la mine de plomb, réalisés à
Charenton, toujours à la demande d'Esquirol. Saisissant face-à-face entre ceux qui s'apprêtent à
perdre la tête et ceux qui l'ont déjà perdue ; étrange
spécialité du dessinateur surtout, qui saisit ses
modèles au tribunal, au pied de l'échafaud ou à
l'asile. Mais Géricault, à la même époque, ne pei-
gnait-il pas des têtes coupées et des portraits de monomanes, commandés par le docteur Georget,
disciple d'Esquirol [12] ?

La troisième section du texte d'Esquirol est
consacrée à l'autopsie de Théroigne de Méricourt,
autopsie de plus en plus pratiquée dans les asiles,
où les aliénistes, adeptes d'une physiologie matérialiste, cherchent à localiser dans les organes le
siège de la maladie mentale. Esquirol est le grand
promoteur de cette école, bien qu'il soit contraint

---

12. Les deux séries de dessins de Gabriel sont consultables à la
Bibliothèque nationale de France. Le carnet des portraits de fous
compte 95 dessins, sous la cote Res-JF-29-4. En 1818, Esquirol écrivait : « [...] l'étude de la physionomie des aliénés n'est pas un objet de
futile curiosité ; cette étude aide à démêler le caractère des idées et des
affections qui entretiennent le délire de ces malades. [...] J'ai fait
dessiner plus de 200 aliénés dans cette intention ; peut-être un jour
publierai-je mes observations sur cet intéressant sujet » (*Des maladies
mentales*, *op. cit.*, t. II, p. 19). Mais les portraits de la Bnf ne font pas
partie de ces 200 commandes évoquées en 1818. Ils sont postérieurs,
puisque y figure « Eugène Hugo, frère du poète, idiot », qui fut interné à
partir de 1822 et fit un séjour dans la maison de santé d'Esquirol en
1823. Il finira à Charenton, où Esquirol sera nommé en 1825. Il faut
donc en conclure que ce sont au minimum 295 portraits qu'avait réunis
le médecin, qui collectionnait par ailleurs les moulages de crânes
d'aliénés. Je remercie Annie Le Brun de m'avoir signalé l'existence de
ce carnet d'une remarquable qualité.

de reconnaître que « l'anatomie pathologique n'a rien appris de positif sur la siège de la mélancolie[13] ». Et, en effet, l'ouverture du corps et l'exploration du cerveau de Théroigne n'expliquent rien. Tout au plus Esquirol remarque-t-il un déplacement du côlon transverse, qu'il a observé chez de nombreux aliénés, et dont il a songé à faire un très improbable critère anatomique de la folie.

Cas d'école, Théroigne de Méricourt ? Certainement, mais de manipulation et de construction biaisée, dans la façon dont Esquirol raconte, utilise, tourne les faits, et surtout les interprète, pour démontrer « cliniquement » les ravages supposés des idéaux de la Révolution. Selon Élisabeth Roudinesco, Théroigne aurait donné des signes de troubles mentaux dès 1782, ses écrits dénotant une personnalité « clivée », avec alternance d'exaltation et d'abattement. À partir de 1789, les événements auraient canalisé et converti ces désordres, jusqu'à ce que la Terreur ne les fasse définitivement éclater au grand jour. « Si l'engagement dans le féminisme originel permet à l'Ardennaise de vivre sous le signe de la liberté et donc de traduire sa folie latente en des actes de révolte positive, l'effondrement de l'idéal révolutionnaire la plonge au contraire dans un état d'aliénation définitif qui révèle alors cette folie latente. Passant d'une folie "libre" et "voyageuse" à une psychose chronique, elle sombre ensuite dans la léthargie répétitive de

---

13. J.-E.-D. Esquirol, *Des maladies mentales*, *op. cit.*, t. I, p. 218.

la démence d'asile. Et quand, sous la Restauration, Esquirol rédige sa célèbre observation, il inverse la destinée de l'héroïne. Au lieu de voir que la Révolution avait "porté" la folie de Théroigne au point de la masquer, il montre au contraire que l'engagement révolutionnaire est à l'origine de cette folie et d'une folie du monde en général [14]. »

La Révolution, espace de traduction en même temps qu'écran des délires ? Dans un contexte élargi, l'hypothèse ouvre des perspectives sur les révolutions à suivre et leur rapports avec l'aliénation, leur faculté à noyer et à révéler dans le même mouvement le malaise ou le trouble psychique individuel et collectif. Quelles pulsions la Révolution libère-t-elle, quelle folie contribue-t-elle à dissimuler ? Et quelle lecture la psychiatrie fait-elle de l'insurrection des esprits ?

1830 OU LA MALADIE DE LA CIVILISATION

Pour la majorité des aliénistes, l'affaire semble entendue. « Les commotions politiques produisent les maladies mentales, en même temps qu'elles multiplient le nombre de suicides ou de crimes [15] »,

---

14. Élisabeth Roudinesco, *Théroigne de Méricourt. Une femme mélancolique sous la Révolution*, Seuil, « Fiction & Cie », 1989, p. 163-164.
15. Félix Voisin, *Des causes morales et physiques des maladies mentales*, J.-B. Baillière, 1826, p. 28-29.

écrit par exemple Félix Voisin en 1826, en écho à
nombre de ses collègues, qui font un même usage
figuré des mots « commotions » ou « convulsions »,
naturalisant le politique renvoyé au corps malade.
La plupart des médecins suivent en cela la ligne
imprimée par le docteur Esquirol, qui s'est à plusieurs reprises exprimé à ce sujet au cours de sa
carrière. En 1838, deux ans avant sa mort, il consa-
crera à ces questions un long passage de l'entrée
« Aliénation mentale » de l'*Encyclopédie du dix-
neuvième siècle*, qui est en réalité une reprise fidèle
de textes antérieurs emboîtés les uns dans les
autres, démonstration qu'en vingt ans l'aliéniste
n'a guère varié dans ses opinions.

La position d'Esquirol sur le rapport du politique
et du pathologique n'est pourtant pas aussi tranchée qu'elle en a l'air. Traversée de paradoxes, elle
demande à être détaillée, voire relativisée. Pour le
médecin, le rapport des événements politiques à
l'aliénation mentale est bien un rapport de causes
à effets, mais ces causes sont des causes excitantes
et non prédisposantes dont l'influence est momentanée. Les conquêtes coloniales, la guerre d'Indé-
pendance aux États-Unis, la Révolution française,
avivant les passions et déplaçant les hommes, sont
autant de troubles pris en exemple qui, sans créer
ex abrupto la monomanie, lui permettent selon lui
de se révéler et de se développer. Les événements
ne jouent pas seulement le rôle de déclencheurs, ils
caractérisent la manie : la venue du pape en France
voit l'augmentation des monomanies religieuses,
la domination de l'Europe par Napoléon distri-
buant les couronnes multiplie les monomanies

ambitieuses. Néanmoins, ces événements ou ces périodes de l'Histoire, agissant sur des tempéraments prédestinés, ne font jamais que catalyser des égarements qui auraient pris corps en d'autres circonstances : « Tel individu, devenu fou par la perte de sa fortune, de son rang, le fût devenu, cinquante ans avant, après avoir perdu sa fortune confiée à la mer, ou après une disgrâce de la cour ; tel individu que les frayeurs révolutionnaires rendirent aliéné, le fût devenu, il y a deux siècles, par la crainte des sorciers et du diable[16]. » En d'autres termes, l'Histoire ne produit pas les symptômes de la folie, mais la folie latente se développe en fonction des accidents de l'Histoire.

L'autre question est bien sûr de savoir si les secousses politiques augmentent le nombre d'aliénés. En 1805, Esquirol est catégorique : « [E]n mettant en jeu toutes les passions, en donnant plus d'essor aux passions factices, en exagérant les passions haineuses […] les commotions politiques augmentent le nombre des aliénés : c'est ce qu'on a observé pendant la révolution d'Angleterre ; c'est ce qu'on observe en France depuis notre tourmente révolutionnaire[17]. » Mais, en 1824, le médecin paraît changer de cap, allant même jusqu'à suggérer que l'aliénation mentale décroît en temps d'effervescence politique, comme entre 1786 et 1792, époque à laquelle « la société entière semblait être

16. J.-E.-D. Esquirol, *Des maladies mentales*, *op. cit*., t. I, p. 28-29.
17. J.-E.-D. Esquirol, *Des Passions considérées comme causes, symptômes et moyens curatifs de l'aliénation mentale*, Didot, an XIV (1805), p. 15.

frappée de vertige » : « Le fanatisme politique et les maux qu'il entraîne après lui ont fait éclater quelques folies ; mais tous les médecins ont observé que, pendant qu'il s'appesantissait sur notre patrie avec plus de fureur, il y avait moins de maux de nerfs et moins de folies[18]. » La Restauration, époque à laquelle « jamais la masse du peuple n'a été plus calme ni moins propre à être excitée[19] », a en revanche vu le nombre d'aliénés croître dans toutes les couches de la société.

Contre toute attente, Esquirol, entre ces deux propos rédigés à près de vingt ans d'écart, ne se contredit pas. La Révolution, et en particulier la Terreur (on aura noté que le médecin s'arrête à 1792), serait bien responsable, en grande partie, de l'aliénation en France, mais celle-ci se révèle sur le long terme, avec un effet retard. La tourmente suspend momentanément la folie, comme captive dans le feu de l'action, pour mieux la faire s'épanouir une fois le calme revenu. Le cas de Théroigne de Méricourt est bien la parfaite illustration de la théorie d'Esquirol. Démonstration en trois points : 1. Théroigne était prédisposée à la folie, comme le montrent l'exaltation de son tempérament et les excentricités de son comportement. 2. Les événements de la Révolution ont suspendu le cours de sa folie. 3. « Lorsque le Directoire fut établi, les sociétés populaires fermées, Téroenne perdit la raison[20] », conclut Esquirol en toute logique — logique qui ne s'embarrasse pas de

---

18. J.-E.-D. Esquirol, *Des maladies mentales*, *op. cit.*, t. II, p. 303.
19. *Ibid.*, p. 304.
20. *Ibid.*, t. I, p. 220.

la vérité historique, puisque Théroigne a été en réalité déclarée officiellement folle sous la Terreur.

Si le médecin minimise les événements, par définition temporaires, et leur attribue un rôle d'écran dissimulant la crise qui se prépare, c'est aussi pour mieux faire ressortir ses convictions profondes : la folie est affaire de morale, et la vraie raison de l'augmentation de l'aliénation en France réside dans l'altération des mœurs depuis la Révolution. Sous la Restauration, ces changements en profondeur des mentalités et de la société se traduisent par le délaissement de la religion, le relâchement de la morale, « le froid égoïsme » d'une société où le lien générationnel s'étiole et où « chacun vit pour soi ». D'un côté, le manque d'éducation dans la classe la plus inférieure « enfante presque tous les maux de la société », de l'autre, le « vice » d'une éducation laxiste que les parents donnent à leurs enfants dans les classes supérieures aggrave la situation : « Accoutumé à suivre tous ses penchants, n'étant point façonné par la discipline à la contrariété, l'enfant, devenu homme, ne peut résister aux vicissitudes, aux revers dont la vie est agitée. À la moindre adversité, la folie éclate [21] [...]. »

Moins tributaire des contingences politiques que de l'idéologie morale, la folie est avant tout pour Esquirol une « maladie de la civilisation [22] ». Et plus la civilisation est avancée, plus la folie gagne du terrain. On trouvera peu de fous dans les pays écrasés sous le joug d'un despote ou parmi

21. *Ibid.*, p. 26.
22. *Ibid.*, p. 198.

les tribus sauvages, en revanche « le gouvernement républicain ou représentatif, en mettant plus en jeu toutes les passions, doit, toutes choses égales d'ailleurs, être le plus favorable à la production de la folie[23] ». Cette idée d'une folie indexée sur le progrès et les formes de gouvernement marque tout le XIXe siècle. Toutes les études convergent pour constater que la folie s'étend en priorité dans les grandes villes, où l'activité industrielle, les tensions politiques et sociales, l'effervescence des idées et des passions provoquent une excitation cérébrale propre à produire la maladie mentale. En 1881, le docteur Jacoby, procédant à une synthèse des écrits scientifiques sur la question, attribuait encore et en premier lieu au développement de la civilisation l'accroissement spectaculaire de la folie en Europe, et particulièrement en France, où le nombre d'aliénés, de 5,24 pour 10 000 habitants en 1836, était passé à 24,28 en 1869, soit une augmentation de 363,35 %, 32 fois plus rapide que la croissance démographique, atteignant 11,23 % dans la même période[24].

Quel est le rôle de la révolution de 1830 dans cette irrésistible ascension ? Un premier tableau dressé par Esquirol sur les admissions relatives aux causes de la folie à Charenton entre 1826 et 1833 donne un

23. *Ibid.*, p. 27.
24. Dr Paul Jacoby, *Études sur la sélection dans ses rapports avec l'hérédité chez l'homme*, Germer-Baillière et Cie, 1881, p. 440. Le docteur Jacoby inclut les aliénés soignés à domicile, d'où des chiffres considérables dont l'interprétation occasionne une erreur de calcul de sa part, puisqu'il écrit 530,87 % au lieu de 363,35 %.

début de réponse. Les premières années, l'aliéniste ne constate aucune entrée pour cause d'événements politiques. En 1830, 13 patients entrent à l'asile pour cette raison, et 15 en 1831, pour passer à trois en 1832, et un en 1833. En tout donc, 32 cas en trois ans sur un total général de 1 375 aliénés, soit 2,3 % des admissions, chiffres qui paraissent dérisoires comparés aux 337 entrées (24,5 %) pour causes d'hérédité constatées sur la même période ou encore, plus loin dans le temps, aux 31 patients devenus fous pour cause d'événements politiques reçus par Esquirol dans son établissement privé pour les seules années 1811-1812, ce qui constituait alors 18,5 % des entrées[25]. Pourquoi Esquirol écrit-il dès lors que « les hospices et les maisons d'aliénés de Paris furent un moment encombrés par le grand nombre d'aliénés que produisirent les événements de 1830[26] » ? C'est qu'aux événements politiques sont associés d'autres maux, glissés sous des causes différentes. « Les perturbations sociales de cette époque [*en 1830 et 1831*], dit-il encore, ont exercé leur influence sur la production de la folie, non seulement par la frayeur, par l'exaltation politique, mais encore par le bouleversement dans la position sociale de beaucoup d'individus[27]. » De 1829 à 1830, on voit en effet les « chagrins domestiques » passer

25. J.-E.-D. Esquirol, *Des maladies mentales, op. cit.*, t. I, p. 31. Aux mêmes dates, Esquirol recensait 14 patientes entrées pour causes d'événements politiques à la Salpêtrière, soit 4,3 % des admissions. Cet écart s'explique par le fait que la Salpêtrière était exclusivement réservée aux femmes, a priori moins exposées à la folie politique.

26. J.-E.-D. Esquirol, « Aliénation mentale », *Encyclopédie du dix-neuvième siècle*, 1838, p. 192.

27. J.-E.-D. Esquirol, *Des maladies mentales, op. cit.*, t. II, p. 280.

de 26 cas à 47, la « frayeur » de 8 à 14 ; et, de 1830 à 1831, les « revers de fortune » sautent de 3 à 15. Même s'il est impossible de détailler ces chiffres, on peut subodorer qu'ils seraient liés aux bouleversements ayant accompagné la naissance de la monarchie de Juillet, à titre de dommages collatéraux (ruines, perte d'emploi, etc.). Mais comme les mesurer ? À la tête d'une maison de santé privée, le docteur Brierre de Boismont, emboîtant le pas à son maître Esquirol, cultive le même flou lorsqu'il affirme : « Les trois journées de juillet devaient déterminer la perte de la raison chez beaucoup de personnes ; aussi avons-nous vu arriver, dans les établissemens, une portion notable de ces victimes de nos dissensions intestines. [...] Plus tard, on a reçu d'autres aliénés dont le trouble des facultés intellectuelles était dû à des ambitions trompées, à des fortunes renversées et à des affections brisées[28]. » Mais encore ?

À se reporter aux registres de Charenton, on constate sans surprise que le pic des entrées pour cause d'événements politiques se situe en août 1830, avec six patients admis sur dix, dont quatre femmes. Trois d'entre eux ont déjà fait un séjour à l'asile — la révolution aurait donc réveillé un état maniaque ou mélancolique latent. On y trouve des notations comme celle-ci : « Ce malade est entré 5 fois dans notre établissement. Chaque séjour n'a été que d'un mois. / L'accès actuel est attribué aux

---

28. Alexandre Brierre de Boismont, « De l'influence de la civilisation sur le développement de la folie », *Annales d'hygiène publique et de médecine légale*, série 1, n° 21, Jean-Baptiste Baillière, 1839, p. 261.

événements du 27, 28, 29 Juillet. Le délire est absolument celui des années précédentes[29]. » Si bien
que l'on est en droit de se demander quel impact
réel, sinon de détonateur comme un autre, délesté
de sa charge politique, la révolution a bien pu
avoir.

Hommes et femmes conduits en 1830 à Charenton à la suite des journées révolutionnaires l'ont été
par la peur ou une émotion violente. Ici, c'est un
propriétaire à Versailles dont la raison a chaviré à
l'approche des troupes sur Rambouillet ; persuadé
qu'on veut attenter à sa vie et le fusiller, il « fuit
l'approche des infirmiers qu'il regarde avec une
sorte d'horreur[30] ». Là, c'est une femme qui « se
trouva dans une rue au moment où les troupes du
Roi en vinrent aux mains avec les citoyens » et qui
en conçut une telle frayeur que sa raison s'égara ; à
l'asile, elle répète qu'elle est indigne de vivre, et
qu'elle est « la cause des massacres qui viennent
d'avoir lieu à Paris[31] ». Le traumatisme affecte en
général les individus dont l'éducation est « bor-
née », « presque nulle » ou dont le caractère est
« entier », « difficile », « bouillonnant », « irascible »,
« peu sympathisant », et l'on comprend qu'une
autre circonstance aurait pu aussi facilement les
envoyer à l'asile, comme cet onaniste invétéré, déjà
soigné à Bicêtre, pris de délire après avoir failli être
victime d'une émeute populaire : « Cet événement

---

29. ADVDM, Charenton, Registre d'observations médicales,
hommes et femmes, 1830, 4X698, f° 99. Entré le 12 août 1830.
  30. *Ibid.*, f° 103. Entré le 8 août 1830.
  31. *Ibid.*, f° 105. Entrée le 15 août 1830.

fut la cause prochaine de la maladie à laquelle prédisposaient, comme la dernière fois, des habitudes secrètes[32]. »

Entre les lignes, on devine les opinions politiques des patients, parfois explicitement mentionnées, comme dans le cas de Mme T., « dévouée à l'ex-Roi Charles X et à sa famille », ou de celui de Mme J., femme de pâtissier à Versailles et mère de quatre enfants, qui ne partage pas l'enthousiasme de son mari, engagé aux côtés des Parisiens dans le soulèvement. Mais la première a surtout le « caractère vif et sombre », un « tempérament faible », quand « on dit d'*elle* qu'elle a le jugement faux » ; mariée et mère d'un enfant, « on soupçonne qu'étant enceinte avant les épousailles, elle fit usage de q[uel]q[ue] remède violent pour se faire avorter[33] ». Quant à la seconde, d'une « coquetterie outrée », « son éducation a été presque nulle parce qu'elle n'a jamais voulu se soumettre à aucune espèce d'assujettissement » ; elle aurait eu par ailleurs, depuis son mariage, une conduite « loin d'être exempte de tout blâme[34] ». Malgré l'attribution officielle de leur folie aux circonstances des événements de Juillet, ce sont bien leurs mœurs, jugés répréhensibles, qui, dans la droite ligne de la théorie esquirolienne de la folie comme maladie de la civilisation, les ont d'abord précipités à l'asile.

Dans ce contexte, où sont donc les agités, les enfiévrés des barricades, les républicains atteints de « monomanie politique » ? On les chercherait en

---

32. *Ibid.*, f° 130. Entré en septembre 1830, sorti le 1er juillet 1832.
33. *Ibid.*, f° 146. Entrée en octobre 1830, sortie le 8 mai 1831.
34. *Ibid.*, f° 100. Entrée le 5 août 1830.

vain, du moins à Charenton. Tout au plus note-t-on le 21 février 1831 l'entrée d'un garçon épicier qui, « depuis qu'il habitait Paris [...], lisait beaucoup, principalement des journaux », aurait pris aux troubles « une part très active, ce qui paraît avoir sensiblement exalté ses idées[35] ». Mais le lien entre ses convictions politiques et son délire ambitieux n'est pas clairement établi. Esquirol recourt à la même prudence rhétorique dans le diagnostic d'une femme professant « des opinions plus que libérales » et qui, à l'annonce des événements de Juillet, « conçut une telle joie qu'elle en parut sensiblement exaltée pendant plusieurs jours[36] ». Cet épisode n'est pourtant pas la cause de sa mélancolie, due à la peur de voir se reproduire des scènes de massacres, comme celles dont elle avait été le témoin à Marseille en 1815.

Cet aperçu tendrait à démontrer au moins deux choses. D'une part, l'impact des Trois Glorieuses sur l'aliénation mentale a été statistiquement négligeable. D'autre part, les délires ont été essentiellement déclenchés par la peur, sans que soit établi par Esquirol, libéral et favorable au gouvernement de Louis-Philippe, une corrélation formelle entre agitation politique et égarement des esprits. Les chiffres et les commentaires sur Bicêtre et la Salpêtrière à la même période aboutissent-ils à des conclusions comparables ? Dans un compte rendu publié en 1835 sur le service des aliénés des deux

35. *Ibid.*, 1831, 4X699, f° 26. Entré le 21 février 1831, mort le 31 mai 1831.
36. *Ibid.*, f° 30. Entrée le 27 février 1831, morte en janvier 1832.

hospices, il est certes précisé que, dans la période 1831-1833, le nombre de fous a excédé d'un huitième celui des années 1827-1830, pour baisser ensuite. Et que « ces résultats ont sans doute eu pour cause la révolution de Juillet, dont l'influence n'a pas dû s'arrêter aux derniers mois de 1830, l'épidémie cholérique et la misère qui pesait encore en 1832, sur les classes laborieuses[37] ». Mais cette conjecture hâtive et très générale, englobant tant de causes différentes qui plus est sur trois années, a-t-elle une réelle valeur, a fortiori dans une étude qui ne prend même pas en compte les « événements politiques » dans ses tableaux énumérant les causes de l'aliénation mentale, signes qu'ils sont considérés comme quantité négligeable ? À vrai dire, il semblerait que le rapport entre révolution et folie soit à l'époque un sujet surtout réservé aux excentriques et aux pamphlétaires, comme le médecin grenoblois Sylvain Eymard, auteur d'un brûlot ultraconservateur intitulé *La Politicomanie ou De la folie actuellement régnante en France* (1832), fustigeant, pêle-mêle et dans une langue boursouflée, la peste révolutionnaire, la manie de la souveraineté populaire et l'obsession démocratique et républicaine. On peut douter que l'ouvrage ait trouvé de nombreux lecteurs. Il connaîtra en revanche, dans

---

37. Desportes, *Compte rendu au conseil général des hospices et hôpitaux civils de Paris sur le service des aliénés traités dans les hospices de la vieillesse (Hommes et Femmes) [Bicêtre et la Salpêtrière] pendant les années 1825, 1826, 1827, 1828, 1829, 1830, 1831, 1832, 1833*, Imprimerie de Mme Huzard, 1835, 2e partie, p. 3. Le choléra avait fait environ 100 000 morts, dont 20 000 à Paris. L'épidémie avait causé une véritable panique dans la population.

une édition refondue, plusieurs réimpressions au début du Second Empire, sous un titre plus ambitieux, signalant à quel point la révolution est désormais perçue comme un phénomène structurel : *La Politicomanie ou Coup d'œil critique sur la folie révolutionnaire qui a régné en Europe depuis 1789 jusqu'au 2 décembre 1851.*

1848 OU LA PESTE DÉMOCRATIQUE

Les chiffres et les lettres

Plus longue, plus convulsive et infiniment plus meurtrière que les Trois Glorieuses, la révolution de 1848 relance l'attention des aliénistes. Dès le mois de mai, le docteur Jacques-Étienne Belhomme, le fils du même Belhomme qui tenait pension sous la Terreur, présente à l'Académie de médecine un mémoire, *Influence des événements et des commotions politiques sur le développement de la folie.* L'étude s'inscrit dans le sillon de travaux antérieurs élaborés à la suite de la révolution de 1830 et aboutit aux mêmes conclusions : le nombre d'aliénés augmente en temps de révolution, les événements agissant sur les « têtes faibles » ou les tempéraments fragiles, prédisposés à la maladie mentale. « La révolution de Février a été subite, déclare-t-il, et s'est opérée avec une incroyable rapidité ; la population de Paris s'est profondément émue des dispositions armées, des détonations de coups de fusil et de canon, de la présence d'hommes à figures sinistres, que l'on ne rencontre que dans les émeutes, et il n'y a rien d'étonnant d'avoir vu apparaître la folie[38]. » Dix observations cliniques viennent étayer sa démonstration, qui ne parvient pas à convaincre ses collègues. Guillaume Ferrus, inspecteur général des asiles d'aliénés, tempère, et affirme que, s'il y a eu augmentation dans certains établissements, elle est loin d'être générale. Jules Baillarger lui emboîte le pas en citant le nombre d'entrées à la Salpêtrière et à Bicêtre : 1 220 admissions en 1847, 1 354 en 1848, soit une augmentation de 134 cas ; mais en 1843, il y en avait eu 1 335 et, en 1846, 1 331, ce qui relativise, sinon invalide, la portée du chiffre de 1848. En réalité, une étude postérieure montrera que, sur l'ensemble de la France, le nombre d'admissions a chuté en 1848, pour remonter ensuite, selon la courbe suivante : 1847 : 7 686 admissions ; 1848 : 7 341 ; 1849 : 7 536 ; 1850 : 8 184[39].

Baillarger ajoute encore, et de façon peut-être inattendue, que « si les bouleversements politiques amènent avec eux des causes réelles et puissantes de folie, il faut aussi reconnaître qu'ils suspendent d'autres influences, qui, dans les temps de calme et de grande prospérité, produisent souvent cette maladie. Combien de passions, dans l'intérieur

38. Dr Jacques-Étienne Belhomme, *Influence des événements et des commotions politiques sur le développement de la folie*, mémoire lu à l'Académie de médecine dans la séance du 2 mai 1848, suivi d'un rapport de M. Londe, dans la séance du 6 mars 1849, Librairie Germer-Baillière, 1849, p. 4.

39. L. Lunier, *De l'influence des grandes commotions politiques et sociales sur le développement des maladies mentales*, F. Savy, 1874, p. 14.

même de la famille, ébranlent peu à peu l'intelligence, et auxquelles les événements politiques font une diversion heureuse [40] ! ». On reconnaît ici, et à rebours des préjugés ordinaires, le constat d'Esquirol, affirmant que, proportionnellement, la folie décroît en temps de troubles et croît en période calme. Baillarger semble même aller plus loin, en suggérant que le sursaut citoyen est plus sain pour l'esprit que le repli sur la famille, insinuant une opposition public/privé, extérieur/intérieur, politique/familial, en faveur du premier groupe. On retrouvera la même idée dans le *Traité des maladies mentales* de Benedict-Augustin Morel, médecin de l'asile de Maréville comptant mille patients, et qui déclarait « n'avoir pas enregistré chez plus de trois individus l'exagération des idées politiques comme cause d'aliénation [41] », entre 1848 et 1856. Le théoricien de la dégénérescence écrit par ailleurs :

> Quant à ce qui regarde les commotions politiques proprement dites, on est peut-être en droit d'avouer qu'elles ont jugé plus de maladies nerveuses qu'elles n'en ont produit. Ceci, au premier abord, peut paraître paradoxal ; mais lorsqu'on s'appuie sur les faits qui sont dus à l'action salutaire des crises, n'est-on pas en droit de dire que beaucoup de névropathies ont été guéries par les grandes commotions sociales ? Ce qui, sous ce rapport, a été observé en 1789, s'est vu en 1848, et les mêmes conséquences ressortiront de tous les grands événements qui, en changeant la face des sociétés, impriment à l'organi-

40. *Ibid.*, p. 24. L'allocution de Baillarger a été prononcée à l'Académie de médecine le 13 mars 1849.
41. Benedict-Augustin Morel, *Traité des maladies mentales*, Librairie Victor Masson, 1860, p. 88 [1re éd. : 1852].

sation maladive, souffreteuse et blasée d'une foule
d'individus une direction plus vigoureuse, un but
d'activité plus utile en les retrempant, pour ainsi
dire, au creuset des grandes infortunes [42].

En conclusion de son mémoire, Belhomme se
plaint de l'oubli où sont relégués ses travaux, dont
il constate avec amertume qu'ils ne sont jamais
cités par ses pairs. Deux mois après son interven-
tion, Alexandre Brierre de Boismont a pourtant
appuyé sa théorie dans *L'Union médicale*, sans
craindre d'étendre les ravages de la révolution à
toute la population engagée politiquement, les conservateurs étant atteints de « monomanies tristes »
et les progressistes de « monomanies gaies ». Ces
derniers excitent plus particulièrement sa verve :
« Un nombre considérable des individus qui se
sont jetés à corps perdu dans les utopies de ce
temps ne sont pas considérés comme fous, et
passent simplement pour des novateurs hardis. Or,
il m'est impossible, à moi médecin, d'oublier les figures, les gestes, les paroles de beaucoup de ces
personnages que j'ai observés dans les clubs, aucune différence ne les séparait des hôtes de nos
maisons, et même s'il y avait eu un avantage, il eût
été en faveur de nos malades chez lesquels les accès
de fureur sont infiniment rares [43]. » L'aliéniste introduit ici une figure déjà ancienne, mais promise
à un avenir toujours plus florissant dans les cercles

42. *Ibid.*, p. 86.
43. Alexandre Brierre de Boismont, « Influence des derniers événements sur le développement de la folie », *L'Union médicale*, 20 juillet
1848.

psychiatriques : le fou dissimulé sous un masque que seul l'aliéniste, doué de double vue, est capable d'arracher. Pinel l'avait déjà mentionnée à propos des massacres de Septembre, en évoquant un reclus de Bicêtre présentant aux révolutionnaires l'aspect d'un homme sain injustement incarcéré qui, à peine libéré malgré les avertissements répétés de Pussin, avait versé le sang autour de lui en s'emparant du premier sabre trouvé[44]. Ce fou inaperçu du profane mais percé à jour par le spécialiste, c'est l'aliéné atteint de manie sans délire ou de folie raisonnante, le fou lucide, dont Ulysse Trélat donnera le portrait quelques années plus tard ; il y a du traître et du Malin dans ce personnage protéiforme, qui se joue des naïfs mais échoue à tromper la science.

Comment se fier, dans ces conditions, aux statistiques de la folie, qui négligent de prendre en compte « ces énergumènes » dont certains sont « tombés dans les combats des rues[45] », ont été absorbés par la prison ou l'exil, sans compter « ces malades, presque tous incurables [qui] s'éteignent doucement dans leurs familles[46] » ayant préféré les garder plutôt que de les livrer à la honte de l'hôpital

---

44. Pinel, *Traité...* [1809/2005], p. 185. Précisons que les massacres de Septembre ont lieu en 1792 et que Pinel ne sera nommé à Bicêtre qu'en 1793. Il s'agit donc d'un récit rapporté par Pussin à Pinel, qui le retranscrit.

45. Alexandre Brierre de Boismont, *Des hallucinations ou Histoire raisonnée des apparitions, des visions, des songes, de l'extase, du magnétisme et du somnambulisme*, 2e éd., Germer-Baillière, 1852, p. 370 [1re éd. : 1845].

46. Alexandre Brierre de Boismont, *Annales médico-psychologiques*, 2e série, t. IV, janvier 1852, p. 100.

public ? Autrement dit, les chiffres ont beau parler, ils ne prouvent rien, puisqu'ils ne prennent pas en compte ces absents et ces morts qui, comme l'on sait, ont toujours tort. Mais les faits sont têtus, et Brierre de Boismont est obligé de reconnaître l'évidence, non sans menacer les générations à venir d'une inquiétante prophétie selon laquelle les femmes enceintes sous la révolution donneraient naissance à de futurs aliénés... Après les disparus, c'est donc au tour des nouveau-nés d'être pris en otage de sa démonstration : « Une remarque que nous croyons devoir reproduire, c'est que la folie, *pour n'avoir peut-être pas élevé le chiffre des aliénés dans les établissements spéciaux*, n'en a pas moins laissé la trace de son passage, et c'est une preuve que se chargeront de fournir, dans quelques années, ceux qui ont été conçus sous l'impression de ces temps déplorables[47]. »

Le fait que Brierre de Boismont est l'un des rares, avec Jacques-Étienne Belhomme, à réfuter la relative stabilité du nombre de fous en temps de révolution tient sans doute à ce que les deux hommes sont à la tête de maisons de santé privées, destinées à une clientèle fortunée que la révolution

---

47. A. Brierre de Boismont, *Des hallucinations, op. cit.*, p. 369-370. C'est moi qui souligne. Auteur prolixe, Brierre de Boismont s'est spécialisé assez tard dans la médecine mentale, en fondant deux maisons de santé, à Paris et à Saint-Mandé, dont la réputation concurrence celle de la fameuse clinique du docteur Blanche. Cette activité ne l'empêchera pas de postuler à la direction de Charenton à la mort d'Esquirol en 1840, poste éminemment politique attribué à l'orléaniste Achille Foville, lequel sera révoqué en 1848. Ajoutons que Brierre de Boismont est également l'un des fondateurs, avec Baillarger et Cerise, de la Société médico-psychologique, en 1843.

menace en priorité. Qu'ils aient reçu davantage de patients dans leur institution à ces époques n'aurait rien de très surprenant. Mais ils se fondent sur une expérience singulière pour imposer des généralités à des fins idéologiques. Pour spectaculaires qu'elles soient, ces déclarations n'en restent pas moins minoritaires, comme le rappellera l'aliéniste allemand Wilhelm Griesinger : « Il est intéressant de voir combien les grandes commotions politiques ont eu peu d'influence sur la fréquence des maladies mentales, tandis qu'à priori on pouvait s'attendre au contraire. C'est ce qu'Esquirol avait déjà remarqué lors de la première révolution française. Les médecins français et allemands, sauf peut-être M. Brierre de Boismont, ont également constaté que les mouvements révolutionnaires de 1830 et de 1848 n'ont pas donné lieu à une augmentation notable de la folie. Pour les gens du monde, l'influence des révolutions paraît considérable, parce que la politique fait le fond du délire des aliénés et lui donne une couleur spéciale ; mais cela n'est que très accidentel[48]. » Griesinger appuie là sur une différence essentielle et défait simultanément une confusion tenace : l'inflation des délires politiques en temps de révolution donne l'*impression* d'une épidémie de folie due aux troubles, quand les admissions dans les asiles, en réalité, n'augmentent pas de façon significative. Il y aurait, en quelque sorte, illusion d'optique entre les lettres et les chiffres, l'ampleur

---

48. Wilhelm Griesinger, *Traité des maladies mentales*, 2ᵉ éd., trad. de l'allemand par le docteur Doumic, Adrien Delahaye, 1865, p. 167.

(réelle) des discours et une augmentation (illusoire) du nombre du fous.

La lecture des archives accrédite ce point de vue. Jamais le politique ne semble avoir hanté à ce point les esprits, jamais la teneur idéologique du délire n'a été à ce point rapportée et détaillée par le psychiatre. Dès 1847, tandis que la France est frappée par une crise de subsistance et que les scandales de corruption éclaboussent les dernières heures de la monarchie de Juillet, on comprend la place qu'occupe la passion politique, à travers l'exemple d'un clerc d'avoué de vingt-trois ans interné à Charenton, portrait idéal du jeune socialiste républicain, tout droit sorti de l'univers d'Eugène Sue. Le jeune homme, qui n'avait que répulsion pour l'état de son père boucher, était venu faire son droit à Paris.

> Son esprit ardent et plein de beaux sentiments ne tarda pas à trouver un aliment favori dans des réunions philanthropiques et humanitaires où il fut présenté par quelques-uns de ses amis. Dehors négligeant totalement ses études de droit, il se livra à la lecture des ouvrages qui flattaient le plus ses idées. Ainsi Lamennais, Fourier, Pierre Leroux devinrent ses auteurs familiers. La classe ouvrière était à ses yeux celle qui devait attirer le plus l'attention des gens philanthropes. Ainsi était-ce avec enthousiasme qu'il défendait toutes les réformes sociales proposées dans le but de soulager le peuple. Néanmoins, son père s'apercevant qu'il ne répondait point à ses espérances le rappela.

Mais de retour au foyer familial, rien ne va plus. Le jeune homme tombe amoureux d'une jeune fille « bien au-dessus de sa position », dont il est rejeté. Il tombe dans la tristesse et la misanthropie, se jette dans la religion, entre dans les églises où il a des apparitions. Son comportement se fait plus imprévisible chaque jour. « M. le Duc d'Aumale étant allé ces jours derniers dans son pays, il se présenta à lui et lui remit une boîte de fer blanc contenant un *pois*, une *fève* et un morceau de papier, sur lequel étaient écrits ces trois mots : honneur, liberté, charité. D'après lui, ce présent avait un sens énigmatique que lui seul pouvait interpréter[49]. » L'engagement politique marque-t-il le début d'une exaltation qui va peu à peu s'avérer maladive ? Ou est-ce au contraire pour avoir quitté ce Paris effervescent, s'être soumis à l'autorité paternelle et avoir troqué la politique pour la religion que Jules S. échouera à Charenton ? Le diagnostic ne le dit pas, mais comment ne pas penser à la suggestion de Baillarger sur l'heureuse diversion produite par les événements politiques par rapport aux passions délétères dont les familles ont le secret ?

Républicaines mélancoliques et communistes entêtées

1848 marque une rupture très nette avec 1830. En l'espace de quelques mois, la politique, d'élément dans la genèse de la maladie, est devenue le premier motif de délires dans les registres de Cha-

---

49. ADVDM, Charenton, Registre d'observations médicales, hommes, 1847-1848, 4X711, f° 114. Entré le 20 mai 1847.

renton. À partir de février, la presque totalité des cas de folie trouvent leur origine, déclarée ou subodorée, directe ou indirecte, dans la révolution et ses secousses. « On attribue sa maladie aux événements de Juin et à la politique dont il s'occupe en général beaucoup trop[50] », est-il par exemple noté d'un cantonnier de trente-sept ans, sans que l'on sache jamais ce que recouvre le « trop » en question.

Les cas se divisent, grossièrement, en deux catégories, selon que la folie est envisagée comme la *conséquence* de la révolution ou comme sa *cause*. D'un côté, il y aurait les victimes : ce sont les hommes terrassés par le spectacle de l'insurrection, anéantis par la perte de leur fortune, les femmes dont la maison a été envahie par les insurgés, en état de choc ou tombées dans la stupeur devant les barricades. Ceux-ci sont les traumatisés, qui constituent toujours la majorité des contingents d'aliénés sous les révolutions, des guillotinés imaginaires de 1793 aux populations épouvantées de 1830. De l'autre, on trouve donc les responsables : émeutiers, passionarias, militants, ils ont participé au soulèvement, en théorie ou dans les faits. Héritier du Jacobin, du septembriseur et de l'insurgé des Trois Glorieuses, le fou hirsute, intarissable, galvanisé par la passion politique, sans être un modèle inédit, devient une figure consacrée en 1848. Tournant majeur, il a gagné une sœur, au profil désormais bien dessiné ; fille des tricoteuses

---

50. *Ibid.*, 4X712, f⁰ 157. Entré le 20 juillet 1848, sorti le 9 novembre 1848.

de la Terreur et avatar de George Sand, cette virago
a abandonné son rôle d'épouse et de mère, passe
son temps à lire des journaux dont elle ne comprend pas le contenu et à jacasser dans d'improbables clubs politiques. Ces caricatures, dont la
presse reproduit à l'envi les traits grimaçants,
constituent un type moderne d'aliénés qui modifie
en profondeur le débat autour de la psychopathologie en relation avec le politique.

Signe des temps, chaque sexe a maintenant son
registre propre à Charenton. La visibilité croissante des femmes dans la société s'accompagne
d'une prise de conscience sans précédent. La mon-
tée du mouvement féministe, proche des mouvements utopistes saint-simoniens et fouriéristes
réclamant l'égalité civique et politique, la multiplication des journaux (*La Voix des femmes* d'Eugénie
Niboyet, *La Politique des femmes* puis *L'Opinion
des femmes* de Jeanne Deroin et Désirée Gay) qui se
consacrent aux problèmes du travail, des salaires,
de l'éducation et recueillent la parole des ouvrières,
la participation des femmes aux débats publics et
au combat sur les barricades confirment leur rôle
en tant qu'« actrices de l'histoire [51] ». Cibles rêvées,
elles suscitent davantage la haine ou la « conspiration du silence » que l'admiration, excitent l'irritation et le sarcasme, y compris dans leur camp

51. Pour une synthèse, voir l'article de Michelle Perrot, « 1848 : la
révolution des femmes », *L'Histoire*, n° 218, 1998. Voir également les
travaux de Michèle Riot-Sarcey et notamment *Parcours des femmes
dans l'apprentissage de la démocratie. Désirée Gay, Jeanne Deroin, Eugénie Niboyet, 1830-1870*, thèse de doctorat, Paris-I, 1990, et, avec Maurizio Gribaudi, *1848, la révolution oubliée*, La Découverte, 2008.

politique, où les barricadières sont jugées dépla-
cées, et les plus militantes accusées de revendications intempestives quand les efforts doivent se
porter en priorité, et sans distinction, sur le sort du
prolétariat. « Où sont les mots qui expriment le
dégoût, le mépris, avec le plus de virulence, pour
les jeter à la tête de ces mégères échappées du foyer
domestique ou plutôt des cabanons de Bicêtre[52] ! »
s'exclame en 1849 Alexandre Dumas, candidat
malheureux aux élections et républicain déçu, qui
s'est rapproché du parti de l'Ordre.

Comme en écho aux journaux de l'époque, les
archives de Charenton ironisent volontiers sur les
quarante-huitardes et les sympathisantes des mouvements révolutionnaires. Il y a même, chez les
aliénistes, une évidente complaisance à stigmatiser
l'arrogance de leurs prétentions, le pittoresque des
situations et des attitudes, voire à donner ouverte-
ment dans l'ironie, si bien que le statut de « Registre d'observations médicales » s'en trouve
parfois étrangement ébranlé. Qu'on en juge par ce
« diagnostic », dont le ton conviendrait mieux à l'*in-
cipit* d'un article satirique :

> Très laborieuse et très active, Mad. Rosty était
> d'abord toute entière à son commerce. Dans les pre-
> mières années de son mariage, elle avait pris, pour
> toute distraction, un abonnement au *Constitution-
> nel*. Peu à peu, elle prit goût à la politique, elle
> connaissait à fond les ministres de Louis-Philippe,

52. Alexandre Dumas, *Le Mois. Revue historique et politique jour par
jour de tous les événements qui se produisent en France et à l'étranger
depuis Février 1848*, 2e année, no 17, 1er mai 1849, p. 141.

dont elle détestait la politique car Mad. Rosty se posait, dans sa boutique, comme *républicaine*.

Les événements de février arrivèrent, elle salua avec enthousiasme l'avènement de la République. Madame Rosty se trouvait maintenant à la mode.

Si d'un côté, les désirs politiques de notre malade se trouvaient favorisés, malheureusement il n'en était pas de même de ses projets de fortune.

La République allait son train mais la vente de ses objets de literie s'arrêta et s'arrêta si bien qu'elle craignit pour elle la banqueroute qu'elle avait souhaité à Louis-Philippe.

Préoccupée sans cesse de la triste position où la mettait la stagnation des affaires, elle devint mélancolique[53].

Cette entrée en matière sous le signe de la cocasserie a pourtant un rapport assez lointain avec le choc qui détermina la maladie de Mme Rosty : un bain d'eau salé, prescrit par son médecin huit jours avant son internement, ersatz d'un bain de mer qu'elle désirait pour se distraire. Cet événement l'impressionna au point de lui ôter dans l'instant la mémoire et de la faire tomber en enfance. Sujette à des crises d'hystérie et à des hallucinations, elle sortira guérie de Charenton moins de deux mois après son arrivée, preuve que sa mélancolie républicaine n'était pas si grave.

Les révolutionnaires de pacotille, le cœur à gauche et le magot à droite, n'ont rien à envier aux communistes entêtées, à l'image de Mlle Cirnéa de Villot, fille du dernier gouverneur militaire de

---

53. ADVDM, Registre d'observations médicales, femmes, 1848-1849, 4X723, f⁰ 65. Entrée le 30 mai 1848, sortie guérie le 27 juillet 1848.

Corse, qui aurait perdu sa position sociale à la suite
de contrariétés politiques. Circonstances aggra-
vantes, la mère de la patiente est une aliénée de
Charenton, et la jeune femme, âgée de trente ans,
est célibataire.

> Elle se jeta à corps perdu dans la politique et
> adopta de préférence les idées de Louis Blanc. La
> révolution de février exalta son imagination. Le nom
> de Lamartine fut accueilli par elle avec enthou-
> siasme, c'était pour elle un envoyé de Dieu pour
> régénérer la France. Sans cesse elle parlait de lui et
> de Louis Blanc. On remarqua au milieu de cette
> exaltation un peu de confusion dans ses idées.
>   Mlle de V. est affectée maintenant de manie aiguë.
> Elle est en proie à une vive agitation, elle parle sans
> cesse et son langage décèle un grand trouble dans
> les facultés intellectuelles. « Je nie, dit-elle, la folie.
> Je soutiens que la folie n'existe pas. Ma mère est ici,
> je le sais bien ! J'ai des douleurs dans la tête, j'ai très
> soif. Je suis une bavarde, c'est pourquoi il faut que je
> boive. J'ai une affection du larynx, c'est pourquoi il
> faut que j'aille en Italie. Je suis communiste ! Je ne
> dors pas depuis trois semaines. Je me suis beaucoup
> trop occupé de gouverner la France, ça va tout de
> travers. »

Diagnostic ciselé, où tout repose sur une rhétorique de l'écart, où tout est dit, mais en creux, dans
l'absence totale de transition d'un paragraphe à
l'autre, soit entre l'exposé des opinions politiques
et la description de la maladie, comme si ce passage entre « un peu de confusion dans [l]es idées »
et la « manie aiguë » doublée d'« un grand trouble
dans les facultés intellectuelles » exprimait tacitement la continuité logique entre exaltation politique et délire verbal — lequel est accompagné,

précise l'aliéniste, « de gestes très expressifs[54] ». La restitution du délire joue sur une construction grammaticale comparable, en ce sens que la patiente égraine des énoncés, en soi recevables, mais dont l'enchaînement, ou plutôt l'assemblage sans coordination, révèle l'absurdité. Dénier la folie tout en admettant l'internement de sa mère, c'est se contredire, établir une relation causale entre le larynx et l'Italie, c'est déraisonner. L'apothéose dans l'absurde de ces juxtapositions est aussi une conclusion logique : à être communiste, insomniaque et à s'être trop occupée de gouverner la France, Mlle de Villot ne pouvait obtenir pour résultat qu'un désordre dans le pays, allégorie de celui qui règne dans sa tête.

La politique instille le poison, la révolution fait éclater la maladie. Tous les médecins s'accordent sur ce schéma, certains d'entre eux n'hésitant pas à accuser nommément les « hérésies sociales » de jeter la fureur et le désordre dans les cerveaux, comme le docteur Bergeret, médecin de l'hôpital d'Arbois, auteur d'un article sur les ravages de 1848 dans le Jura, où les fous auraient été, selon ses estimations, multipliés par dix. Il y a fort à parier que

---

54. *Ibid.*, f⁰ 136. Entrée le 22 octobre 1848. Le nom de Lamartine revient à plusieurs reprises dans les archives. Il « apparaît » à l'asile, dans les cellules des hommes ou dans les discours des femmes. L'une d'elles, par exemple, traumatisée par l'invasion de sa maison par les insurgés, se persuadera par la suite d'être la femme du poète : « Elle se croit Mad. de Lamartine, elle protège alors ses enfants de la pauvreté. / Elle veut parler au peuple pour lui faire part de ses idées généreuses. Elle veut améliorer le sort des ouvriers. / Elle veut se rendre à l'Assemblée nationale pour implorer la grâce des insurgés. / Menstruation régulière » (*ibid.*, f⁰ 78. Entrée le 2 juillet 1848, morte d'une pneumonie le 18 novembre 1848).

ce chiffre invérifiable doit beaucoup aux convictions personnelles du médecin qui, précisons-le, n'est pas psychiatre mais spécialiste de médecine légale, et évaluait à des millions les « demi-fous » et les « quarts de fous » atteints par une épidémie révolutionnaire plus dangereuse que le typhus ou le choléra… Sur les dix cas qu'il présente dans les *Annales d'hygiène publique et de médecine légale*, on dénombre sept femmes dont le délire consiste pour la plupart à être révoltées contre l'injustice et à réclamer l'extinction de la misère. Agricultrice, ouvrière, veuve d'artisan ou femme de vigneron, elles ont été corrompues par ce « débordement d'idées bizarres ou subversives » et une foule de lectures « démagogiques » à partir de février. Elles entendent des voix, se croient investies d'une mission sacrée auprès du peuple, entrent en crises de fureur. « Plus de misère, plus d'exploitation de l'homme par l'homme, plus de riches, plus de gendarmes. L'homme doit se gouverner lui-même… Je veux sauver la patrie[55] », crie l'une d'elle. « Quand donc le peuple ira-t-il briser les portes des bagnes et des prisons ? Plus de bourreaux ! Plus de victimes ! Victor Hugo l'a dit. Tout cela doit disparaître ; il n'y aura plus de malheureux ; tous les hommes doivent être pareils. Le socialisme les rendra tous également heureux[56] », hurle l'autre, qui tient Louis Blanc pour le Messie. « Le sentiment de

55. Dr Bergeret, « Cas nombreux d'aliénation mentale d'une forme particulière ayant pour cause la perturbation politique et sociale de février 1848 », *Annales d'hygiène publique et de médecine légale*, série 2, n° 20, Jean-Baptiste Baillière, 1863, p. 145.
56. *Ibid.*, p. 148.

l'orgueil s'était tellement exalté dans toutes les têtes, conclut Bergeret, chacun était si empressé de sortir de sa condition, qu'une jeune femme, qui avait fait une étude approfondie du phalanstère, se pénétra si bien des idées de Fourier qu'elle en perdit la tête. » Non seulement « on la vit sortir en vêtement d'homme » mais elle refusera de se faire ausculter, « déclarant qu'elle ne recevrait jamais les soins d'un médecin tant qu'il ne serait pas permis aux femmes de prendre le diplôme de docteur[57] ». Elle finira ses jours dans une maison de santé.

Le docteur Bergeret attendra quinze ans pour publier ces édifiantes observations, par souci d'impartialité, assure-t-il en conclusion de son article, afin de laisser au temps le soin de calmer les passions. Qu'en eût-il été s'il les avait livrées au lendemain des soulèvements ? Mieux vaut peut-être ne pas le savoir.

Face aux outrances d'un Bergeret qui ne fait pas de différence entre un délire et un programme politique, les diagnostics sont, dans l'ensemble, plus subtils. L'ambiguïté est plus souvent le lot des archives que la démonstration fracassante[58]. Cela tient, en partie, aux trous et aux lacunes des registres, comme le prouvent ceux de Charenton qui

---

57. *Ibid.*, p. 164.
58. Remarque marginale : il est saisissant que, d'une façon générale, les archives livrent des diagnostics plus sereins ou équilibrés que les imprimés, comme si la publication exigeait une majoration ou une dramatisation des cas. Je note cela en passant, consciente qu'il faudrait procéder à une analyse étayée pour élucider les raisons et les conditions de cette surévaluation.

sont consacrés aux hommes. Parmi les patients ayant participé aux émeutes, on trouve quelques détenus politiques, transférés de la prison à l'asile. Sont-ils tombés en démence ou simulent-ils la folie pour échapper à de plus graves sanctions, comme ce marchand de vin arrêté sous l'inculpation de complot pour renverser le gouvernement, qui « croit tenir de Dieu le titre de Chef de Gouvernement, le droit de commander aux ministres, au peuple, aux représentants de la nation » et « parle avec feu, écrit sans cesse[59] » ?

Comment, sous la plume de l'aliéniste, faire la part de l'enthousiasme militant et de la maladie ? Que conclure par exemple de ce diagnostic de Moreau de Tours, au sujet d'un marchand ambulant d'éponges, admis le 26 mars 1848 à Bicêtre sur ordre du préfet de police, patient qui refuse tout vêtement et doit être contenu par la camisole de force : « Dans le cours de son désordre intellectuel, on voit prédominer des idées relatives à la politique ; parle le plus souvent de Barbès et autres chefs d'insurgés, dit avoir pris part à toutes les insurrections et c'est possible ; dans tous les cas, l'état actuel est une véritable excitation maniaque. » Que les allégations du patient relèvent du délire ou de la réalité n'importe donc pas ici. L'excitation de P. le condamne dans *tous les cas* à la folie, comme son comportement, pourtant non violent, le condamne *de toutes façons* à l'internement, en vertu d'un déterminisme douteux :

---

59. ADVDM, Charenton, Registre d'observations médicales, hommes, 1848, 4X712, f⁰ 123. Entré fin mai, transféré à Bicêtre le 9 juillet.

« Toutefois, P. est rarement violent, il n'est que tur-
bulent, importun à l'extrême et il est possible que
cet état s'annihile, guérisse même, mais il est aussi
certain que tôt ou tard il réapparaîtra et nécessitera
pour la quatrième fois son isolement dans l'hospice[60]. »

Entre le statut du prisonnier politique et celui du
fou, la frontière paraît parfois mince. Au-delà de
ces problèmes d'ordre juridique, impossibles à
trancher a posteriori, on trouve bien des cas de
« délires » idéologiques qui s'accompagnent d'hallucinations, comme ce patient atteint de manie
aiguë, « caractérisé par des idées de réforme sociale », qui « prétend avoir voulu se sacrifier pour la
République » et se figure « détenu politique » mais
qui prétend aussi avoir été incarcéré parce qu'il a
obéi à une voix lui ayant ordonné : « Agenouille-toi
devant la statue d'Henri IV, va à la Chambre des
Pairs, casse trois carreaux et on t'arrêtera[61]. » Il
croise à cette époque un autre pensionnaire,
tailleur de profession, qui « a d'abord émis des
idées très avancées sur la philanthropie, il veut
payer les dettes de tous les Français, etc., c'est son

60. AN, F^{15}, 3917-3919. Correspondance entre les ministères, la
préfecture de police et les préfets relative à l'internement de divers
aliénés, 1843-1848.

61. ADVDM, Charenton, Registre d'observations médicales,
hommes, 1848, 4X712, f° 63. Entré le 27 mars 1848, le patient s'évade
le 6 septembre par le mur d'enceinte, au moyen d'une claie oubliée.
Ramené par la police le 14, il s'échappe à nouveau le 21 septembre, en
compagnie d'un autre pensionnaire, grâce à un trousseau de clés égaré
par un infirmier. Ramené par sa famille le 3 octobre, il parvient à
s'évader à nouveau le 3 avril 1849, en laissant une lettre illisible car il
a sauté des lettres et des syllabes à chaque mot. Sa trace a été perdue
depuis.

système afin de cicatriser cette large plaie qu'on appelle le Paupérisme ». Le même patient bien intentionné assure occuper 10 000 ouvriers en tant que « tailleur de la Chambre du nouvel empereur Napoléon » — et ce, en novembre 1848, soit quatre ans avant la proclamation du Second Empire ! « Aujourd'hui, ajoute le médecin, son neveu, jeune tailleur, est nommé Président de la république française [62]. »

Utopie et déraison

La juxtaposition d'un discours articulé sur l'amélioration du genre humain avec un comportement authentiquement délirant soulève, dans les archives de la folie en 1848, une question d'ordre philosophique et historique. Qu'est-ce que l'utopie politique partage, au XIXᵉ siècle, avec une certaine conception de la déraison ? Dans quelle mesure le rêve d'une société meilleure se confond-il avec la perte du sens ? Épineuses questions, qui dépendent (mais pas seulement) de la posture idéologique de celui qui les pose — et, éventuellement, y répond.

La fameuse séance du 15 mai 1848 à l'Assemblée nationale représente un de ces moments de l'Histoire où l'articulation de la passion politique et de la folie s'est trouvée posée. Rappelons brièvement les faits. Les élections du 23 avril ont envoyé à l'Assem-

---

62. *Ibid.*, fᵒ 209. Entré le 18 novembre 1848, transféré à Bicêtre le 12 juillet en état de démence complète — outre de voir la Vierge et le Christ, le patient se disait fils du Soleil et de la Lune.

blée nationale une majorité de « républicains du lendemain », républicains modérés, monarchistes ou
conservateurs. Candidats camouflés derrière une
étiquette progressiste, électeurs néophytes in-
fluencés par l'ascendance du curé ou des notables
locaux dans les provinces, diverses raisons ont été
avancées pour expliquer ce résultat, qui laisse un
goût amer aux insurgés de Février. Pour les chefs
d'extrême gauche, anciens de 1830, la révolution est
en passe d'être escamotée une deuxième fois. Le
15 mai, ils organisent une manifestation dans Paris
pour soutenir les Polonais insurgés, auxquels le gouvernement français refuse de venir en aide, et enva-
hissent le Palais-Bourbon. « Qu'on se figure la halle
mêlée au Sénat », se souvient Victor Hugo, qui décrit
ces flots d'hommes et de femmes, vociférant et s'agi-
tant de toutes parts, au milieu des drapeaux sur-
montés d'un bonnet rouge : « [P]artout des têtes, des
épaules, des faces hurlantes, des bras tendus, des
poings fermés ; personne ne parlant, tout le monde
criant, les représentants immobiles ; cela dura trois
heures [63]. » Gesticulation de la halle, impassibilité
du Sénat : le décor de la confrontation entre la
France « d'en bas » et celle « d'en haut » est planté.

Tandis que Victor Hugo observe la scène, Alexis
de Tocqueville est abordé dans la cohue par le
docteur Ulysse Trélat, député du Puy-de-Dôme.
Républicain, conspirateur de la première heure,
l'aliéniste, qui dirige alors la quatrième section de
la Salpêtrière, a très tôt appartenu à diverses socié-

---

63. V. Hugo, *Choses vues, op. cit.*, p. 668.

tés secrètes affiliées à la Charbonnerie, hostile aux Bourbons, et participé à d'innombrables complots. Arrêté à plusieurs reprises, il comparaît notamment en 1832 au « procès des Quinze », aux côtés de Raspail et de Blanqui. Sa santé fragile, éprouvée par une incarcération à la prison de Clairvaux en 1835, l'éloigne un temps de la politique. Mais on le retrouve aux premières loges en 1848, dans de multiples fonctions : maire du XIIe arrondissement, président de la Commission de colonisation, lieutenant-colonel de la 12e légion sous les ordres de Barbès, vice-président de l'Assemblée constituante et, à partir du 12 mai, ministre des Travaux publics. Proudhon le tient en « affectueuse admiration », Louis Blanc pour une « nullité[64] ». Quant à Tocqueville, il y voit un « révolutionnaire du genre sentimental et rêveur [...], du reste, médecin de mérite qui dirigeait alors un des principaux hôpitaux de fous de Paris, quoiqu'il fût un timbré lui-même ». Le 15 mai, Trélat s'avance donc vers lui et, les larmes aux yeux, s'écrie : « Ah ! Monsieur, me dit-il, quel malheur et qu'il est étrange de penser que ce sont des fous, des fous véritables qui ont amené ceci ! Je les ai tous pratiqués ou traités. Blanqui est un fou, Barbès est un fou, Sobrier est un fou, Huber surtout est un fou, tous fous, monsieur, qui devraient être à ma Salpêtrière et non ici." » Et Tocqueville de commenter : « Il se serait assurément ajouté lui-même à la liste, s'il se fût aussi bien connu qu'il connaissait ses anciens amis. »

---

64. D'après Georges Duveau, *1848*, Gallimard, 1965, p. 124.

À supposer que l'anecdote rapportée par Tocqueville soit exacte, le docteur Trélat considérait-il vraiment ses camarades de lutte comme de vrais fous ? L'assertion serait digne d'intérêt, a fortiori venant d'un spécialiste autorisé de la maladie mentale, qui plus est d'extrême gauche. Mais, en même temps, quelle légitimité accorder à son jugement, si l'aliéniste était, toujours selon Tocqueville, « timbré » lui-même ? On mettra, en tout état de cause, sur le compte de la distraction (de Trélat ou de Tocqueville, impossible à trancher), voire de la métaphore, le fait de décréter mettre des hommes dans un asile réservé aux femmes.

Toute sa vie, Ulysse Trélat a alterné activités politiques et médicales. Il les a aussi confondues, pour le meilleur et pour le pire. Médecin très dévoué qui fit l'essentiel de sa carrière à la Salpêtrière, considéré comme un « saint » par son entourage et ses patients, il se préoccupe du sort des plus démunis et crée des sociétés de soutien pour venir en aide aux aliénées qui sortent de l'asile dépourvues de tout. S'il s'efforce de mettre son métier en accord avec ses convictions politiques et philanthropiques, il conçoit aussi, et de façon plus déconcertante, son rôle d'homme politique en aliéniste. Le 27 mai 1848, le ministre Trélat fait ainsi arrêter Émile Thomas, directeur du Bureau central des Ateliers nationaux, venu lui présenter sa démission, en justifiant cette initiative malheureuse à l'Assemblée par ces mots stupéfiants : « Détermination de médecin[65]. »

65. Très hostile aux Ateliers nationaux, Trélat démissionna de son

Trélat aurait-il la fâcheuse tendance, par opportunisme ou déformation professionnelle, à juger tous ses semblables dignes de l'asile ? Son ouvrage majeur, *La Folie lucide*, englobant pêle-mêle les monomanes, les aventuriers, les orgueilleux, les méchants, les kleptomanes, les suicidaires, les érotomanes, les dipsomanes et les faibles d'intelligence, montre en tout cas qu'en cette matière il avait l'esprit large.

La conclusion que Tocqueville tire de cet épisode soulève un autre débat. « J'ai toujours pensé, poursuit-il, que dans les révolutions et surtout dans les révolutions démocratiques, les fous, non pas ceux auxquels on donne ce nom par métaphore, mais les véritables, ont joué un rôle politique très considérable. Ce qu'il y a de certain, du moins, c'est qu'une demi-folie ne messied pas dans ces temps-là et sert même souvent au succès[66]. » On comprend ce que ce commentaire doit à la tradition antirévolutionnaire et à la conscience de classe, assimilant volontiers insurrection et démence, à contempler les portraits hideux et morbides que Tocqueville trace des meneurs de 1848. Voyez Blanqui, sur-

---

poste de ministre le 18 juin 1848. Par ses erreurs et son attentisme, il contribua à précipiter la crise qui devait trouver une sanglante issue lors des fameuses journées de Juin (22-26). Tous les éléments biographiques sur Trélat sont issus de deux ouvrages, le *Dictionnaire biographique du mouvement ouvrier français*, sous la dir. de Jean Maintron, Éditions ouvrières, 1966, et la préface de Pierre Morel au livre d'Ulysse Trélat, *La Folie lucide*, Frénésie éditions, 1988, p. v-xxi. Sur le passé carbonariste de Trélat, on consultera à profit sa contribution sur « La Charbonnerie » dans l'ouvrage collectif *Paris révolutionnaire*, Guillaumin et Cie, 1848, p. 217-260.

66. Alexis de Tocqueville, *Souvenirs*, Calmann-Lévy, 1893, p. 187.

nommé l'Enfermé pour avoir passé plus de trente ans dans les prisons d'État, « des joues hâves et flétries, des lèvres blanches, l'air malade, méchant et immonde, une pâleur sale, l'aspect d'un corps moisi », « qui semblait avoir vécu dans un égout et en sortir[67] ». Voyez Barbès, chez qui s'entremêlent « le démagogue, le fou et le chevalier », dit encore Tocqueville, pour préciser aussitôt : « Je crois qu'en lui le fou prédominait, et sa folie devenait furieuse quand il entendait la voix du peuple[68]. » À ces profils patibulaires et ces diagnostics sauvages on pourrait facilement opposer le jugement du docteur Lacambre, saluant l'exceptionnelle mécanique intellectuelle de Blanqui dans une lettre destinée à le rassurer sur sa lucidité, alors qu'il craignait lui-même souffrir de névrose : « Je suis convaincu que vous n'avez aucune lésion organique et que tout cela est l'effet de la captivité et du travail. Votre cerveau est un ressort d'une puissance immense et je m'étonne qu'il n'ait pas encore brisé en mille pièces les frêles rouages qui sont forcés de subir son impulsion[69]. » Ou encore ce passage d'une lettre de George Sand à Armand Barbès : « Vous ne vous *préservez* de rien, vous, quand tous les autres se mettent à l'abri. Aussi vous traitent-ils de fou, ceux qui ne peuvent vous imiter. Mais, selon moi, vous êtes le seul sage et le seul logique, comme vous êtes le meilleur et le plus loyal. […] Je vous

---

67. *Ibid.*, p. 181.
68. *Ibid.*, p. 182.
69. Cité par Maurice Dommanget, *Les Idées politiques et sociales d'Auguste Blanqui*, Librairie Marcel Rivière et Cie, 1957, p. 15.

dis tout cela, et pourtant, je n'accepte pas le 15 mai[70]. »

Si identifiables que soient les limites de son propos, Tocqueville, en postulant l'existence d'une articulation entre révolution et folie, est néanmoins le seul à formuler clairement une idée partagée par nombre de ses contemporains. Sous ce postulat, il y a d'abord une série d'évidences formelles communes qui tiennent surtout du cliché, perpétuant la figure de l'homme « hors de lui », dont l'*Autoportrait* de Courbet, dit *Le Désespéré* (1843), a popularisé l'image. Gestes, cris, regards, visages, attitudes. On n'y insistera jamais assez : ce sont d'abord et avant tout les corps insurgés du « peuple en haillons », corps marqués par la différence sociale formant une classe à part, barbare et hostile, qui provoquent le rejet, la peur, le dégoût, la répulsion, autant d'émotions analogues à celles dont le visiteur des asiles, face à des comportements inhabituels et des physionomies étranges, est assailli. Insurgés et insensés, dans les yeux bourgeois, se ressemblent. Forcenés, enragés, agités, excités, fanatiques, exaltés, frénétiques… Dans la presse, les mots sont les mêmes pour les décrire. Affranchis de la peur sociale, ils effraient la bourgeoisie. Ils n'ont plus rien à perdre. Les uns renversent l'ordre établi, les autres l'ordre de la raison. L'aliéné, rappelle avec effroi le docteur Bergeret, « étale aux yeux de l'observateur son état moral

---

70. Lettre du 14 mars 1849. Sand-Barbès, *Correspondance d'une amitié républicaine : 1848-1870*, préface et notes de Michelle Perrot, Le Capucin, 1999, p. 33.

dans toute sa nudité[71] ». Tels, l'homme ou la femme des barricades et des émeutes.

Que l'accomplissement d'une révolution dépende de l'audace et de l'ardeur de quelques meneurs, dont l'énergie ou les débordements se confondent avec les gestes de la folie, n'a rien de très original ni de très neuf. À la violence officielle, cadre immanent de l'ordre et de la raison, les révolutionnaires opposent, en effet, une « folie », un surcroît d'exaltation, qui ne serait en réalité qu'un dépassement de soi, une énergie hors norme, dont dépendent, en 1848, la transformation de la société et l'instauration de la république démocratique et sociale. Or il est très frappant de constater aussi, subliminale, la valeur *positive* attribuée ou associée à cette énergie et aux prétendus moments d'égarement du peuple. Écoutons Lamartine décrire « les physionomies pâles et exaltées jusqu'au délire » des insurgés de Février, leurs yeux « fixes comme dans la démence », avant d'ajouter : « C'était la démence de la liberté[72]. » Ou Marie d'Agoult parler, au sujet du 15 mai, de « ces hommes égarés par la passion, mais *bien intentionnés* dans leur folie[73] » (et non l'inverse). Même Tocqueville reconnaît, comme à son corps défendant, l'intégrité morale de cette « folie »-là de l'idéal révolutionnaire. Barbès, avoue-t-il, est celui

71. Dr Bergeret, « Cas nombreux d'aliénation mentale... », art. cité, p. 141.

72. Alphonse de Lamartine, *Histoire de la révolution de 1848*, t. I, Perrotin libraire-éditeur, 1849, p. 233.

73. Daniel Stern (Marie d'Agoult), *Histoire de la révolution de 1848*, t. III, Gustave Sandré, 1853, p. 33. C'est moi qui souligne.

qu'il redoute le plus, car il est « le plus insensé, le plus *désintéressé* et le plus résolu de tous[74] ».

Péjorative ou tacitement saluée, pourquoi la violence des insurrections est-elle toujours associée à la folie, quand celle de la répression ne l'est jamais ? Blanqui est un fou à enfermer, mais Cavaignac, qui transforme les journées de Juin en bain de sang, est salué en sauveur de la patrie. Singulière manie que de vilipender les soulèvements populaires et de récompenser le massacre ; étrange règle que d'installer systématiquement la révolution dans la démence et de parer la réaction des vertus du bon sens. Mais ces exigences de la « gouvernementalité », n'est-ce pas ce qu'on a coutume d'appeler, et fort à propos, la *raison* d'État ?

Ces questions se poseront avec une acuité redoublée sous la Commune, où jamais les horreurs commises par les Versaillais ne seront soumises à un quelconque diagnostic de folie collective. Le pouvoir ne peut pas être fou, a fortiori sous un régime dit « démocratique ». On serait pourtant tenté de croire, avec Ionesco, qu'à bien des égards « LA RAISON c'est la folie du plus fort. La raison du moins fort c'est de la folie[75] ».

Jeune étudiant arrêté au cours des journées de Juin, François Pardigon a vu sous ses yeux, parmi le millier de prisonniers entassés comme lui dans le caveau des Tuileries, près de 200 de ses camarades

---

74. A. de Tocqueville, *Souvenirs*, *op. cit.*, p. 182. C'est moi qui souligne.

75. Eugène Ionesco, *Journal en miettes*, Mercure de France, 1967, p. 223.

« perdre la tête », alors que la garde nationale les mettait en joue à travers la grille des soupiraux et tirait sur le premier qui s'approchait pour prendre de l'air. L'un d'eux réclame sa femme, un deuxième fait valoir qu'il doit rentrer tenir boutique, un troisième exige de sortir pour boire une bière, comme si cette soudaine inconscience les sauvait de l'horreur de leur situation. « Rien n'était plus plaisant — si quelque chose pouvait être plaisant à cette heure — que l'air de souverain mépris avec lequel ils nous regardaient, quand nous répondions : "Ce n'est pas possible ; vous allez tous vous faire tuer !" Leur œil étonné cherchait le danger et ne le trouvait pas[76]. »

À côté de la folie comme cause de la révolution, qui emprunte pour beaucoup à des préjugés idéologiques identifiant *visuellement* l'insurgé désespéré au dément, les diverses formes qu'emprunte la folie à titre de conséquences de la répression (refuge, basculement dans une inconscience rédemptrice) apparaissent nettement plus pertinentes sur le plan clinique. La plupart des études qui devaient découler des événements analyseront bien davantage la terreur subie qu'infligée, quel que soit le camp adopté. En témoigne par exemple le cas de ce peintre en bâtiment qui avait pris part aux journées de Juin et qui avait failli être fusillé, avant d'être transporté sur les pontons, ces navires de guerre désarmés ancrés à proximité des côtes, qui servirent de prisons flottantes aux insurgés de 1848.

---

76. François Pardigon, *Épisodes des journées de juin 1848*, présentation d'Alix Héricord, La Fabrique, 2008, p. 191.

Paul Briquet, en 1859, y voyait l'un des premiers cas d'hystérie masculine (attaque convulsive, vertige, boule à la gorge, perte de connaissance, sanglots au réveil) due à des « émotions vives[77] ».

Les démocrates hallucinés

En 1848, la question d'une relation entre révolution et folie prend un relief particulier avec l'instauration du suffrage universel masculin et l'avènement de la souveraineté populaire. Cette « révolution véritable[78] », selon Marie d'Agoult, première dans le monde, fonde l'inimaginable : la participation de tous les hommes, y compris des domestiques, des pauvres et des soldats, à la vie du pouvoir. Le corps électoral passe de 250 000 citoyens à 9 500 000. En termes psychiatriques, cette nouvelle passion de l'égalité a un nom : c'est la maladie démocratique.

Avant que la science s'en empare, on trouve l'expression sous la plume d'Alfred de Vigny, qui écrivait déjà en 1832 : « La maladie démocratique, c'est l'Élection[79]. » Elle figure surtout dans un texte visionnaire d'Alexis de Tocqueville, *De la classe moyenne et du peuple*, où l'auteur évoquait le « grand champ de bataille » que promettait de de-

77. Paul Briquet, *Traité clinique et thérapeutique de l'hystérie*, J.-B. Baillière et fils, 1859, p. 21-23.
78. Daniel Stern (Marie d'Agoult), *Histoire de la révolution de 1848*, *op. cit.*, t. II, 1851, p. 357.
79. Alfred de Vigny, *Œuvres*, t. II, Gallimard, « Bibliothèque de la Pléiade », 1948, p. 969.

venir bientôt le droit à la propriété : « Qui ne reconnaît là, écrivait-il en octobre 1847, le dernier symptôme de cette veille maladie démocratique du temps dont peut-être la crise approche [80] ? » Le printemps des peuples devait répondre quelques mois plus tard à sa question.

En 1850 paraît en Allemagne une thèse de médecine soutenue l'année précédente, *Die Demokratische Krankheit, eine neue Wahnsinns Form ou De morbo democratico, nova insaniæ forma*, traduite la même année en France sous le titre, *De la maladie démocratique, nouvelle espèce de folie*. Un coup d'œil à la table des matières indique que l'auteur compte faire l'étiologie de la maladie, son diagnostic et proposer un traitement. L'auteur, Carl Theodor Groddeck (le père de Georg Groddeck, « analyste incomparable » d'après Freud), n'est pas aliéniste. Il est en revanche ultraconservateur et nationaliste, comme nous l'apprend son livre, décrivant le conflit entre l'individu et le social, le moi et le non-moi, au cœur d'un monde où l'État doit être le garant de l'ordre. Le mariage, l'éducation, la discipline, la moralité, l'obéissance, le sentiment national, l'amour de la patrie constituent les bases de la société. Les bafouer, en cédant aux « passions égoïstes », en promouvant un « système de négation » et d'amour de la liberté « sans direction et sans limite », c'est tomber dans l'erreur et la folie. « La révolution de février avait renversé toutes les barrières de la compression.

---

80. Alexis de Tocqueville, *Œuvres complètes*, vol. IX, Michel Lévy frères, 1866, p. 518.

Sortie du sang et des ruines des barricades, la souveraineté du peuple leva sa tête menaçante[81]. » L'épidémie contamine alors l'Europe entière, en vertu de l'« instinct d'imitation » — l'Allemagne aura sa révolution de Mars. Le mot « démocratie » court sur toutes les lèvres. L'anarchie prolifère, et la folie avec. Groddeck, qui consacre 50 pages à l'étiologie de la maladie, et à peine 12 à sa description, aux diagnostic, pronostic et traitement, renonce à « raconter tous les égarements ridicules auxquels a conduit la manie du progrès[82] » mais se veut rassurant, en prévoyant une extinction progressive de l'épidémie, sous prétexte que « toute l'histoire de l'Allemagne est essentiellement monarchique[83] ». Le seul traitement envisagé consiste à travailler à l'unité nationale, en imprimant une nouvelle direction à ce concept qui avait fait la fortune de la révolution.

L'intérêt que cet essai engagé de psychopathologie a suscité auprès des aliénistes, comme le suggère Alain Chevrier dans un article consacré à la réception du livre en France, tient très certainement, en grande partie, à son « titre-choc[84] », qui n'est pas passé inaperçu dans les cercles savants de Berlin. L'un des motifs de fierté du lauréat aura été

---

81. Dr C. Th. Groddeck, *De la maladie démocratique, nouvelle espèce de folie*, Germer-Baillière, 1850, p. 50-51.

82. *Ibid.*, p. 56.

83. *Ibid.*, p. 59.

84. Alain Chevrier, « Psychiatrie et politique : sur la réception en France de "la maladie démocratique" de Carl Groddeck », *L'Évolution psychiatrique*, t. LVIII, fascicule 3, juillet-septembre 1993, p. 605. On se reportera également à l'article de Jacquy Chemouni, « Psychopathologie de la démocratie », *Frénésie*, vol. II, n° 10, 1992, p. 265-282.

de s'être fait huer lors de la soutenance, où de jeunes démocrates allemands l'avaient poussé dans ses derniers retranchements au cours de la *disputatio* en latin, dans une salle comble[85]. Il n'empêche qu'à peine un an plus tard son texte est traduit en français chez l'éditeur officiel des aliénistes, et recensé dans les *Annales médico-psychologiques*. Sans surprise, l'article est signé par Alexandre Brierre de Boismont. L'auteur emprunte au mode satirique et recourt à une astuce éprouvée, en imaginant un dialogue avec un de ses amis médecins, son double imaginaire sur lequel il se défausse, qui n'aurait pas lu le livre — aubaine pour n'en point parler — mais qui prétend, à partir du titre, pouvoir en deviner le contenu ou du moins l'esprit — prétexte à livrer ses propres opinions politiques sur le sujet.

Tout est dit, et le ton donné, dès le premier paragraphe. « — Voilà un mauvais titre, me dit-il ; le *morbus democraticus* n'est pas nouveau, il date du premier âge du monde. Satan en était atteint lorsqu'il déclara la guerre à l'Éternel. » Pour le médecin, l'ouvrage aurait dû s'intituler *De morbo demagogico, antiqua insaniæ forma, hodie epidemica* (De la maladie démagogique, ancienne forme de folie, actuelle épidémie). Résumée à une « fièvre de la révolte contre tout principe d'autorité », la maladie démocratique, « germe de toutes les révolutions[86] »,

---

85. Un correspondant anonyme de Berlin fait le récit de cet épisode dans une lettre pleine de verve et d'ironie envoyée à *La Liberté de penser, revue philosophique et littéraire*, s. l., 1849, p. 515-518.
86. Alexandre Brierre de Boismont, « Die Demokratische Krankheit, eine neue Wahnsinns Form ou *De morbo democratico, nova*

serait aussi ancienne que la passion où elle trouve sa source : l'orgueil, toujours l'orgueil, rappelle-t-il, en reprenant les mots du contre-révolutionnaire espagnol Donoso Cortès, qui fit l'éloge de la dictature dans un discours célèbre en réponse aux événements de 1848. Prendre la place des riches, des nobles et des puissants, voilà l'éternelle pulsion qui motive les démagogues dits « démocrates ». La nouveauté, c'est que le mal a pris les proportions d'une épidémie.

Brierre de Boismont, qui n'a manifestement rien à dire sur le travail de Groddeck, se saisit en revanche du thème avec jubilation et surenchérit, en adaptant la classification canonique des maladies mentales aux démocrates, rangés en « maniaques, monomanes, déments, idiots ». De la description des symptômes au diagnostic, tout le répertoire antirévolutionnaire y passe, à commencer par le portrait-robot de l'insurgé écumant :

> Les maniaques se montrent de préférence dans les réunions fraternelles appelées clubs. Ils ont les cheveux hérissés, très souvent incultes, les yeux hagards, la bouche convulsée ; leur parole se traduit le plus ordinairement par des sons rauques, des vociférations, des menaces, des cris de fureur parmi lesquels on distingue les mots d'*infâme capital*, de *misérables bourgeois*, de *liquidation de l'ancienne société*. [...] Une des principales variétés de cette folie maniaque est le *delirium tremens*. [...] Le mal

---

insaniæ forma par le Dr C.-Th. Groddeck », *Annales médico-psychologiques*, t. II, 1850, p. 519.

se reconnaît facilement aux signes suivants : L'individu qui veut prendre la parole a un tremblement général, la langue est épaisse et n'articule qu'incomplètement, les yeux sont hors de la tête, la figure est pourpre, l'haleine a une odeur *sui generis* : l'imagination est en proie à des hallucinations effrayantes [...][87].

Mais c'est avec la classe des monomanes que Brierre de Boismont précise sa pensée et aborde le versant idéologique du problème :

> Le monomane communiste anéantit toutes les séparations factices, les distinctions arbitraires ; avec lui, la fraternité gouverne le monde ; on ne reconnaît plus qu'un titre, la vertu ; on n'a qu'un souci, le bonheur commun : c'est à qui s'oubliera pour mieux songer aux autres. Les armées disparaissent, faute d'emploi, on ne lutte que contre la nature ; les passions s'évanouissent, les animaux les plus farouches viennent se ranger sous les ordres de l'homme. Les fils d'Adam jouissent enfin d'un héritage laborieusement conquis ; ils sont les souverains de la terre. Pour arriver à ce magnifique résultat, il s'agit d'une bagatelle, faire abnégation de son individualité, déposer ce que l'on a dans le tronc commun, et ne pas écrire des lettres d'Amérique aux malintentionnés de l'Europe[88].

Cette dernière allusion indique que le médecin, plus qu'au marxisme, s'attaque à un courant du communisme utopique, emmené par Étienne Cabet, théoricien d'une communauté idéale, l'Icarie, qu'une centaine d'adeptes avaient tenté de

---

87. *Ibid.*, p. 520-521.
88. *Ibid.*, p. 521.

mettre en place au Texas, puis dans le reste des États-Unis. Sur la page de titre de *Voyage en Icarie*, publié en 1840 et plusieurs fois réédité, on peut lire les principes fondateurs de cette république rêvée : « Premier droit : Vivre », « À chacun suivant ses besoins », « Premier devoir : travailler », « De chacun suivant ses forces[89] ». La grande passion de Cabet, c'est l'égalité, jusqu'au totalitarisme. À Icara, capitale imaginaire, il n'y a ni maîtres ni opprimés, tous les Icariens sont ouvriers, tous les métiers se valent, toutes les maisons sont identiques (y compris le mobilier), tous les vêtements aussi ; le même emploi du temps règle la vie des Icariens selon une stricte discipline, de cinq heures du matin jusqu'au couvre-feu, à vingt-deux heures. Dans cette société sans classes et sans État, sans prisons et sans monnaie, le peuple est souverain, et partage tous les biens.

À travers le cabétisme, évoqué par Engels comme un mouvement pionnier malgré son côté mal dégrossi[90], c'est bien sûr le communisme dans son ensemble que vise Brierre de Boismont, dont l'aver-

---

89. Étienne Cabet, *Voyage en Icarie*, Au bureau du populaire, 1848. Voir également Yolaine Dilas-Rocherieux, « Utopie et communisme. Étienne Cabet : de la théorie à la pratique », *Revue d'histoire moderne et contemporaine*, vol. XL, n° 2, avril-juin 1993, p. 256-271.

90. Dans la préface à l'édition allemande de 1890 du *Manifeste du parti communiste* (1847), Engels rappelle qu'en 1847 « le socialisme signifiait un mouvement bourgeois, le communisme, un mouvement ouvrier » : «[La] partie des ouvriers qui, convaincue de l'insuffisance des simples bouleversements politiques, réclamait une transformation fondamentale de la société, s'appelait alors communiste. C'était un communisme à peine dégrossi, purement instinctif, parfois un peu grossier ; mais il était assez puissant pour donner naissance à deux systèmes de communisme utopique : en France l'Icarie de Cabet et en Allemagne le système de Weitling. »

sion pour les mouvements ouvriers devait culminer en 1871, lorsqu'il réclamera des asiles spéciaux pour les communards. Mais ce que Brierre de Boismont, aveuglé par sa haine de classe, refuse de voir, c'est ce que l'idéal communiste partage pourtant avec l'utopie asilaire. Pour le docteur Bouchet, disciple d'Esquirol et directeur de l'asile de Nantes, le lien relève de l'évidence. Le communisme figure comme une source directe d'inspiration, même s'il lui coûte un peu de le reconnaître dans un contexte aussi mouvementé que celui de 1848 :

> C'est avec regret que je me vois forcé d'emprunter un langage devenu politique dans le moment présent, mais il est très vrai que ce sont les principes mêmes du communisme dont l'application est faite au régime des aliénés. La raison en est simple : la plupart du temps la maladie n'est que la conséquence du principe de l'individualisme porté à l'excès dans la famille, la propriété, le travail et la liberté. Son remède se trouve donc dans la disposition contraire, c'est-à-dire dans l'abnégation de soi-même, et la régularisation des actes soumise à la direction d'une pensée étrangère. Sous l'empire de ces principes la lutte a cessé, le cerveau et ses facultés sont entrés peu à peu dans le repos. Le sentiment du communisme s'est infiltré peu à peu dans la pensée, dans les actes ; il a suspendu les élans de l'individualisme et les écarts qui en étaient le résultat ; mais il ne les a que suspendus. Ils reparaîtront tous, si vous supprimez brusquement les liens qui les retiennent [91].

---

91. Dr Bouchet, « Du travail appliqué aux aliénés », *Annales médico-psychologiques*, t. XII, 1848, p. 307-308. Dans « Des maisons d'aliénés », Esquirol cite le docteur Bouchet en exemple, qui « a établi un ordre admirable » à l'asile Saint-Jacques de Nantes. Voir D.-E.-J. Esquirol, *Des maladies mentales, op. cit.*, t. II, p. 175.

Il n'est pas anodin que le docteur Bouchet fasse cette remarque dans un article consacré au travail des aliénés. On se souvient des recommandations de Pinel sur la discipline ouvrière, des mesures préconisées par Royer-Collard à Charenton, suivies par l'initiative de Guillaume Ferrus de créer en 1834 la ferme Sainte-Anne, où les aliénés de Bicêtre venaient cultiver la terre. En 1848, décidé à combattre l'« individualisme » des aliénés, auxquels on reproche si souvent leur « égoïsme », l'asile s'est transformé en une gigantesque machine à redresser les torts, soumettre les corps et contrôler les consciences. Le « communisme » aliéniste, image que Bouchet emprunte certes « à regret » et dans un sens excédant l'actualité du contexte politique, signale en réalité la connivence très précoce de la psychiatrie avec la tentation totalitaire.

Brierre de Boismont, directeur d'une maison de santé privée, préfère, lui, s'en prendre aux utopistes sur le ton du ricanement, en ajoutant à sa nomenclature politico-morbide le « monomane à attraction passionnelle », pour qui « le travail devient une fête continue » et qui rentre le soir « dans ces palais bâtis par la main des fées », derrière lesquels on reconnaît les phalanstères fouriéristes, cadre d'un nouveau monde amoureux promouvant l'émancipation des femmes et la liberté sexuelle : « Le paradis terrestre existe ; la femme, pourvue d'un époux, d'un géniteur, de sigisbées et de successifs [*sic*], chante le bonheur sur tous les tons. C'est en vain qu'un envieux s'écrie : *Orgie*, les beaux jours du monde sont enfin venus[92]. » Après les déments, girouettes politiques affectés d'amnésie, les imbéciles et les idiots, « adorateurs de toutes les idées fausses qui pullulent dans le monde[93] », ferment le bal lamentable des démocrates maladifs.

Avec cet article, dont on n'exagérera pas l'importance (ce n'est jamais que la recension d'un livre), Brierre de Boismont livre néanmoins ce que Groddeck s'est abstenu de produire : une lecture médicale « aliéniste » de la gauche autour de 1848. Certes, le traitement ironique du propos, parodie de diagnostic, interdit a priori de prendre au pied de la lettre un texte plus proche de la pochade que de l'article scientifique. Mais est-ce si sûr ? En 1871, Brierre de Boismont, devant les ruines de la Commune, exprime cette fois sans détour ses convictions profondes, dont il exige qu'elles soient rétrospectivement prises au sérieux :

> Il y a vingt-et-un ans, je rendais compte dans les *Annales médico-psychologiques* (1850) d'une brochure allemande ayant pour titre *Morbus democraticus*. Frappé moi-même de la gravité des faits de 1848, car, dès cette époque j'habitais le haut du faubourg Saint-Antoine, je signalai dans cette analyse la folie démocratique, égalitaire et sociale, avec ses maniaques, ses monomanes, ses déments et ses idiots, que j'avais pu étudier à fond sur les ouvriers de ce quartier. [...] L'étude de ce monde m'a conduit à le considérer comme une collection de fous de la pire espèce, bien plus dangereux que les fous criminels. Le caractère distinctif des seconds consiste à tuer, à voler quelques individus et à incendier quelques bâti-

92. Alexandre Brierre de Boismont, art. cit., p. 521-522.
93. *Ibid.*, p. 523.

ments, tandis que celui des premiers est d'assassiner en entier la société et de brûler tous les monuments qui font l'orgueil d'une nation[94].

La maladie démocratique est bel et bien une maladie grave, chronique. Et c'est une maladie de classe, celle du prolétariat, dont la psychiatrie, science bourgeoise, scrute le profil pathologique, l'anatomie et les symptômes, avec un effroi qui exprime, pour reprendre une formule de Louis Chevalier, « le caractère véritablement racial des antagonismes sociaux[95] ».

L'ASILE DE LA MISÈRE

En 1848, les ouvriers composent 40 % de la population parisienne, qui, avec plus d'un million d'habitants, a doublé en un demi-siècle, sous l'effet de l'industrialisation et de l'exode rural. La journée de travail, dans des conditions souvent malsaines et très dures, est fixée à un maximum de douze heures, ramenée à huit pour les enfants, qui commencent dès huit ans, l'âge légal. Mais en 1851, une nouvelle loi autorise de multiples dérogations.

---

94. Alexandre Brierre de Boismont, *Revue médicale*, 31 juillet 1871, cité par Prosper Despine, *De la folie au point de vue philosophique ou plus spécialement psychologique étudiée chez le malade et chez l'homme en santé*, F. Savy, 1875, p. 785-786. Cité par A. Chevrier, « Psychiatrie et politique », art. cité, p. 609.

95. Louis Chevalier, *Classes laborieuses et classes dangereuses* [1958], Perrin, 2007, p. 518.

La journée atteint souvent quinze heures, pour un salaire qui passe de 3,82 francs par jour en 1847 à 4,99 francs en 1871 en moyenne à Paris, où de fortes disparités existent selon les âges, les métiers et les sexes. Cette augmentation de 30 % sur un quart de siècle en fait le salaire le plus élevé d'Europe — l'Angleterre mise à part. Il reste cependant très insuffisant par rapport à l'explosion des loyers due aux travaux d'Haussmann, qui refoulent les ouvriers vers la périphérie, les obligeant à déménager sans cesse, et à la hausse des prix dans l'alimentation (50 % pour le vin et l'huile, 80 % pour le beurre, le fromage et les œufs, 100 % pour la viande, rien qu'entre 1847 et 1857). Le chômage périodique, structurel, grève les budgets et ne permet pas une vie décente. En 1860, plus de la moitié des ouvriers sont endettés et risquent la prison en vertu de la contrainte par corps. Entre 1860 et 1868, le nombre d'indigents inscrits au bureau de bienfaisance triple à Montmartre[96].

Qu'on l'appelle pauvreté, misère ou paupérisme, c'est un des fléaux majeurs du siècle. L'hôpital et l'hospice en prennent chaque jour la mesure, à soigner des corps brisés par la fatigue et l'indigence. L'asile d'aliénés aussi. L'exemple qui ouvre, d'après des renseignements pris en 1856, la grande enquête

96. Tous ces chiffres proviennent de l'entrée « Ouvriers » du *Dictionnaire du Second Empire*, sous la direction de Jean Tulard, Fayard, 1995. Voir également Stéphane Rials, *Nouvelle histoire de Paris : de Trochu à Thiers (1870-1873)*, Hachette, 1985, p. 22-33. Être inscrit au bureau de bienfaisance est un privilège. Tous n'y ont pas accès. On compte par ailleurs, sous le Second Empire, 250 000 mendiants en France.

dirigée par Frédéric Le Play sur *Les Ouvriers des deux mondes* l'illustre bien. Il s'agit d'un charpentier parisien, compagnon du Devoir, victime de congestions pulmonaires propres à son métier souvent exercé en plein air, et de cinq blessures aux membres supérieurs. Sa femme, qui a eu six enfants en huit ans, dont quatre sont morts en bas âge d'affections intestinales, souffre d'accidents nerveux rattachés à l'hystérie ; elle a exercé le métier éprouvant de polisseuse en métaux, qui lui a occasionné une paralysie du bras droit, et celui de marchande de légumes à la halle ; son frère, atteint d'un ramollissement du cerveau, a perdu la raison, sa sœur décédée était épileptique, et la vie du père a été abrégée par l'alcool. Le couple vit avec ses deux enfants dans un deux pièces de 21 mètres carrés, au cœur de l'actuel Marais[97].

À Bicêtre et à la Salpêtrière, 60 % des internés en moyenne sont issus de la classe ouvrière, incluant les artisans et les journaliers exerçant des métiers de portage ou de récupération (comme les porteurs d'eau ou les chiffonniers) ; pour le reste, petits employés, petits commerçants, domestiques ou vagabonds, ils sont rares à n'être pas marqués par les accidents du travail et de la vie. Les femmes, surtout célibataires ou veuves, subissent les premières et de plein fouet les conséquences de la précarité et du dénuement qui les font échouer,

97. Frédéric Le Play, *Les Ouvriers des deux mondes : études sur les travaux, la vie domestique et la condition morale des populations ouvrières des diverses contrées et sur les rapports qui les unissent aux autres classes*, Société internationale des études pratiques d'économie sociale, 1857-1885, 1re série, t. I, 1857, p. 30-31.

en dernière extrémité, à la Salpêtrière. En 1851, Ulysse Trélat entreprend de reprendre un ensemble d'observations dont les premières remontent à 1820. Ce registre, très abîmé, énumérant 330 cas, offre un survol exceptionnel de trente ans de misère et de folie conjuguées, pour des femmes dont certaines auront l'asile comme seul horizon.

Jeanne C., entrée le 19 octobre 1796, morte en septembre 1852 : « Entrée à 12 ans dans la maison, elle y a passé sa vie entière, incapable de faire autre chose qu'un travail de charpie ou d'effilage de la laine[98]. » Marie Marguerite V., entrée le 25 octobre 1821, à l'âge de cinquante-sept ans, couturière, transférée le 15 décembre 1852 : « Faiblesse intellectuelle : elle sait un peu lire, répond assez bien, raconte, mais a toujours été dans l'impossibilité de se diriger : elle poursuivait les hommes ; n'a aucun appui : personne ne vient la voir. [...] Si on la tourmente un peu, elle divague : "On lui a proposé un jour pour état de laver la chemise des guillotinés, avec trois francs par jour ; mais elle ne veut pas du pain gagné de cette façon"[99]. » Désirée M., entrée le 2 octobre 1822 : « Faiblesse intellectuelle congénitale. Elle coud assez bien, est assidue à son travail : mais ne sait pas compter au-delà de vingt, ne sait ni en quel mois, ni en quelle année elle est ; ne pourrait se diriger & fait partie des êtres malheureusement trop nombreux dont la séquestration

---

98. AAP-HP, Salpêtrière, Registre d'observations médicales, 5e division, 1re section, 1820-1851, 6R1, f° 2.

99. *Ibid.*, f° 8.

est nécessitée par la privation d'une famille dans l'aisance [100]. »

Les professions ne sont pas systématiquement mentionnées, mais parmi les groupes les plus représentés on trouve 35 couturières, 16 domestiques, 14 blanchisseuses, 13 journalières, 12 cuisinières, 10 lingères, 7 filles publiques, 6 brodeuses, 5 femmes de ménage, 4 passementières, 4 journalières, 3 institutrices, 3 jardinières, 3 marchandes des quatre saisons, 3 marchandes de dentelles, 3 giletières, 3 piqueuses de bottines. Les autres appartiennent aux divers métiers du fil et de l'aiguille (fileuses, plumassières, matelassières…), du bois et du métal (doreuses, polisseuses, brunisseuses…), de l'industrie du vêtement (ouvrières en casquettes, en bretelles, gantières, corsetières…) ou du petit commerce (de la fleuriste à la marchande d'oranges).

Cette distribution socioprofessionnelle n'évolue guère au cours du siècle. À la fin du Second empire, les couturières, dont le nombre est alors évalué à 100 000 à Paris, sont toujours en tête des métiers les plus représentés à la Salpêtrière, où le prolétariat domine de façon écrasante. Face à ces femmes qui arrivent dépourvues de tout à l'asile, le médecin incarne à double titre la classe dominante, masculine et bourgeoise. Il est le juge et le protecteur, l'incarnation de la loi, de la science, et de la charité. L'intimidation, qui fait partie du traitement moral, repose d'abord sur cette différence sociale muette, donnée d'emblée, à travers

100. *Ibid.*, f° 10.

l'habillement, la pose, le regard, les gestes et le savoir du « docteur », agent face à sa patiente. Esquirol, qui a soigné certaines des patientes mentionnées dans le registre cité, observait comme ingénument en 1818 :

> Les circonstances m'ont permis d'être le médecin d'un hospice où l'on ne reçoit que des aliénés pauvres, et en même temps de diriger un asile particulier où l'on ne reçoit que des aliénés riches. Dans l'asile particulier, j'exerce une plus grande influence sur le quartier des femmes que sur celui des hommes ; mais cette influence est plus marquée encore sur nos aliénées de la Salpêtrière. Les habitantes de cette maison me regardent comme d'une condition bien supérieure à elles ; aussi m'est-il arrivé plusieurs fois de rendre, comme par enchantement, une aliénée à la raison, en lui accordant un entretien dans mon cabinet : plusieurs d'entre elles ont donné des signes de guérison dès l'instant même [101].

Cinquante ans plus tard, le docteur Voisin rapporte dans ses *Leçons cliniques* le cas d'une patiente de la Salpêtrière qui pleurait en s'approchant et disait ne pas oser venir parce qu'elle n'était pas « assez bien habillée pour *entrer dans la ville* [102] ».

Tout au long du siècle, la misère étend ses ravages ; et les registres des asiles en livrent, par anamorphose, la sinistre trace. « Cette surexcitation semble être produite par un excès de misère

---

101. J.-E.-D. Esquirol, « Maison d'aliénés », *Dictionnaire des sciences médicales*, vol. XXX, Panckoucke, 1818, p. 84.

102. Dr Auguste Voisin, *Leçons cliniques sur les maladies mentales et sur les maladies nerveuses*, Librairie J.-B. Baillière et fils, 1883, p. 428.

et de privation. Elle mangeait les restes de son enfant[103] », est-il rapporté en 1853, à propos d'une femme abandonnée par son amant, et que le médecin résiste apparemment à qualifier de maniaque. « Ce n'est pas une véritable aliénée. On ne devrait pas surcharger les services d'aliénés de pareils vieillards qui n'ont besoin que d'une bonne infirmerie[104] », s'agace Mitivié en février 1857, au sujet d'une femme de soixante-seize ans, qui mourra de démence sénile deux mois plus tard. « Ne paraît pas être aliénée, cette femme est très affaiblie par la misère, les privations et une toux opiniâtre[105] », note-t-il encore en 1860. « Attitude mélancolique : sentiments de craintes de ne pouvoir suffire aux besoins de sa famille et de manquer à tout : désespoir[106] », diagnostique Girard de Cailleux en 1868, au sujet d'une femme ayant fait une tentative de suicide. « Est dans un état de cachexie très prononcé ; ne peut se servir de ses membres ; mais *n'est pas aliénée*, et son placement ici est aussi contraire à la loi que les placements de bien d'autres que j'ai déjà signalés[107] », renchérit Auguste Voisin en

---

103. AAP-HP, Salpêtrière, Registre d'observations médicales, 5e division, 5e section, 1852-1855, 6R76, f° 92. Entrée le 18 mai 1853, sortie le 6 mai 1854.

104. *Ibid.*, 5e division, 2e section, 1856-1857, 6R26, f° 262. Entrée le 15 février 1857, morte le 4 avril 1857.

105. *Ibid.*, 1860-1861, 6R29, f° 36. Entrée le 28 mars 1860, décédée le 20 avril 1860.

106. *Ibid.*, 1864-1869, 6R33, f° 138. Entrée le 7 janvier 1868, morte le 16 janvier 1868.

107. *Ibid.*, 5e division, 1re section, 1868-1871, 6R8, f° 81. Entrée le 21 mars 1869, morte le 1er juillet 1869.

1869. « Crainte de manquer de travail ; appréhension de la misère ; idées de suicide ; génuflexions[108] », résume Lucas en 1871.

Plus glaçants encore que ces récupérations désespérées, on note la progression d'internements *délibérés*, qui restituent à l'asile son sens d'abri de dernier recours. Difficile de toucher ici de plus près le fond de la détresse. « Arrêtée ayant brisé une devanture de boutique afin de se faire arrêter ; persécutions vagues, on l'empêche de se placer ; elle veut avoir des certificats d'anciens maîtres qu'elle ne peut retrouver ; délire datant de plusieurs mois[109] », inscrit Lasègue en 1863. Et l'année suivante : « Arrêtée sur sa demande. Refus de travailler et de retourner chez ses parents. Demande insistante d'être réintégrée. Déclare qu'elle commettra des sottises jusqu'à ce qu'on l'ait reprise[110]. » Trélat poursuit en 1870 à propos d'une lingère de quarante-six ans : « Aujourd'hui, la malade est hypochondriaque. Elle répond cependant exactement et ne désire pas sortir de l'établissement[111]. » Le médecin note encore la même année le cas d'une femme sans profession de cinquante-cinq ans : « Cette malade sur laquelle nous n'avons pas de renseignements est triste, pleure, dit que sa sortie lui a

108. *Ibid.*, f° 324. Entrée le 25 septembre 1871. La citation est le report du certificat de transfert, signé par le docteur Lucas, médecin de Sainte-Anne, daté du 24 septembre 1871.
109. *Ibid.*, 5e division, 3e section, 1862-1863, 6R45, f° 332. Entrée le 31 mars 1863, sortie le 17 avril 1863.
110. *Ibid.*, 5e division, 2e section, 1863-1865, 6R31, f° 171. Entrée le 13 mai 1864, rendue à sa mère le 16 février 1865.
111. *Ibid.*, 5e division, 4e section, 1870-1873, 6R61, f° 119. Entrée le 8 septembre 1870, transférée à Ville-Évrard (sans date).

été proposée plusieurs fois mais qu'elle ne s'est pas sentie dans le cas de l'accepter[112]. »

Qu'est-ce donc que la folie, à la lecture de cette litanie de misères, sinon l'expression ultime du désarroi ? Comment ne pas rester confondu devant certaines situations, comme celle de cette femme de trente ans, affectée de « manie hystérique avec prédominance d'idées d'empoisonnement », persuadée qu'on lui veut du mal et « qu'il doit y avoir une victime », dont le mari rapporte que, « mariée avant seize ans, elle a eu dix enfants et 14 fausses couches[113] » ? Si l'asile est bien un instrument de contrôle social destiné à remettre dans le droit chemin des filles publiques ou des femmes « réfractaires à toute règle », « insoumises », « rebelles », il est aussi ce mouroir où sombrent celles qui ont tout perdu, des moyens de subsistance à l'intégrité physique la plus élémentaire.

Dans ce contexte, la situation de la Salpêtrière est d'autant plus critique que les hôpitaux alentour y déchargent sans vergogne leurs cas les plus encombrants : « La nommée... nous est envoyée de l'Hôtel-Dieu dans l'état le plus grave, froide, n'ayant presque plus de pouls, avec une diarrhée abondante, cyanosée aux mains, offrant tous les signes les plus alarmants. Elle va mourir. / Pendant que j'écris ce certificat, j'apprends que cette malade est morte. Comment a-t-on pu décider et accomplir sa

---

112. *Ibid.*, f⁰ 138. Venue de la 5ᵉ section le 8 septembre 1870, sortie le 30 octobre 1870.

113. *Ibid.*, 5ᵉ division, 2ᵉ section, 1863-1865, 6R31, f⁰ 252. Entrée le 5 août 1864, rendu à son mari le 6 novembre 1864.

translation dans une situation pareille[114] ? » s'interroge Trélat en direct, désarmé, en 1866. La situation s'exacerbe avec l'ouverture de Sainte-Anne en
1867. Inauguré en grande pompe par l'impératrice
Eugénie, l'asile clinique, auquel est attribué le
rôle de bureau central d'admissions répartissant
tous les cas à l'intérieur de Paris, est confronté en
première ligne à la misère : « alimentation insuffi-
sante », « indifférence absolue sur sa situation ; sur
le passé, le présent et l'avenir[115] », font partie de ces
expressions qui reviennent en boucle dès le premier registre. Débordé et soucieux de présenter des
comptes modèles, Sainte-Anne, fort de ses préroga-
tives, se serait ainsi défaussé sur les autres asiles.
Par trois fois, en 1868, le docteur Voisin, responsable de la première section de la Salpêtrière,
s'indigne de voir arriver dans son service des
patientes envoyées par Sainte-Anne présentant des
contusions à la tête, une gangrène ou une pleuré-
sie, sans la moindre trace d'aliénation, dans un
acte « contraire à la plus élémentaire des charités »
et dans le seul but « *de décharger la statistique mortuaire de la Maison Ste Anne*[116] ». Beaucoup de ces
femmes, n'étant même pas dans l'état d'être trans-
portées, meurent à leur arrivée, ou dans les jours
qui suivent.

114. *Ibid.*, 5ᵉ division, 4ᵉ section, 1866-1867, 6R59, fᵒ 69. Entrée le
20 juin 1866, morte le 21 juin 1866.
115. AP, Sainte-Anne, registre de placements hommes et femmes,
1ᵉʳ mai-10 juin 1867, D3X³75.
116. AAP-HP, Salpêtrière, Registre d'observations médicales, 5ᵉ
division, 2ᵉ section, 1868-1869, 6R36, fᵒ 8. Voir également *ibid.*, 5ᵉ
division, 1ʳᵉ section, 1868-1871, 6R8, fᵒˢ 18 et 24.

Sans aucun doute possible, la misère est bien une grande pourvoyeuse des asiles publics sous le Second Empire. Les victimes qu'elle envoie à la Salpêtrière sont, le plus souvent, porteuses d'un délire de persécution doublé d'un délire dit « de compensation », destiné à contrebalancer une situation vitale menacée. Le délire est, par conversion, un refuge qui a vertu de consolation. Les plus misérables se retrouvent soudain patronnes, duchesses, millionnaires. La folie constitue le dernier rempart contre l'horreur d'un destin sans issue. « On lui doit des milliards, dont on lui conteste la propriété par procès. Elle est femme de Louis Napoléon, Rothschild est son intendant, etc., etc. [117]. » Une boulangère possédant « tout Paris, toute la France, toute l'Europe [118] » en oublie son chagrin. Une corsetière passe son temps à écrire des lettres injurieuses à l'administration, au Sénat et à l'empereur, pour réclamer une succession de 900 000 francs dont on l'aurait dépouillée [119]. Pour celles qui n'ont pas encore basculé, elles viennent de province et se rendent plus simplement aux Tuileries pour demander réparation de leur sort à l'empereur, afin de lui réclamer « une autorisation de mendier [120] », ou

117. *Ibid.*, 5ᵉ division, 4ᵉ section, 1852-1854, 6R57, fᵒ 389. Entrée le 7 avril 1854, transférée le 22 novembre 1856.

118. *Ibid.*, 5ᵉ division, 2ᵉ section, 1860-1862, 6R30, fᵒ 63. Entrée le 30 mars 1861, sortie le 8 mai 1861.

119. *Ibid.*, fᵒ 256. Entrée le 29 janvier 1862, transférée le 5 juillet 1862 à Orléans.

120. *Ibid.*, 5ᵉ division, 3ᵉ section, 1857-1865, 6R44, fᵒ 103. Entrée le 28 mars 1861, sortie le 11 juin 1861.

« pour changer de position[121] ». On les arrête et on les mène à l'asile où elles restent, dans le meilleur des cas, quelques mois, avant de recouvrer la liberté — et la même vie de misère.

La démarche envers l'empereur est beaucoup plus courante encore parmi les aliénés de Bicêtre. Chaque mois, la police arrête des individus plus ou moins agités qui se présentent aux guichets du palais impérial. Ils sont venus réclamer un emploi, faire reconnaître leurs droits à la Couronne, exiger un poste prestigieux dans l'administration ou dénoncer un complot, en vertu d'une mission qu'ils ont reçue de Dieu. Dans ces délires qui impliquent nominalement l'empereur (entre 2 % et 5 % des cas environ, selon les années), Napoléon III incarne le dernier recours, à la fois homme providentiel, témoin et parfois responsable des misères du peuple. Persécution et mégalomanie, récriminations et louanges, les discours délirants sont marqués par une grande confusion, lorsqu'ils touchent à la situation économique : « Il est comte, il est riche, il est sans place[122] », « Tout le monde va tomber en poussière, il va faire un nouveau monde, il va s'habiller en pierreries comme l'Empereur[123]... », « Dieu et la sainte Vierge [...] lui ont fait entendre que l'empereur paiera ses dettes[124] ». L'un est venu emprunter

---

121. *Ibid.*, 5ᵉ division, 2ᵉ section, 1860-1862, 6R30, fᵒ 166. Entrée le 9 août 1861, sortie le 18 février 1862.
122. AAP-HP, Bicêtre, 5ᵉ division, 1ʳᵉ et 2ᵉ sections, 1858-1859, 6R12, fᵒ 192. Entré le 3 juillet 1858.
123. *Ibid.*, 1860-1861, 6R17, fᵒ 108. Entré le 17 septembre 1860.
124. *Ibid.*, 1859-1860, 6R16, fᵒ 448. Entré le 15 avril 1860.

400 francs au souverain, l'autre exiger 8 millions comptant, quand un troisième prétend qu'on l'empêche de travailler et que l'empereur est du complot.

L'inquiétude économique prend aussi, à l'occasion, un tour politique. Injures, propos séditieux, cris de « Vive la République ! » ou « À bas l'Empereur » sont, sporadiquement, la trace d'un « délire » souvent dû à l'alcool, qui délie les langues. Les « idées de réformes », les « projets politiques », les « préoccupations sociales » signalent les angoisses dominantes, dont on connaîtra rarement le détail. On ne saura jamais ce que disait cet horloger de vingt-neuf ans, arrêté en 1860 en haut de la colonne Vendôme, « pérorant et haranguant la foule » et dont les idées, au dire du docteur Lasègue, étaient « peu suivies [125] », ou comment ce vieillard s'est « vengé du général Cavaignac en juin 1848 [126] ». Certains entendent des voix, comme ce charcutier à qui l'on dit « que nous sommes en république, que tout le monde est libre et que chacun peut prendre et emporter tout ce qu'il peut prendre [127] ». Un journalier est, lui, persuadé d'être « appelé à régenter le monde, à procurer du pain à bon marché [128] » quand un propriétaire, fraîchement arrivé à Paris, assure que « les Républicains l'appellent à la Dictature [129] ».

125. *Ibid.*, 1860-1861, 6R18, f° 215. Entré le 15 novembre 1860.

126. *Ibid.*, 1868-1869, 6R32, f° 55. Entré le 23 février 1868, mort le 15 avril 1868.

127. *Ibid.*, 1853-1856, 6R6, f° 138. Entré le 3 février 1854.

128. *Ibid.*, 1856-1858, 6R10, f° 309. Entré le 1er août 1857.

129. *Ibid.*, 1863-1864, 6R24, f° 277. Entré le 15 mai 1864, transféré le 4 juillet 1865.

Qu'elle demande justice pour les ouvriers, la baisse du prix du blé ou la fin de la disette, la parole aliénée parle de politique, et plus encore des conditions de vie et des hantises des classes populaires dans le Paris du Second Empire.

Les motifs d'arrestation livrent à cet égard plus d'informations que bien des discours sur les tourments qui naissent de l'extrême pauvreté. Si le vol, le plus souvent dérisoire (une couverture, une pomme, un saucisson, une paire de bottes...), l'insolvabilité et le vagabondage sont concurrencés par la progression de l'alcoolisme, certains passages à l'acte résonnent comme de déchirants cris d'alarme : « Arrêté à Nantes pour destruction d'un poteau interdisant la mendicité[130] » ; « cultivateur, arrêté couché sur un banc, vagabondage, dit avoir perdu tout ce qu'il possédait et être expulsé de son domicile, vient à Paris pour demander de l'emploi à l'empereur[131] » ; sculpteur « arrêté sur sa demande se déclarant sans moyens d'existence et sans domicile[132] » ; menuisier, « ayant tiré un coup de pistolet sur un sergent de ville, dit avoir voulu se faire emprisonner pour avoir de l'ouvrage[133] » ; « fumiste, arrêté portant une pancarte où il avait écrit qu'il réclamait du travail et ses droits de citoyen [...] il a été usé, prétend sa femme, par des excès de travail[134] ».

---

130. *Ibid.*, 1856-1858, 6R10, f⁰ 275. Entré le 26 juin 1857, sorti le 12 août 1857.
131. *Ibid.*, 1861-1862, 6R20, f⁰ 51. Entré le 18 septembre 1861, sorti le 13 février 1862.
132. *Ibid.*, f⁰ 160. Entré le 16 janvier 1862, transféré le 26 avril 1862.
133. *Ibid.*, 1864-1865, 6R26, f⁰ 51. Entré le 3 décembre 1864.
134. *Ibid.*, 1865-1866, 6R28, f⁰ 243. Entré le 20 avril 1866, sorti le 16 juillet 1866.

Qu'on ne s'y méprenne pas, et que l'effet de loupe produit par les archives de Bicêtre et de la Salpêtrière, asiles réservés aux plus défavorisés, ne fausse pas le tableau socio-économique de l'aliénation mentale : la folie touche toutes les classes sociales, sans exception ni préférence — constat toujours valide aujourd'hui, comme le prouve par exemple la diversité des catégories de la population touchées par la schizophrénie. Ce que disent en revanche les registres de Bicêtre et de la Salpêtrière au XIXᵉ siècle, c'est la confusion dans laquelle se maintiennent les hôpitaux psychiatriques par rapport aux institutions carcérales, de charité et de correction, malgré la volonté du Second Empire d'endiguer et de dissimuler la misère, le chômage et le vagabondage, en multipliant les dépôts de mendicité (au nombre de 21 en 1853, et de 40 en 1870), alors qu'ils avaient presque disparu sous la monarchie de Juillet[135]. Les psychiatres, accueillant les innombrables patients envoyés par la police, le reconnaissent eux-mêmes, comme à leur corps défendant. En 1866, le docteur Berthier, saisi dans un mouvement de découragement, écrit à la suite d'un diagnostic portant sur un homme de soixante-dix ans « en état d'enfance et sans ressources » : « Il est déplorable que l'asile de Bicêtre tende à se transformer en dépôt de mendicité[136]. » Transformation d'autant plus déplorable qu'en retour la misère se retrouve assimilée à la

---

135. Nicolas Veysset, « La fin des dépôts de mendicité sous la IIIᵉ République », in *Les Exclus de l'Europe. 1830-1930*, sous la dir. d'André Gueslin et Dominique Kalifa, Éd. de l'Atelier, 1999, p. 113.
136. AAP-HP, Bicêtre, Registre d'observations médicales, 5ᵉ division, 1ʳᵉ et 2ᵉ sections, 1865-1866, 6R28, fᵒ 5.

déviance, dans un irrésistible processus qui voit la marginalité croître par parthénogenèse.

C'est dans ce contexte politique, économique et social de stigmatisation qu'il faut replacer la maladie démocratique, dont le dernier accès de fièvre viendra, avec la Commune, clore un siècle de révolutions.

V

La raison insurgée

Le 19 juillet 1870, à la suite de la fameuse dépêche d'Ems récrite par Bismarck afin de provoquer le conflit, la France déclare la guerre à l'Allemagne. En quelques semaines, les troupes prussiennes déferlent sur le pays. La défaite de Sedan, le 2 septembre, signe l'effondrement du Second Empire ; le 4, la République est proclamée. Progressant dans les campagnes et dans les villes, l'armée étrangère encercle Paris à partir du 19 septembre, instaurant le blocus. La capitale lutte et résiste, dans le froid et la faim, mais, le 28 janvier 1871, la France capitule. Se sentant trahie par le gouvernement de Défense nationale et l'Assemblée réfugiés à Versailles, la population parisienne se révolte le 18 mars et organise la Commune de Paris, gouvernement révolutionnaire et mouvement insurrectionnel écrasé par les Versaillais, au terme de la Semaine sanglante (21-28 mai).

1870-1871 : la période est insécable et, pourtant, la guerre franco-prussienne n'est pas la guerre intestine, un siège n'est pas une insurrection. Si étrangers soient-ils dans leur nature, les événements qui se déroulent entre le 19 septembre 1870 et le 28 mai 1871 à Paris doivent néanmoins être ici envisagés dans une continuité historique qui seule donne son sens au phénomène d'accrétion des traumatismes psychiques. Les archives, en croisant, inextricables, la hantise des bombardements ennemis et des émeutes incendiaires, en témoignent entre les lignes, comme les débats intenses poursuivis dans les *Annales médico-psychologiques*, qui, plusieurs années après les affrontements, continuent de s'interroger sur les relations entre conflit, insurrection et folie, et de revenir sur le rôle controversé d'un fléau de l'époque, l'alcoolisme.

Les ravages de la guerre puis de la guerre civile touchent de plein fouet les asiles. À l'approche des troupes, la Salpêtrière ferme sa consultation, et libère 240 lits ; Bicêtre, évacué et confié à l'administration militaire, disperse ses malades dans une dizaine d'établissements en province. Établissement fondé en 1867 accueillant les aliénés des deux sexes, Sainte-Anne, dont plus des deux tiers des patients ont été transférés dans divers asiles de la Seine pour ménager de la place, devient le seul hôpital à accueillir la folie à Paris — et ses registres, par voie de conséquence, le principal fonds d'archives à rendre compte de la maladie mentale dans la capitale à cette époque[1]. Et encore, pas toute la folie,

---

1. Pour plus d'informations sur la situation de la Salpêtrière et de Bicêtre, voir AAP-HP, Fonds Fossoyeux, « Évacuations d'établissements hospitaliers sous la Commune », 542 FOSS 78, et « Admissions dans les hôpitaux des blessés militaires », 542 FOSS 112. Hôpital fondé par Anne d'Autriche, Sainte-Anne avait servi de cadre à une ferme expérimentale imaginée par le docteur Ferrus en 1833, où les aliénés

mais les cas les plus urgents, certaines admissions ayant été notablement restreintes, comme celle des épileptiques et des idiots, condamnés à errer dans Paris. Car l'asile est vite débordé. La nourriture manque, les médicaments et les préparations aussi, les employés et les ouvriers de la pharmacie de l'Assistance publique étant, pour un grand nombre, appelés sous les drapeaux. À partir de novembre 1870, les progrès de la variole et le froid très vif (– 13° à Paris le jour de Noël) augmentent la mortalité, dans une capitale où l'on manque de tout, des vivres aux combustibles. Elle touchera les aliénés dans des proportions considérables. La cause des décès à l'asile réside essentiellement dans les privations dues au blocus. Beaucoup de patients arrivent « dans un état cachectique avancé », précise une étude statistique sur le bureau d'admission de Sainte-Anne, qui livre les chiffres suivants :

Décès en 1870 :

> 226 hommes dont 170 entrés depuis un mois
> 108 femmes, dont 80 entrées depuis un mois

Décès en 1871 :

> 246 hommes dont 153 entrés depuis un mois
> 194 femmes dont 124 entrées depuis un mois [2]

---

de Bicêtre venaient travailler à des tâches agricoles. Le Second Empire choisira ce lieu pour pourvoir Paris de l'asile moderne qui lui manquait. Voir la thèse de Michel Caire, *Contribution à l'histoire de l'hôpital Sainte-Anne (Paris): des origines au début du XXᵉ siècle*, thèse de médecine, Paris-V, Cochin - Port-Royal, 1981, n° 20, 160-VIII p., disponible sur son irremplaçable site : http://psychiatrie.histoire.free.fr/index.htm.
  2. Drs Bouchereau et Magnan, « Statistiques des malades entrés en

En janvier 1871, le quartier de Sainte-Anne est la cible de bombardements qui s'intensifient. L'asile, qui n'aura qu'un seul mort à déplorer dû au feu ennemi, protège dans ses caves une population particulièrement fragile, dont l'aliénation ou les crises de convulsions ont parfois été déterminées, avant leur internement, par le choc d'avoir vu un obus tomber à côté d'eux. Mais peut-on pour autant parler de délire spécifique aux événements de la guerre ?

JEANNE D'ARC ET LES PANOPHOBES GÉMISSEURS

Bien avant que la « névrose de guerre » soit identifiée par Freud après la Première Guerre mondiale, les troubles occasionnés par la violence des chocs et des conflits ont trouvé dans la littérature médicale diverses formulations. Les chirurgiens de la Grande Armée isolèrent le « syndrome du vent du boulet », qui paralysait les grognards de l'Empire ; la notion concomitante de « névrose traumatique » fut élaborée, en France et en Angleterre, à la suite des premières catastrophes ferroviaires ; la guerre de Crimée et le siège de Sébastopol (1854), la campagne d'Italie et la bataille de Solferino (1859), la guerre de Sécession

1870 et 1871 au bureau d'admission des aliénés de la Seine », *Annales médico-psychologiques*, 5ᵉ série, t. VIII, 1872, p. 385.

(1865-1867) occasionnèrent récits et études à propos du syndrome du « cœur de soldat » ou « cœur irritable », décrivant « les manifestations neurovégétatives de l'anxiété de guerre [3] ».

La situation à Paris à l'automne 1870 est bien une situation de guerre ou plus précisément de siège, affectant une population civile prise au piège, et affamée. La « fièvre obsidionale » (psychose collective à laquelle est en proie une population assiégée) est alors une expression essentiellement employée, semble-t-il, par les militaires et les écrivains [4]. Les aliénistes évoquent plutôt ce que Benedict-Augustin Morel s'essaya à isoler sous le nom de « délire des panophobes gémisseurs » (*pan* : tout ; *phobie* : répulsion et angoisse ; soit : répulsion et angoisse de tout). Caractérisée par une anxiété intense, qui se traduit par des gémissements continuels, voire des états spasmodiques, cette forme de folie, motivée par une terreur continuelle, peut aller jusqu'à contrefaire l'état cadavérique pour échapper à des tourments imaginaires. Elle touche en priorité les femmes qui, jetées dans une angoisse invivable, sont persuadées d'être ruinées, condamnées à mort, de devoir aller au supplice ou au bûcher. La maladie n'est pas nou-

---

3. Michel de Clercq et François Lebigot, *Les Traumatismes psychiques*, Masson, 2001, p. 28. Voir également Louis Crocq, *Les Traumatismes psychiques de guerre*, Odile Jacob, 1999, p. 35, et Philippe Birmes, Leah Hatton, Alain Brunet et Laurent Schmitt, « Early Historical Literature for Post-Traumatic Symptomatology », *Stress and Health*, n° 19, 2003, p. 17-26.

4. L'expression est notamment employée par Alphonse Daudet (*Souvenirs d'un homme de lettres*) et Victor Hugo, qui, dans son célèbre discours demandant l'amnistie des communards, écrivait : « Paris, après un sinistre assaut de cinq mois, avait cette fièvre redoutable que les hommes de guerre appellent la fièvre obsidionale. »

velle, mais la guerre aurait « augmenté dans une proportion insolite les victimes des impressions terrifiantes[5] ».

À Sainte-Anne, la mélancolie ou lypémanie, à laquelle sont rattachés les panophobes gémisseurs, arrive en tête du classement des maladies dont les femmes sont victimes : elle touche 33,23 % des aliénées en 1870, et 42,52 % en 1871, proportions astronomiques, en particulier comparées au pourcentage d'hommes mélancoliques, 14,45 % en 1870 et 15,78 % en 1871[6]. Le pic sera atteint entre juin et septembre 1871, où jamais les idées de persécution, les craintes de ne pas pouvoir gagner sa vie, les frayeurs incontrôlables n'ont été aussi intenses. On retrouve des statistiques analogues dans les mois qui suivent à la Salpêtrière, une fois les portes de l'hospice rouvertes. Les terreurs de la Commune se superposent alors aux tourments de la guerre, du siège, des privations, dans un écheveau impossible à démêler. Les flammes de l'incendie ont pris le relais des bombes, les images de la guerre civile s'additionnent à celle du siège, l'alcoolisme aggrave la famine : « Elle aperçoit des hommes armés de fusils qui voulaient la tuer, des sergents de ville qui venaient l'arrêter, elle voyait un lion, des feux d'artifice, des boules rouges. [...] Cette malade a déjà été traitée en juin 1870 pour délire alcoolique

---

5. Benedict-Augustin Morel, « Du délire panophobique des aliénés gémisseurs. Influence des événements de guerre sur la manifestation de cette forme de folie », *Annales médico-psychologiques*, 5ᵉ série, t. VI, 1871, p. 345.
6. Drs Bouchereau et Magnan, « Statistiques des malades... », art. cité.

avec idées de suicide[7] », note Magnan, au sujet d'une passementière de trente et un ans.

La guerre, notent uniment les médecins, plonge les femmes dans l'abattement et jette les hommes dans des états d'exaltation maniaque. Ces derniers fourmillent de plans de campagne et de martiales entreprises, en particulier les paralytiques généraux (22,12 % à Sainte-Anne en 1870), qui rivalisent d'imagination pour remporter toutes sortes de victoires : « Ils vont couvrir la France de forteresses, fondre des canons à portée extraordinaire, entourer Paris de remparts inabordables. Un d'eux croit avoir trouvé un système de ballons dirigeables, qui doivent emporter des machines explosibles, destinées à anéantir d'un seul coup toutes les armées allemandes [...] ; ils imaginent des moyens assurés de faire pénétrer dans la ville des approvisionnements abondants, ou encore de convertir en aliments succulents les substances les plus rebelles à la digestion[8]. » À Charenton, malgré le laconisme des registres de cette époque, on trouve trois patients entrés en novembre 1870 dans un état analogue d'excitation : « Il veut sortir de la maison pour présider la République », « Il a remporté des batailles, tué 40 000 Prussiens, etc. », « il se dit capable de faire partir à lui tout seul l'armée ennemie[9] ».

7. AAP-HP, Salpêtrière, Registre d'observations médicales, 5e division, 4e section, 1870-1873, 6R61, fo 218. Entrée le 31 octobre 1871, sortie le 10 janvier 1872.

8. Bouchereau et Magnan, « Statistiques des malades... », art. cité, p. 359-360.

9. ADVDM, Charenton, Registre matricules hommes, 1870-1874, 4X523, fos 76, 80, et 97.

Mâle forfanterie contre pusillanimité féminine ? Les conclusions demandent à être nuan-
cées. Parmi les premiers patients reçus à Sainte-
Anne dans les mois suivant la déclaration de
guerre, on note un rapport quasiment inversé.
« Il craint d'être pris pour un Prussien, d'être
fusillé[10] », « Il croit voir partout des Prussiens et
se sauve sans cesse afin de leur échapper[11] », lit-
on chez les hommes, tandis que le registre des
femmes révèle, dans les délires, une fierté patriotique et une témérité d'une poésie inattendue :
« Elle est l'héroïne de la France ; elle a rajeuni
toutes les histoires, réconcilié les Rois ; elle est
Sainte Anne en personne, fille du juif errant, à la
recherche de son père &, &. [12] », est-il indiqué
d'une couturière de cinquante et un ans. « Elle
est la seconde Jeanne d'Arc dont la mission est
d'arrêter l'effusion de sang ; elle doit repousser les
Prussiens en leur jetant aux yeux du poivre et
des billets de Banque. C'est leur entrée dans le
Wissembourg, dont elle est originaire, qui lui a
troublé la tête[13] », rapporte le docteur Lucas,
à propos d'une marchande d'articles de bazar de
quarante-sept ans.

10. AP, Sainte-Anne, Registre de suivi mensuel hommes, 13 septembre 1870-18 octobre 1870, D3X3 150, f⁰ 1. Entré le 13 septembre
1870, sorti le 23 novembre 1870.
11. *Ibid.*, f⁰ 65. Entré le 20 septembre 1870, sorti le 19 juillet
1871.
12. AP, Sainte-Anne, Registre de suivi mensuel femmes, 19 avril
1870-17 août 1870, f⁰ 116. Entrée le 28 juillet 1870, transférée à Pont-
l'Abbé le 18 juillet 1871.
13. *Ibid.*, f⁰ 126. Entrée le 8 août 1870, transférée à Bourg le
5 septembre 1870.

La présence de sainte Anne, y compris au sein de l'asile du même nom, est plus exceptionnelle que celle de Jeanne d'Arc. Depuis 1869, il était question de canoniser la pucelle d'Orléans (la procédure aboutira en 1920), dont Michelet avait fait une « sainte laïque », incarnation du sentiment national dans le panthéon républicain. Nombreuses sont celles qui, issues du peuple comme Jeanne, s'identifient à l'héroïne, soldate et martyre, dont dépend le sort de la France. Ces femmes, rappelle Magnan, « appartenant à la classe ouvrière, sans grande instruction, d'une intelligence très-ordinaire », se croient appelées à renouveler son rôle : « "Dieu leur avait imposé la tâche de sauver le pays"; et elle acceptaient avec résignation tout ce qui leur arrivait comme des épreuves destinées à mettre en évidence les caractères providentiels de leur mission, fortifiée par des hallucinations. / Il y avait parfois dans leurs paroles, dans leurs termes, un caractère de sincérité si confiante qu'elles auraient pu à une autre époque attirer l'attention de la foule [14]. » Même les hommes prennent Jeanne pour emblème, tel cet aliéné qui a inscrit le nom de la nouvelle patronne de la France

---

14. Bouchereau et Magnan, art. cité, p. 378. Valentin Magnan reprendra ce passage dans son livre, *Recherches sur les centres nerveux. Pathologie et physiologie*, Masson, 1876, p. 212. Ce dernier commentaire de Magnan mérite d'être rapproché d'une « historiette » de Pinel, à propos d'un aliéné qui se prenait pour Mahomet. Tous deux dénotent la confusion entre la folle et la sorcière, le fou et l'oracle : « Un jour que le canon tirait à Paris pour des événements de la révolution, il se persuade que c'est pour lui rendre hommage ; il fait faire silence autour de lui, il ne peut plus contenir sa joie, et j'aurais été tenté, si je n'avais été retenu par d'autres considérations, *de voir là l'image la plus vraie de l'inspiration surnaturelle des anciens prophètes* » (Pinel, *Traité…* [1809], p. 153). C'est moi qui souligne.

sur son drapeau. Dans une lettre datée du 23 septembre 1870, il écrit au général Trochu, président du gouvernement de Défense nationale : « Si le gouvernement de la défense nationale adopte mes idées, j'espère conduire l'armée et les citoyens français à une victoire éclatante dans une attaque vigoureuse et de nuit, faite à ces cris formidables poussés simultanément et par nous tous : *Au nom de Dieu et de Jeanne d'Arc, mort aux Prussiens* [15] ! »

Ce vent de croisade n'emporte pas tout avec lui. Selon Legrand du Saulle, médecin au dépôt de la Préfecture, les privations endurées par les Parisiens provoquent des folies à forme dépressive, chez des patients présentant tous les attributs de la « misère physiologique [16] ». Or ces « délires par inanition » éclateront en majorité *après* l'armistice, alors que les denrées alimentaires ont réapparu dès février 1871 sur les marchés. « Il n'y a plus chez eux ni entrain, ni appétit, ni désirs. Leur économie est profondément altérée, leur amaigrissement est notable, leur intelligence est inerte [17]. » Cette subite anorexie, consécutive à la pire des pénuries, dit assez le climat d'anéantissement moral de la population à la suite de la défaite, tout comme son refus de la reddition, point de départ de la Commune de Paris.

15. « Communications relatives à l'influence exercée par la guerre sur l'aliénation mentale et le service des aliénés », *Annales médico-psychologiques*, 5e série, t. VI, 1871, p. 229.

16. Legrand du Saulle, *Le Délire de persécutions*, H. Plon, 1871, p. 503-504. Voir également « Communications relatives à l'influence exercée par la guerre sur l'aliénation mentale et le service des aliénés », *Annales médico-psychologiques*, 5e série, t. VI, 1871.

17. *Ibid.*, p. 502-503.

DES CHACALS, DES PIES, DES SINGES
ET DU PÉTROLE

Le 10 mars 1871, l'Assemblée réfugiée à Versailles vote la fin du moratoire sur les effets de commerce, les loyers et les dettes, et supprime la solde de la garde nationale. Cette série de mesures condamne les ouvriers, les artisans et les petits commerçants à l'asphyxie, dans une population déjà obligée de supporter les conditions draconiennes de l'armistice et d'endurer la honte d'une capitulation vécue comme une trahison. Dans les comités de vigilance, créés pendant le siège, on parle de soulèvement. L'appel à la constitution de la Commune de Paris, rédigé dès le 7 janvier et diffusé par l'Affiche rouge placardée sur les murs de la ville, est en passe de devenir réalité. Craignant les réactions du peuple de Paris, Adolphe Thiers fait arrêter Blanqui le 17 mars et envoie l'armée récupérer les canons de Belleville et de Montmartre. Mais les habitants, qui considèrent ces canons payés par souscription nationale comme leur propriété, s'y opposent. Devant la foule de femmes et d'enfants leur interdisant l'accès, les troupes arrivées à Montmartre le 18 mars refusent d'obéir aux ordres et, crosses en l'air, fraternisent avec le peuple. C'est le début de l'insurrection et d'une révolution prolétarienne qui va donner naissance à la Commune de Paris, écrasée dans le sang le 28 mai.

18 mars-28 mai. Entre ces deux dates, les registres de Sainte-Anne, consignant au jour le jour les diagnostics, constituent un étrange sismographe des délires à Paris sous la Commune. L'asile a reçu, durant cette période de deux mois et demi, 353 patients de deux sexes — chiffre très inférieur à la moyenne de 250 internements par mois à Sainte-Anne à son ouverture —, à parité presque parfaite : 176 femmes et 177 hommes. Que nous disent ces documents[18] ?

Leur analyse appelle d'abord des remarques techniques d'ordre général, notamment sur la difficulté à établir des statistiques fiables ou pertinentes. Comment, par exemple, déterminer avec précision la répartition socioprofessionnelle des internés ? L'immense disparité des métiers et le flou de leur catégorisation rendent malaisé leur classement. Un bijoutier, dont on ne sait s'il est apprenti ou propriétaire d'une boutique, est-il un ouvrier, un artisan ou un propriétaire ? Un marchand des quatre saisons est-il un petit commerçant au même titre qu'un négociant en vin ? Un employé des chemins de fer travaille-t-il dans les bureaux ou sur les voies ? Au XIXe siècle, la frontière entre ouvriers et artisans est extrêmement flottante et, dans les registres, il n'est jamais spécifié si un tapissier, par exemple, travaille

18. L'étude qui suit a été faite à partir des registres suivants, à l'intérieur desquels j'ai isolé la période du 18 mars au 28 mai 1871 : AP, Sainte-Anne, Registre de suivi mensuel hommes, D3X3 172 (15 mars-1er mai 1871) et D3X3 173 (7 mai-17 juillet 1871), ainsi que Registre de suivi mensuel femmes (15 février-31 mars 1871), D3X3 176 (31 mars-6 juin 1871), D3X3 177 (31 mars-6 juin 1871).

dans un atelier ou pour son propre compte, ce qui en ferait un artisan voire un patron — quand les artisanes seront automatiquement assimilées aux ouvrières, les femmes ayant leur propre atelier étant pour ainsi dire inexistantes. Malgré ces difficultés, il apparaît dans tous les cas de figures que les grandes appartenances socioprofessionnelles des hommes internés à Sainte-Anne sous la Commune se découpent à peu près comme suit :

Artisans (30 %) et Ouvriers (30 %) :	60 %
Petits employés :	20 %
Petits commerçants :	10 %
Divers (cultivateurs, soldats, 1 étudiant, 1 concierge, 1 domestique) :	5 %
Rentier :	0,5 %

Ce qui frappe d'abord, c'est l'écrasante majorité des artisans et des ouvriers, c'est-à-dire la catégorie la plus défavorisée de la population parisienne, celle qui a pris majoritairement part à la Commune. Les tailleurs, les cordonniers et les tapissiers, constituant 9 % du total des internements, arrivent en tête de ce classement. Dans le registre des hommes, au contraire de celui des femmes, le médecin spécifie si le patient sait « lire et écrire » et précise sa religion : 9 % ont une « instruction nulle » et 99 % se déclarent « catholiques », 1 % étant « israélites ».

Par comparaison, le tableau des femmes internées est le suivant :

Ouvrières :	45,5 %
Sans profession :	17 %
Domestiques :	13,6 %
Profession non mentionnée :	9,7 %
Petites commerçantes :	6,2 %
Rentières :	2,8 %
Concierges :	2,8 %
Divers (1 actrice, 1 photographe, 1 institutrice) :	1,7 %
Fille publique :	0,6 %

Une fois encore, les ouvrières arrivent largement en tête. Les couturières (14,2 %), les journalières (7,9 %) et les blanchisseuses (7,4 %) totalisent à elles seules 29,5 % de la population féminine internée dans cette période. Mais le plus notable reste bien sûr la proportion des « sans profession » qui, additionnée à celle des « professions non mentionnées », soit 26,7 %, forme un contingent presque équivalent — qui n'existe pas chez les hommes. Parmi les « sans profession », un tiers des femmes ne sont plus en âge de travailler : la vieillesse ajoutée à la misère est, d'abord, le lot des femmes. Alors qu'un seul valet de chambre figure chez les hommes, il y a 24 domestiques, soit 13,6 %, parmi les femmes, écart considérable, sans doute aggravé par le fait que la bourgeoisie, qui a massivement fui Paris, a souvent confié à son personnel féminin le soin de garder ses biens.

Une difficulté équivalente, sinon plus épineuse encore, pèse sur la constitution de statistiques concernant l'étiologie des maladies. À Sainte-

Anne, les patients passent d'abord par le bureau d'admission où Valentin Magnan dresse un « certificat immédiat » pour les diriger ensuite vers la section correspondant à leur sexe — ou décider leur transfèrement en dehors de Paris. Prosper Lucas est le médecin en charge des femmes, Henri Dagonnet celui des hommes. Ceux-ci établissent alors un diagnostic qui ne sera pas nécessairement le même que celui de Magnan (tel « délire alcoolique » deviendra sans transition un « état maniaque »). Pour simplifier les choses, Lucas et Dagonnet n'utilisent pas toujours les mêmes termes et n'obéissent pas aux mêmes priorités, mentionnant parfois la classe de la maladie (manie, mélancolie, démence, etc.) et/ou le symptôme (délire de persécution, hallucinations, etc.). Dans de nombreux cas, la « lypémanie » pourra se compliquer, par exemple, d'un « état maniaque », ou la « démence » d'« alcoolisme subaigu », sans que l'on sache lequel prend le pas sur l'autre. Si bien que dresser un tableau cohérent est une entreprise vouée à l'échec.

On s'en tiendra donc aux résultats globaux donnés, en pourcentage, par Bouchereau et Magnan pour l'année 1871 [19] :

19. Drs Bouchereau et Magnan, « Statistiques des malades… », art. cité. Dans les registres de Sainte-Anne, seules trois grandes catégories sont strictement communes aux deux sexes, et peuvent donc être évaluées pour la seule période de la Commune. Elles recoupent en partie les chiffres de Bouchereau et Magnan : 15,9 % des femmes souffrent d'« affaiblissement des facultés mentales » contre 1,7 % des hommes ; 7,4 % des femmes seraient atteintes de paralysie générale contre 18,6 % des hommes, 6,2 % des femmes sont tombées en démence sénile contre 2,3 % des hommes.

	Hommes	Femmes
Manie	4,96	8,50
Mélancolie	15,78	42,52
Paralysie générale	18,79	8,31
Démence	19,41	23,27
Épilepsie	14,09	9,06
Alcoolisme	25,88	5,70

Le reste des cas se partage entre l'hystérie, la chorée et l'idiotie, cas isolés non évalués en pourcentage par les deux aliénistes. Les deux chiffres frappants sont la mélancolie des femmes, déjà évoquée, et l'alcoolisme des hommes, qui occupe dans le tableau nosologique la première place, qu'il ne quittera pas avant le xxe siècle[20]... Le taux d'alcooliques entrés à Bicêtre, par exemple, n'avait pas cessé d'augmenter sous le Second Empire, passant de 12,78 % en 1855 à 25,24 % en 1862. À Sainte-Anne, Bouchereau et Magnan établissent des statistiques comparatives pour les périodes de mars-juin 1870 (21,2 % d'alcooliques internés) et mars-juin 1871 (22,6 %) qui montrent que, contrairement à ce que la propagande a voulu faire accroire, la Commune n'a pas été cette période d'inflation morbide du délire alcoolique — les chiffres marquent même une baisse en mars 1871 par rapport à l'année précédente[21].

20. Claude Quétel et Jean-Yves Simon, « L'aliénation alcoolique en France (xixe siècle et 1re moitié du xxe siècle) », *Histoire, économie et société*, 7e année, no 4, 1988, p. 507-533.
21. Drs Magnan et Bouchereau, « Statistiques des alcooliques entrés au bureau d'admission à Sainte-Anne, pendant les mois de mars, avril,

On assiste en revanche sous la Commune à une explosion des délires en lien avec les événements — qu'il s'agisse des traumatismes de la guerre ou de l'insurrection. Ce constat semble se vérifier en priorité à Paris. Dans son immense enquête à travers toute la France, Lunier ne trouve que 27 cas rattachés aux événements de la guerre et du siège, pour 3 cas seulement reliés à la Commune[22]. Mais à Sainte-Anne, au cœur de la bataille, les références aux événements noircissent les registres.

Ces proportions sont très difficiles à évaluer. Quels critères retenir ? Pour m'en tenir au plus simple, j'ai pris en compte tous les délires où figurent les termes directement et spécifiquement rattachés à l'actualité (peur des obus, des Prussiens, des Versaillais, délire sur la nourriture, les fusillades, les incendies, etc.). Le résultat s'élève à 25 % pour les hommes et 24 % pour les femmes. La proportion est d'autant plus considérable qu'il ne s'agit que des délires *détaillés* ou seulement *mentionnés* — rien ne disant que tel interné, souffrant de « manie avec hallucinations », n'ait pas de visions de la guerre civile que le médecin n'aura pas jugé utile de rapporter. À titre de comparaison

mai, juin 1870 et les mois correspondants de 1871 », *Annales médico-psychologiques*, 5ᵉ série, n° 7, Masson, 1872, p. 52-57. Voir également Michel Caire, « Du *Morbus democraticus* à l'Idéalisme passionné. Quelques réactions des aliénistes français aux lendemains de la Commune de Paris », *Annales médico-psychologiques*, 1990, 4, p. 379-386, également disponible sur : http://psychiatrie.histoire.free.fr/index.htm
22. L. Lunier, *De l'influence des grandes commotions politiques et sociales sur le développement des maladies mentales*, F. Savy, 1874.

(mais est-ce bien raisonnable, étant donné la différence de contextes?), souvenons-nous qu'Esquirol
avait évalué à 2,3 % les internés de Charenton
dont la folie était due aux « événements politiques »
en 1830.

Rien ne dit mieux l'état d'esprit de ces femmes et
de ces hommes en proie aux cauchemars de l'Histoire que la longue litanie des délires qui se succèdent. S'égrainent ainsi dans les registres des
femmes : « visions de fantômes, de flammes, de
chats, d'insectes », « persuadée d'être [...] pour-
suivie par des soldats armés », « elle va mourir ;
voyait des incendies autour d'elle », « elle entend
des voix, la nuit, des cris d'enfants, des clairons : on
la magnétise, on l'énerve, on l'anéantit », « ser-
pents, fumée, flammes », « visions d'animaux, de
flammes et de fumée », « élans d'exaltation politique ; elle veut mourir pour la France », « elle
voyait des fantômes et des animaux [...] elle aperçoit des loups, des lions, des chacals, des pies & des
corbeaux », « elle a brûlé le diable »[23], « course, la
nuit, dans les jardins, & le jour à l'Église, armée du
fusil de son mari, pour se montrer à ses ennemis »,
« on l'accuse d'être prussienne, d'avoir trahi la
France », « on l'accuse d'être une espionne prussienne », « idée fixe d'intervenir entre les deux
parties dans la guerre civile, et manie de remettre
aux passants des lettres de recommandations, dans
le même but », « rechute amenée par la guerre
civile & l'explosion d'un obus dans son domicile »,

---

23. AP, Sainte-Anne, Registre de suivi mensuel femmes (15 février-
31 mars 1871), D3X3 176, f°s 112, 113, 117, 127, 132, 133, 139, 140, 142.

« apparitions de fantômes, de chats, de rats, d'arai-
gnées, d'animaux de toute espèce […] *elle a du chat
jusque dans la bouche* », « elle prononce toujours
cette pénible phrase : "Ô mon Dieu ! ils tirent donc
toujours" », « elle voit des chiens, des rats », « on va
la fusiller, la guillotiner, s'emparer de son fils »[24].

À une écrasante majorité, les délires sont des
délires de persécution rattaché à la guerre, qui,
pour les Parisiens, n'est pas finie[25]. Les flammes de
la Commune ne font que ranimer les souvenirs du
siège, et ses atroces privations. Le surgissement
des animaux dans les hallucinations, inédit dans
ces proportions, renvoie bien sûr à la disette consécutive au blocus de l'hiver 1870-1871. Les Parisiens, très tôt privés de viande, s'étaient rabattus
sur les chevaux, les chiens, les chats et les rats, puis
sur les animaux de la ménagerie du Jardin des
Plantes — d'où la présence des lions ou des chacals
dans les délires. Des lithographies avaient circulé
sur la mort des deux éléphants, Castor et Pollux,
très populaires à Paris, abattus fin décembre ; on
avait publié des recettes pour accommoder la
viande de singe, de castor ou de corbeau. Il avait
fallu surmonter la répugnance psychologique à
manger des animaux domestiques comme le chien
ou rebutants comme le rat ou le serpent, ou l'appré-

---

24. *Ibid.*, Registre de suivi mensuel femmes (31 mars 1871-6 juin
1871), D3X3 177, f°s 19, 28, 53, 66, 78, 81, 100, 117, 129.

25. Dans son enquête, Lunier évalue à 59 % les délires pour faits de
guerre à Charenton parmi les 133 hommes admis et 40 % des
53 femmes, mais ne dit rien des événements de la Commune. Il
semblerait donc que, pour Paris et sa région, le siège ait provoqué
bien plus de ravages dans la vie mentale que la Commune. Voir
L. Lunier, *De l'influence des grandes commotions…, op. cit.*

hension à ingurgiter des chairs exotiques comme celles des animaux sauvages. À supposer qu'on eût pu se permettre d'acheter de la viande : un poulet coûtait 60 frs, un chat 20 frs, un rat 2 frs, un moineau 1,25 frs[26] — quand la journée d'un ouvrier était payée environ 4 frs. Quoi de plus plausible que l'impact de cette expérience se lise dans les registres de Sainte-Anne ? Plusieurs patientes, en arrivant à l'asile, avouent des tentatives de suicide réitérées. L'une d'elles déclare avoir voulu « échapper à la terrible situation & à la misère qu'elle a subi[es] pendant le siège : elle aurait passé 11 jours sans nourriture[27] ».

Le délire de persécution, avec hallucinations ayant les animaux pour objet, domine également chez les hommes. Mais il s'accompagne d'excès maniaques avec idées de grandeur : « on l'accuse de lancer des bombes incendiaires pour tout détruire », « il est nommé général, Flourens lui a donné un commandement, il a des millions etc. », « il voit des cadavres, des corps mutilés, des débris d'armes, des flots qui vont l'engloutir », « il est généreux, va rendre tout le monde heureux, obtiendra tous les grades de l'armée ; connaît tout sur les événements », « croit être entouré de lions, de chacals, de renards qui s'attachent à sa poursuite », « s'imagine voir des hommes armés qui l'injurient, des insectes mélangés aux aliments qu'il se dispose à prendre »,

---

26. Charles Simond, *Paris de 1800 à 1900*, t. III, Librairie Plon, 1901, p. 25.

27. AP, Sainte-Anne, Registre de suivi mensuel femmes (31 mars-6 juin 1871), D3X3 177, f° 42.

« on veut le fusiller », « des gens armés le me-
nacent », « parle d'un voyage qu'il a fait dans le
désert et des entretiens qu'il a eus avec un lion et
divers autres animaux », « on le traite de sergent de
ville, de soldat du pape, on lui fait une foule de reproches », « il se voyait poursuivi par des hommes
armés de couteaux ; il apercevait des oiseaux, des
chats, des rats », « le malade est parti de chez lui
(Seine et Oise) avec l'idée fixe qu'il pourrait arrêter
la guerre civile en venant faire des signes de croix,
c'est une inspiration que Dieu lui avait envoyée »,
« est affecté d'aliénation inventive [*il a trouvé*] des
moyens de toute sorte pour défendre les villes », « il
va être nommé colonel, maréchal », « on le traite de
mouchard, d'espion, on veut comploter contre lui,
on menace de le fusiller », « Il a composé une histoire de la dernière religion, va obtenir un grade
dans l'armée, dirigera le mouvement moral de
l'humanité »[28], « on l'injurie, on l'appelle constamment mouchard », « on le menaçait, on voulait
l'arrêter pour le fusiller, il voyait des singes sauter et
faire des grimaces »[29].

Outre les mentions explicites de la guerre civile
et de Gustave Flourens, général en charge de la
défense du Paris révolutionnaire, sont-ce les souvenirs de la guerre franco-prussienne ou les actes de
la Commune que ces patients invoquent ? Soldat,

---

28. *Ibid.*, Registre de suivi mensuel hommes (15 mars-1er mai
1871), D3X3 172, fos 23, 39, 42, 62, 70, 72, 73, 75, 77, 81, 87, 88, 93,
120, 136, 142.
29. *Ibid.*, Registre de suivi mensuel hommes (1er mai-17 juillet
1871), D3X3 173, fos 7, 28.

sergent, colonel, maréchal, général, de l'armée
régulière ou de la garde nationale fédérée, nul ne
sait. Ce qu'exaltent ces délires, c'est, d'abord, le
combat, l'affrontement, dans un idéal qui semble
avoir pour unique objet l'héroïsme et la virilité —
galvanisés (prendre le commandement) ou pris
à défaut (passer pour un mouchard), comme le
résume de façon saisissante ce commentaire : « Il
veut être chef de la République ; il est masculin,
il veut du masculin pour tout le monde[30]. »

Dans ses Mémoires, Louise Michel témoigne que
de nombreux communards ont, sous ses yeux, perdu la raison par « l'horreur des choses vues[31] » durant la lutte à mort avec les Versaillais. Le climat de
délation, encouragée par Versailles qui promet des
récompenses à quiconque dénonce les repaires des
membres de la Commune ou du Comité central, justifie sans doute aussi cette panique de passer pour
un mouchard. À titre indicatif, les autorités rece-
vront 379 823 dénonciations anonymes écrites, rien
qu'entre le 22 mai et le 13 juin 1871[32].

Dans les mois qui suivent la Semaine sanglante,
les délires en relation avec les événements s'atté-
nuent. De 25 %, ils tombent à 12 % à Sainte-Anne.
De même, la fréquentation des asiles est moindre,
y compris à Bicêtre et à la Salpêtrière, qui ont rou-

30. *Ibid.*, f° 32.
31. Louise Michel, *La Commune*, Stock, 1978, p. 403.
32. Maurice Garçon, *Histoire de la justice sous la Troisième République*, cité par Jean-Paul Doucet, *Dictionnaire de droit criminel*, article
« Dénonciation anonyme », http://ledroitcriminel.free.fr/dictionnaire/
lettre_d/lettre_d_denonciation.htm.

vert leurs portes. Une des raisons avancées à cette désaffection est aussi la plus simple : on estime à 100 000 les ouvriers tués, fait prisonniers, déportés ou en fuite à l'issue de la Commune, soit un quart de la population ouvrière à Paris [33].

Entre septembre et décembre 1871, sur les 70 patientes entrées à la première section de la Salpêtrière, 29 sont atteintes de mélancolie avec délire de persécution, soit 41 % [34]. Les tourments du siège par les Prussiens continuent de hanter les esprits : l'une signe « Tom Pouce, général [35] », l'autre se prétend « nièce d'une comtesse allemande, alliée au Duc de Saxe [36] ». Jeanne d'Arc reprend du service : « elle voyait des batailles ; des voix lui annonçaient qu'elle était destinée à sauver la France [37] ». L'esprit de revanche, mêlé aux méthodes de dénonciation,

---

33. St. Rials, *Nouvelle Histoire de Paris*, *op. cit.*, p. 270. D'une façon globale, on assiste à une baisse du nombre d'internements sur l'ensemble du territoire (11 655 entre le 1er juillet 1869 et le 1er juillet 1870 contre 10 243 entre le 1er juillet 1870 au 1er juillet 1871), parallèle à une augmentation des délires liés aux commotions politiques, ceux-ci renvoyant essentiellement à la guerre et au siège. Ce n'est qu'à partir de 1873 que la population des asiles repart à la hausse. Selon L. Lunier, les dissensions politiques, le chômage, la ruine, la misère « sont là autant de causes, non plus passagères, mais permanentes ou tout au moins durables, qui ont contribué, plus encore peut-être que les événements de guerre, à augmenter le nombre des entrées dans les asiles » (*De l'influence des grandes commotions...*, *op. cit.*, p. 275).

34. Statistique établie à partir du registre de : AAP-HP, Salpêtrière, Registre d'observations médicales, 5e division, 1re section, 1868-1871, 6R8. Ce pourcentage correspond aux chiffres à Sainte-Anne, où 42 % des femmes souffrent de mélancolie.

35. *Ibid.*, 5e division, 1re section, 1868-1871, 6R8, fo 361. Entrée le 15 novembre 1871, transférée le 25 mars 1872.

36. *Ibid.*, fo 335. Entrée le 30 septembre 1871.

37. *Ibid.*, 5e division, 4e section, 1870-1873, 6R61, fo 353. Entrée le 8 novembre 1872, sortie le 3 avril 1873.

est intact à Bicêtre : « On lui a promis cent mille francs s'il arrêtait Mr de Bismarck[38]. »

Mais, pour la première fois, la Commune prend corps dans les délires. Autrement dit, on assiste à un effet retard. Sous la Commune, on délire la guerre. Après la Commune, on délire l'insurrection. Délire ? Voire. Qui est cette couturière de quarante-huit ans, atteinte d'« affaiblissement des facultés mentales », trouvée errante dans les environs de Paris, et dont la manie de persécution consiste à être appelée « pétroleuse » ? « On veut la faire emprisonner, on lui envoie par le plafond des vapeurs de soufre et de pétrole[39]. » Qu'a donc à se reprocher cette chemisière de vingt-trois ans dont l'état fébrile est dû aux « émotions probables à la suite de l'envoi de son mari sur les pontons[40] », ou cette marchande ambulante qui, à la suite de propos calomnieux, passe « pour avoir mis le feu par le pétrolle[41] [*sic*] » ?

Dans l'imagerie de la Commune, la figure de la pétroleuse a très tôt gagné le statut de mythe, largement alimenté par une presse réactionnaire qui dépeint à l'envi des furies hirsutes et dépenaillées semant, avec leur bouteille incandescente jetée dans les caves par les soupiraux, la désolation sur leur passage. Les incendies qui embrasent Paris pendant

---

38. AAP-HP, Bicêtre, 5e division, 1re et 2e sections, 1871-1872, 6R34, fo 37. Entré le 25 septembre 1871, sorti le 15 mars 1872.

39. AAP-HP, Salpêtrière, 5e division, 1re section, 1868-1871, 6R8, fo 368. Entrée le 28 novembre 1871.

40. *Ibid.*, fo 370. Entrée le 30 novembre 1871, sortie le 23 décembre 1871.

41. AP, Sainte-Anne, Registre de suivi mensuel femmes (31 mars-6 juin 1871), D3X3 177, fo 134.

la Semaine sanglante, réduisant en cendres l'Hôtel de Ville, les Tuileries et la Cour des comptes notamment, contribuent à diffuser la légende noire de la pétroleuse responsable de tous les maux de la capitale. C'est elle qui allume, attise et répand le désastre. Elle incarne à elle seule l'horreur de « la Commune », titre d'une caricature versaillaise qui, dans un détournement de *la Liberté guidant le peuple* de Delacroix, campe une virago, coiffée d'un bonnet phrygien et vêtue d'une tunique à l'antique rouge d'où sort un sein flasque, tenant une torche d'une main et de l'autre un arrosoir marqué « pétrole ».

Selon Lissagaray, l'un des acteurs et des tout premiers historiens de l'insurrection, la légende des pétroleuses repose sur une rumeur, qui aura pour conséquences des centaines de meurtres dans les derniers jours de la Semaine sanglante : « Toute femme mal vêtue ou qui porte une boîte de lait, une fiole, une bouteille vide, est dite pétroleuse. Traînée, en lambeaux, contre le mur le plus proche, on l'y tue à coups de revolver[42]. » Si, parmi les quelque 10 000 femmes ayant participé à l'insurrection, certaines ont pris part aux incendies, la plupart du temps en groupes avec des hommes, il est aujourd'hui établi que la pétroleuse, dont Louise Michel niera l'existence, relève du phantasme. Il s'étend à toutes les femmes de la Com-

42. Prosper-Olivier Lissagaray, *Histoire de la Commune de 1871*, Bruxelles, Librairie contemporaine de Henri Kistemaeckers, 1876, p. 387. Voir également Gay L. Gullickson, « La Pétroleuse : Representing Revolution », *Feminist Studies*, vol. XVII, n° 2, été 1991, p. 240-265, et *Unruly Woman of Paris. Images of the Commune*, Ithaca, Cornell University Press, 1996.

mune, contre lesquelles le déchaînement des partisans de l'Ordre atteint des sommets. Évoquant les insurgés, Alexandre Dumas fils a cette phrase : « Nous ne dirons rien de leurs femelles par respect pour les femmes à qui elles ressemblent — quand elles sont mortes[43]. » Edmond de Goncourt leur trouve des regards de folles, Maxime Du Camp, qui a pourtant reconnu l'invalidité de la légende des pétroleuses, estime que « presque toutes les malheureuses qui combattirent pour la Commune étaient ce que l'aliénisme appelle "des malades"[44] ».

Ce qu'attestent les registres de Sainte-Anne, ce n'est donc pas l'impact des actes de la Commune mais bien la puissance de la répression sur le discours de la folie. Les pétroleuses étaient assimilées à des « folles » ; ce sont désormais les « folles » qui, intégrant leur rôle de bouc émissaire, s'accusent d'avoir été des pétroleuses. L'internement officialiserait ainsi — et justifierait — le regard de la société sur les femmes de la révolution.

La politique entre à l'asile. Octavie B., domestique, « dit à des soldats de faire un trou dans la terre, et de la fusiller sur l'heure, parce que, elle

---

43. Alexandre Dumas fils, *Une lettre sur les choses du jour*, Michel Lévy frères, 1871, 2e éd., p. 16-17.
44. Maxime Du Camp, *Les Convulsions de Paris*, t. II, Librairie Hachette, 1881, 5e éd., p. 62. Dans le même ouvrage, Du Camp reprend presque mot pour mot le passage cité de Lissagaray sur la répression des prétendues pétroleuses, et ajoute, p. 287 : « Plus d'une erreur a été commise, et plus d'un malheur fut à déplorer. À qui la faute ? À la crédulité du peuple, sans aucun doute, mais surtout à ceux qui avaient surexcité cette crédulité par une série de forfaits incompréhensibles. Si la Commune n'avait brûlé une moitié de Paris, on ne l'eût jamais crue capable d'en brûler l'autre moitié. »

aussi, elle voulait mourir pour la Commune[45] ! ».
« Arrêtée pour avoir été institutrice communale au
Ier arrondissement », Marie C., 42 ans, est affectée
de manie illustrée par des « récits emphatiques, citations latines, prophéties, etc.[46] », quand Eugène
P. a été placé d'office à Charenton : « Ce malade a
été arrêté pour rébellion avec violence envers des
gardiens de la paix. Il a déjà été traité dans un établissement d'aliénés à Maréville. Sa mère a eu de
nombreux accès de folie. Son père vient d'être
fusillé à la Roquette[47]. » Le contingent des communards remplit aussi les maisons de santé privées.
Mme Rivet, qui dirige la clinique fondée par son
père, Alexandre Brierre de Boismont, rapporte le
cas d'une veuve fortunée, châtelaine d'une bonne
éducation mais adonnée à l'absinthe, qui avait été
arrêtée sur une barricade, « le fusil encore chaud »,
et conduite au camp de Satory, où elle avait été
jugée aliénée. Ses déclarations prouveraient sa
« folie politique » : « J'entre chez un marchand de
vin, je m'assieds à une table, je parle, un cercle se
forme ; je m'échauffe, le cercle grandit. Bientôt
l'enthousiasme est tel que la salle est comble ; on
monte jusque sur les tables pour m'entendre. [...]
J'entraîne d'autant plus les masses que je suis une
communarde, c'est vrai, mais une communarde de

---

45. AP, Sainte-Anne, Registre de suivi mensuel femmes (7 juin-
5 août 1871), D3X3 178, f° 48. Entrée le 26 juin 1871, sortie le 28 mars
1872.

46. AAP-HP, Salpêtrière, Registre d'observations médicales, 5e division, 4e section, 1870-1873, 6R61, f° 198. Entrée le 24 août 1871.

47. ADVDM, Charenton, Registres de la loi, placements d'office et
volontaires, f° 134. Placé d'office le 10 juin 1871, sorti guéri le 31 août
1871.

bonne compagnie. Ma phrase étant bien faite, je les électrise et le tour est joué[48]. » Elle sera transférée dans un asile en province, après avoir tenté de gagner à la cause féministe une patiente internée par son mari.

1848 refait surface. À Bicêtre, le médecin hésite devant ce patient victime d'accidents alcooliques, échappé de Sainte-Anne, qui « répond juste » et « n'a présenté, depuis son entrée ici, aucun signe d'aliénation mentale ». Mais, circonstance aggravante, il a eu « un premier accès en 1848[49] ». Il sera libéré au bout de trois jours. La veuve J., chiffonnière, soixante-deux ans, atteinte d'alcoolisme chronique et d'idées confuses de persécution, a déjà été traitée en 1848 et « arrêtée pour cris séditieux[50] ». Cris séditieux qui, d'ailleurs, changent de camp avec les changements de régime. Adolphe H., qui hurle à tout-va « Vive l'empereur, vive l'impératrice et vive le prince impérial », en est conscient : « Il prétend qu'il remplit une mission politique et en poussant des cris séditieux, il veut simplement se rendre compte de l'esprit des populations. » Doué du talent de « faire des apparitions pour tout le monde » et d'un sens de l'image évident, « il a parcouru Paris pour montrer la famille impériale, il a fait apparaître à l'Orient l'Espérance sous la forme d'une ancre[51] ».

48. Mme Rivet, *Les Aliénés dans la famille et dans la maison de santé*, Masson, 1875, p. 243.
49. AAP-HP, Bicêtre, Registre d'observations médicales, 5e division, 1re et 2e sections, 1871-1872, 6R34, f° 54.
50. AAP-HP, Salpêtrière, 5e division, 4e section, 1870-1873, 6R61, f° 324. Entrée le 9 juillet 1872, sortie le 23 octobre 1872.
51. AAP-HP, Bicêtre, 5e division, 1re et 2e sections, 1871-1872, 6R34, f° 140.

Tous ces commentaires, trop lapidaires pour autoriser des conclusions globales, demandent à être éclairés par l'opinion des psychiatres. Les aliénistes sont investis d'un rôle charnière. Les journaux les consultent, le pouvoir les convoque en tant qu'experts. Leur avis est d'autant plus déterminant qu'ils peuvent d'un mot empêcher une déportation ou une réclusion à vie. À partir de 1871, les *Annales médico-psychologiques* consacrent régulièrement une partie de leur sommaire à la guerre et à la Commune. C'est à cette source qu'il faut revenir pour comprendre l'enjeu des débats.

LES BÉGAIEMENTS DE L'HISTOIRE

Distinctes sans être séparées, la guerre et la Commune sont traitées pour la première fois dès le second semestre 1871 par Benedict-Augustin Morel, qui déclare faire « œuvre de patriotisme [52] » en montant à l'assaut contre un livre du docteur Carl Starck, dont le titre résume la visée : *La Dégénérescence du peuple français, son caractère pathologique, ses symptômes et ses causes. Contribution de médecine mentale à l'histoire médicale des peuples*. Selon Starck, les brutalités et les horreurs de la guerre seraient à mettre sur le compte d'un peuple abâtardi,

---

52. Benedict-Augustin Morel, « La dégénérescence du peuple français, son caractère pathologique, ses symptômes et ses causes. Contribution de médecine mentale à l'histoire médicale des peuples », in *Annales médico-psychologiques*, 5ᵉ série, t. VI, 1871, p. 291.

décadent et corrompu, dont l'orgueil natif (et légendaire) est devenu « une *monomanie*, une *idée fixe*,
un vrai délire[53]... ». Toujours persuadée d'être à la
tête de la civilisation, la nation française ressemble
à un aliéné atteint de « folie raisonnante », un « *para-
lytique général* couché sur son grabat annonçant
qu'il est plein de force et de santé[54] ». Comble des
humiliations, le docteur Starck a pour elle la com-
misération du médecin devant un organisme débile.
« Les Français, dit-il, ont un cerveau organisé d'une
manière spéciale, et Huschke (un autre savant) a
démontré que le poids des cerveaux français était
inférieur à celui des cerveaux allemands ; et, chose
curieuse, les cerveaux des chevaux français sont
également plus légers que le cerveau des chevaux
allemands. Aussi faut-il nous féliciter de l'épithète
de *tête carrée* qu'ils nous infligent[55]. »

Face à cette avalanche d'injures, Morel s'étouffe.
Né à Vienne en 1809, le médecin professe une réelle
admiration pour la science d'outre-Rhin, d'où une
part de son malaise très palpable. L'attaque lui est
d'autant plus insupportable que Starck exploite un
concept qu'il a lui-même théorisé, la dégénérescence, tout en pointant les travaux scientifiques
français, frappés de « dégénérescence intellectuelle », exacerbant ainsi la rivalité entre Paris et
Berlin. Piqué à vif dans son honneur de savant,
blessé dans son patriotisme, Morel se défend, bien
piteusement, en vantant le talent des artistes fran-

53. *Ibid.*, p. 292.
54. *Ibid.*, p. 293.
55. *Ibid.*, p. 296.

çais par opposition aux philosophes allemands, qu'on ne comprendrait guère... À côté de ces arguments qui ont surtout pour effet de souligner un complexe d'infériorité, il fait bien sûr aussi valoir l'absurdité de caractériser un peuple entier par l'aliénation mentale, quand c'est l'Europe entière et le siècle qui serait moralement malade.

Comme tous ses compatriotes, Morel est humilié par la défaite. Mais il est surtout écrasé de honte face au spectacle donné au monde par la Commune, qui réveille sous sa plume ce commentaire sur 1848 d'un aliéniste allemand, qu'il rapporte comme s'il l'avalisait : « La France, dit M. Virchow, est une nation turbulente qui fait des révolutions, l'Allemagne une nation sage qui accomplit des réformes[56]. » La Commune relance l'éternel débat d'une France révolutionnaire et convulsive, atteinte d'un mal chronique, endémique. L'énergie que Morel met à éradiquer cette image insupportable, assurant que les communards ne sont pas des aliénés mais « des monstres de l'ordre moral[57] », des marginaux responsables de leurs actes, et à dénoncer à mots couverts les origines marxistes et donc allemandes de l'Internationale, indique que s'est en réalité déjà ouvert un nouveau chapitre dans l'histoire tumultueuse de la psychiatrie dans son rapport aux révolutions, et aux nationalismes. « Sachez donc, tonne-t-il à l'adresse de la nation ennemie, que lorsque vos soldats assistaient heureux et satisfaits à la chute de la colonne Vendôme et à l'incendie de Paris, des mil-

---

56. *Ibid.*, p. 298.
57. *Ibid.*, p. 299.

lions de Français étaient prêts à venger la civilisation outragée et compromise par les coryphées
révolutionnaires de l'Europe qui s'étaient donné
rendez-vous dans notre malheureuse capitale. Nous
savons d'où ils viennent, quel pays les a vus naître et
quel pays les protège. Les noms seuls des chefs de
l'Internationale révèlent leur origine. Vous les ver-
rez à l'œuvre un jour dans vos villes et dans vos campagnes [58]. »

Ce premier article peut être considéré, du moins
chronologiquement, comme le point de départ
d'un plus vaste et plus sérieux débat qui, dans les
mois qui suivent, tentera de trancher, à force
d'enquêtes et de prises de position théoriques, ce
qui sépare l'aliénation mentale de la responsabilité
morale, soit de répondre à cette question décidément insoluble : qu'est-ce que la folie ?

« L'Histoire ne se répète pas ; elle bégaie. » La
fameuse phrase attribuée à Marx pourrait sans mal
s'appliquer au discours des aliénistes au lendemain
de la Commune. Les mêmes polémiques resur-
gissent, animées, pour partie, par les mêmes prota-
gonistes qu'en 1848. À la question de savoir quelle
influence les grandes commotions politiques
exercent sur la folie, les psychiatres répondent,
partagés, grossièrement, en deux camps.

Le premier est illustré par Morel, qui met au défi
les aliénistes de ranger dans un cadre nosologique
les « abominables forfaits » dont les communards
se sont rendus coupables. « *La folie est une maladie ;*

58. *Ibid.*, p. 293-294.

un abîme la sépare du crime et de la simple passion »,
déclare-t-il dès le 6 juin 1871, dans *Le Nouvelliste
de Rouen*. Et on cherchait en vain sur leurs « faces
avinées […] l'empreinte sacrée de la maladie, le *res
sacra miser* des êtres souffrants et inconscients[59] ».
En leur accordant une « conscience », Morel réha-
bilite les insurgés dans leur lucidité, mais pour
mieux les condamner comme de dangereux délinquants.

Le second tient les communards, et sans autre
forme de procès, pour des fous furieux, des malades
à enfermer. Brierre de Boismont est le représentant le plus bruyant de ce camp. Son diagnostic ne
s'arrête pas aux « énergumènes » placés à la tête de
la Commune, qui croupissent désormais dans les
geôles de la République, mais s'étend à tous leurs
affidés. « Il y a encore des fanatiques qui rêvent une
rénovation du monde par des moyens imprati-
cables : ceux-ci sont les premiers éléments de la folie
démagogique ; mais il y a surtout une multitude
d'individus qui ont sur la famille, la propriété, l'individualité, la liberté, l'intelligence, la constitution de
la société, des idées tellement en opposition avec la
nature humaine que la folie peut seule expliquer. »
C'est pourquoi il réclame la création d'établissements spécialisés dont la particularité serait, au
fond, d'abolir tout à fait la distinction entre asile
psychiatrique et prison politique. « Si cette mesure

59. Benedict-Augustin Morel, *Le Nouvelliste de Rouen*, 6 juin 1871,
cité par Prosper Despine, *De la folie du point de vue philosophique, ou
plus spécialement psychologique, étudiée chez le malade et l'homme de
santé*, Savy, 1875, p. 791-792.

était adoptée en France comme elle l'est en Angleterre, tous ceux qui émettraient des idées subversives, pouvant conduire aux résultats terribles dont
nous avons été témoins, seraient immédiatement
conduits dans ces asiles et soumis à des moyens
mécaniques, dès qu'ils auraient des crises, feraient
des menaces, chercheraient à s'évader[60]... »

Que Brierre de Boismont s'épargne la peine
d'expliquer en quoi, cliniquement, les communards seraient des malades mentaux signale à
quel point ce « diagnostic » tomberait à l'époque
sous le sens. De fait, l'« évidence » est partagée par
la plupart de ses collègues qui achoppent sur un
point plus précis et subdivisent le problème : les
communards étaient-ils atteints de folie organique
ou de folie morale ? Pour le docteur Laborde,
auteur d'un livre sur *Les Hommes et les actes de
l'insurrection de Paris devant la psychologique morbide*[61], les insurgés auraient massivement souffert
d'une tare héréditaire qui les prédisposait à la
folie. Dans la grande tradition esquirolienne, il
estime que cette folie organique, dormante, aurait
été révélée par les événements politiques, et rejette
la notion de folie collective ou d'effet d'entraînement. Sur quoi repose cette théorie ? Sur une
simple supposition. Faute de pouvoir démontrer

---

60. Alexandre Brierre de Boismont, *Annales médico-psychologiques*,
5ᵉ série, t. VI, 1871, p. 124. Cité par Michel Landry, *L'État dangereux :
un jugement déguisé en diagnostic*, L'Harmattan, 2002, p. 32, note. À la
même époque, Achille Foville proposait une étude sur les asiles pour
les ivrognes. Voir *Annales d'hygiène publique et de médecine légale*, 2ᵉ
série, t. XXXVII, Jean-Baptiste Baillière, 1872, p. 299-379.
61. Dr. Laborde, *Les Hommes et les actes de l'insurrection de Paris
devant la psychologie morbide*, Germer-Baillière, 1872.

l'existence d'antécédents héréditaires chez les communards, Laborde s'appuie sur leurs actes pour établir la preuve de l'innéité du mal... Mais la faiblesse de l'analyse peine à convaincre ses collègues, même s'ils accueillent favorablement le livre dans son principe. Certains aliénistes regrettent que Laborde ne se soit pas mieux renseigné : « Dans la Commune et ses principaux adhérents, affirme Lunier, il y avait au moins huit aliénés ayant des antécédents héréditaires très-nettement constatés[62]. » D'autres, comme le docteur Baume, résiste à la grossièreté du syllogisme et reproche à l'auteur d'exagérer le phénomène de l'hérédité en proclamant que « toute parenté morbide est féconde[63] » — ce que l'expérience ne confirme pas, puisqu'on peut avoir un parent fou et ne pas l'être soi-même. Par ailleurs, Laborde esquive la question cruciale : celle de la responsabilité morale.

Elle sert de point d'appui à Prosper Despine pour élaborer une autre théorie : la folie des communards était une folie morale. L'épidémie qui les a gagnés porte un nom : le socialisme, dont le but serait l'anéantissement des valeurs fondamentales de la civilisation. Guidés par la convoitise et l'aigreur, l'envie et la paresse, les révolutionnaires seraient des nihilistes sans programme, sinon de jouir du mal qu'ils prônent et propagent :

---

62. « Séance du 15 janvier 1872 », *Annales médico-psychologiques*, 5ᵉ série, t. VII, Masson, 1872, p. 257.

63. Dr Baume, « *Les Hommes et les actes de l'Insurrection de Paris devant la psychologie morbide*, par le Dr Laborde », *Annales médico-psychologiques*, 5ᵉ série, t. VII, 1872, p. 304.

Le caractère qui est propre aux actes de la folie s'est manifesté dans tous les actes des hommes de la Commune. Nous avons vu en effet que le propre de l'activité de la folie est la destruction, l'incapacité absolue à organiser, à édifier quoi que ce soit. Or qu'a produit la Commune ? Des décrets d'un jour, d'une heure, annulés par de nouveaux décrets sans cesse renouvelés ; des pouvoirs, des comités qui se succédaient continuellement et qui se substituaient les uns aux autres. Que sortait-il de la bouche des communards ? Des paroles qui prêchaient le pillage, l'incendie, la mort, la suppression de Dieu, des cultes, de la famille, de toutes les institutions basées sur les instincts supérieurs de l'âme[64].

La folie résiderait dans un « état psychique anormal », caractérisé par l'aveuglement moral. Autrement dit, un homme doué de raison ne peut vouloir, en toute conscience, que le « bien », dont la définition repose exclusivement sur l'idéologie — et la religion. Or, par leurs actes et leurs discours, les communards ont prouvé leur état de « folie morale ou instinctive ». « Ces fous, bien plus dangereux que les fous malades [*sous entendu : organiquement*], sont restés convaincus d'avoir sagement agi[65] » — ce qui prouve leur incurabilité. En ce sens, Prosper Despine ne peut être d'accord avec Benedict-Augustin Morel, qui considère les insurgés non comme des fous mais comme des criminels redevables de leurs actes.

D'un côté comme de l'autre, les insurgés sont donc perdants. Soit ils sont regardés comme des

---

64. Prosper Despine, *De la folie du point de vue philosophique, ou plus spécialement psychologique, étudiée chez le malade et l'homme de santé*, Savy, 1875, p. 779.
65. *Ibid*., p. 794.

criminels que la justice doit poursuivre, soit ils sont considérés comme des fous à interner, que leur mal soit héréditaire ou moral. Responsables ou irresponsables, conscients ou inconscients, ils sont coupables. Dans tous les cas, l'enfermement demeure une mesure indispensable de salubrité publique. La moralisation du débat va de pair avec sa dépolitisation. À aucun moment les aliénistes ne s'interrogent sur les idées de la Commune ou sur ses motivations, réduites au pur instinct aveugle et sauvage de destruction d'une bande d'ivrognes. On mesure ici la saute opérée par rapport à 1848 : le délirant politique de Juin, le « monomane communiste » dont pouvait encore se moquer Brierre de Boismont, est devenu en 1871 un animal sanguinaire dont la parole est décrédibilisée à la source. La séparation des Églises et de l'État, l'enseignement laïque, gratuit et obligatoire, l'égalité salariale entre hommes et femmes dont bénéficieront les institutrices, la gratuité des actes notariés, la suppression du travail de nuit pour les boulangers : en deux mois, « l'émancipation des travailleurs par les travailleurs eux-mêmes » a pourtant produit une œuvre décisive. Mais elle n'est jamais interrogée, comme ne seront jamais questionnés, à titre de folie collective, les actes de barbarie de la répression par les Versaillais.

En cela, les aliénistes confortent l'opinion bourgeoise, prompte à assimiler la Commune à un pur acte de démence. L'évidence est en particulier admise chez les écrivains, unanimes, à quelques rares exceptions près, à condamner l'insurrection, comme l'a bien montré Paul Lidsky[66]. Le plus violent d'entre eux, Maxime Du Camp, recourt d'ailleurs volontiers, on l'a vu, à la référence aliéniste. Ce fils de médecin, décoré des mains de Cavaignac pour sa participation dans la garde mobile en juin 1848, n'a pas de mots assez durs pour stigmatiser les communards, dans son grand livre sur *Les Convulsions de Paris*, qui lui vaudra un fauteuil à l'Académie française. Il y évoque notamment Jules Allix, délégué du VIIIe arrondissement, excentrique qui fit en effet plusieurs séjours à l'asile — aubaine, sous la plume de Du Camp, pour étendre à tous les responsables de la Commune le diagnostic d'aliénation mentale, qu'il raffine à plaisir :

> C'était un maniaque prophétique, incohérent, mais bon homme, et absolument inoffensif. Il n'était point atteint de monomanie homicide, comme Rigault, Ferré, G. Ranvier et Urbain ; de pyromanie, comme Pindy ; de cleptomanie, comme Eudes ; de monomanie du pouvoir, comme Delescluze ; de monomanie des grandeurs, comme J. Vallès ; de monomanie raisonnante, comme Léo Meillet ; de monomanie dénonciatrice, comme Millière ; d'alcoolisme, comme tous les fédérés ; de lycanthropie compliquée de lâcheté, comme Félix Pyat ; de scatologie chronique, comme Vermersch ; il n'était pas Dieu, comme Babick ; non, il était atteint d'escargotomanie et ne croyait qu'aux colimaçons, croyance innocente qui lui mérita quelque célébrité. Il avait inventé la correspondance à l'aide des escargots sympathiques[67].

66. Paul Lidsky, *Les Écrivains contre la Commune*, Maspero, 1970.
67. Maxime Du Camp, *Les Convulsions de Paris*, t. II, Librairie Hachette et Cie, 5e éd., 1881, p. 245. Explication : « Deux escargots ayant de la sympathie l'un pour l'autre étant donnés, il s'établit une sorte de synchronisme dans leurs mouvements ; à quelque distance que ce soit, le

Maxime Du Camp, qui omet de préciser que la Commune, craignant les lubies d'Allix, l'avait fait arrêter, n'aurait-il pas eu avantage à s'attarder plutôt sur le cas de Jules Vallès ? L'auteur de *L'Insurgé* propose en effet à lui seul un exemple unique, qui balaie tout le spectre des relations entre politique et aliénation mentale au XIXe siècle. Comme victime de l'internement arbitraire d'abord puisqu'en 1851, alors qu'il participe aux barricades dressées à Nantes, son père, professeur respecté craignant le scandale, le fait enfermer d'autorité à l'asile Saint-Jacques. Sa sœur, traumatisée par cet événement, ira le rejoindre quelques semaines plus tard. Vallès devra à l'énergie de son ami Arnould d'être libéré en mars 1852. Sa sœur n'aura pas cette chance : elle mourra en 1859, toujours séquestrée comme folle.

Élu de la Commune et fondateur du *Cri du peuple*, Vallès échappe par miracle à la répression, en allant se réfugier à Londres. En 1881, l'internement à Charenton de son ami Gill lui donne l'occasion de revenir sur la pratique asilaire et son rapport à la censure politique et familiale, thème

---

geste de l'un est imité, est reproduit par l'autre au même instant. Découverte d'incalculable conséquence ; plus de poste aux lettres, plus de télégraphie électrique ; la sympathie des escargots supplée à tout. — Recette : prenez quarante-huit escargots dont le degré de sympathie a été scientifiquement déterminé ; séparez-les en deux compagnies de nombre égal : vingt-quatre d'un côté, vingt-quatre de l'autre ; sur chacune des coquilles tracez une des vingt-quatre lettres de l'alphabet ; gardez un alphabet à Paris, envoyez l'autre à Constantinople. Lorsque vous remuerez l'escargot A de Paris, l'escargot A de Constantinople s'agitera immédiatement, parce qu'il est sympathique. De là un mode facile de correspondance qui déjoue toutes les curiosités. »

qui l'a toujours hanté. Gill, caricaturiste mordant
et très populaire du Second Empire, avait renoncé
à s'engager dans le mouvement insurrectionnel de
1871. Le calme revenu, considérant son rôle d'opposant comme révolu, il se consacre à la peinture.
La perte d'un enfant, la frustration de voir son tableau *Le Fou* mal exposé au Salon déterminent
plusieurs épisodes délirants qui l'envoient à l'asile.
Il mourra à Charenton en 1885. L'interprétation
de ce drame par Vallès, prenant à contre-pied les
théories aliénistes de la dégénérescence, a valeur
de profession de foi, qui apporte un nouvel éclairage :

> S'il pouvait, ce décapité qui fut mon ami, s'il pou-
> vait, quoi qu'en aient dit les médecins, retrouver la
> raison, je lui conterais comment, malgré la douleur
> et la misère, on ne devient pas fou — tandis qu'on
> peut perdre la tête dans le bonheur et la gloire ! [...]
> En tout cas, bourreaux ou victimes, tous ceux qui
> vivent des sensations de la place publique, ceux-là
> durent longtemps, gardent le cerveau frais, l'esprit
> ferme, qu'ils s'appellent Dufaure ou Blanqui, Senard
> ou Raspail. — La fièvre de la lutte les tient debout et
> droits jusqu'à ce qu'ils s'écroulent comme des arbres
> ou qu'on les tue ; les coups de lance qu'on leur porte
> les clouent à la vie au lieu de les pousser dans la
> mort.
> [...] Il faut prendre parti. Il ne voulut pas, il
> repoussa tous les képis et se contenta de coiffer le
> bonnet de l'artiste. Le bonnet s'est resserré sur ses
> tempes et est devenu la coiffure d'un galérien de
> Sainte-Anne !

Vallès renverse les termes du problème : Gill est
devenu fou pour avoir déserté l'engagement poli-

tique, gage de lucidité et de santé mentale. Et Vallès de conclure sur cette prophétie à méditer : « Il faut s'y mettre à mille et ne pas attendre d'être fou pour monter à l'assaut des bastilles. Nous irons peut-être bien un jour renverser tout cela, maisons de fous comme maisons de rois[68]... »

68. Jules Vallès, *Le Réveil*, 23 octobre 1881. Cité par Aude Fauvel, « Punition, dégénérescence ou malheur ? », *Revue d'histoire du XIXe siècle*, no 26-27, 2003, p. 285.

Postambule

À trois « *femmes furieuses* »,
en souvenir d'une visite à Charenton

Le 23 novembre 2010, ce livre à peine achevé, je me suis rendue pour la première fois à Charenton. J'ai connu la Salpêtrière et son pavillon Pinel, face à l'amphithéâtre Charcot, j'ai visité Sainte-Anne, Bicêtre et son pôle « neurosciences, tête & cou », très inspirant pour qui se préoccupe de la guillotine. Charenton était le seul asile dont j'avais consulté les archives — et quelles archives — mais dont je ne connaissais pas les murs. Et quels murs.

Charenton, ou l'hôpital Esquirol, comme il a été rebaptisé depuis 1973, est un étagement de surfaces abstraites, mur végétal et murs aveugles de pierres, avec paliers à intervalles réguliers, sur un promontoire qui domine la Seine, au confluent de la Marne. On ne voit plus les fleuves qui le bordent, on ne reconnaît pas la nature qui l'entourait du temps de Sade, mais on entend l'autoroute de l'Est qui fait écran, sonore et formel, à toutes rêveries.

Les bois alentour, dont les couleurs signalaient ce jour-là un automne maussade et humide, sont clairsemés. Au-delà des frondaisons et dans les trouées éparses des bosquets, on aperçoit des logements sociaux, des barres d'immeubles, sous un ciel délavé et vide, blanc sale comme l'horizon de l'Île-de-France. C'est un paysage triste, monotone comme l'aliénation.

Esquirol tenait les maisons d'aliénés pour « un instrument de guérison[1] ». Arpenter le site et traverser les bâtiments de l'asile, élevés d'après ses recommandations entre 1838 et 1886, offre aujourd'hui le meilleur moyen de mesurer ce qu'un panneau fièrement planté à l'entrée de l'établissement nomme sans rire « la période la plus brillante de la psychiatrie française ».

Charenton mêle la caserne au couvent. C'est une prison bucolique, un havre sévère, qui a tous les atouts d'un lieu de repos, isolé, symétrique, et dont la régulière ordonnance néoclassique borne l'imagination. La chapelle, temple à l'antique posé à l'imitation du Walhalla en surplomb d'un escalier à double volée droite, couronne un ensemble de façades muettes aux fenêtres grillagées et de cours bordées de péristyles. Tout en haut, on jouit d'une vue, mais nulle part de perspectives.

Au départ de cet escalier d'honneur et dans une niche au centre de tous les regards, une statue célèbre le grand homme, allégorie de la science et

---

1. J.-E.-D. Esquirol, « Des établissements d'aliénés en France et des moyens de les améliorer » (1818) », in *Des maladies mentales*, *op. cit.*, t. II, p. 144.

de l'expérience, du progrès et de la philanthropie : Esquirol, représenté assis, qui de sa main droite écrit sur une tablette l'avenir la psychiatrie avec, à ses pieds, un aliéné recroquevillé et misérable, qu'il protège de son large manteau.

Entre injonction à se conformer à la géométrie d'un espace rectiligne, qui est l'ordre de la raison, et invitation à honorer le psychiatre comme bienfaiteur de l'humanité, Charenton représente le triomphe de l'aliénisme du XIXe siècle, autoritaire et plein de bons sentiments. Les asiles calqués sur ce plan idéal, et leurs méthodes coercitives afférentes, ont perduré jusqu'à ce que la psychothérapie institutionnelle, sous l'impulsion de François Tosquelles, au sortir de la Seconde Guerre mondiale et à la découverte des camps de concentration, identifie l'institution comme malade d'elle-même. L'asile s'est développé avec le capitalisme et l'industrie, il s'est décomposé avec la révélation de l'horreur totalitaire. Cet arc historique dit à quel point l'asile a été la scène privilégiée d'une confrontation entre l'individu et la collectivité, le singulier et la standardisation. Car quoi de plus révélateur que cette architecture répétitive et régulière, qui somme le patient de se plier à la norme et de suivre le droit chemin ? Que ce soit ici, à Bicêtre, à la Salpêtrière ou à Sainte-Anne, l'horloger décapité, l'homme qui se prenait pour Napoléon, la célibataire communiste, la pétroleuse hystérique et tous les révolutionnaires insensés ont dû se conformer au règlement et aux lignes imposées du paysage.

Autres temps, autres mœurs ? L'hôpital Esquirol a beau toujours fournir le cadre de soins psychiatriques, la psychiatrie d'aujourd'hui, fondée sur la sectorisation et les soins ambulatoires, avec hôpital de jour, appartements thérapeutiques et appartements protégés, n'a évidemment plus rien à voir avec l'aliénisme d'hier. Les murs de l'asile sont bien tombés, et avec eux les méthodes d'un autre âge. Cela, a priori. Car l'obsolescence formelle de Charenton n'aurait en réalité d'égale, métaphoriquement, que son actualité.

« On juge une société à la manière dont elle traite ses fous », disait Lucien Bonnafé. Or sous ce rapport, force est de constater que le XXIᵉ siècle offre un sinistre profil. En 2003, les états généraux de la psychiatrie avaient déjà tiré la sonnette d'alarme, sur une situation qui se dégrade faute de moyens et privilégie la rentabilité à court terme, au détriment d'une véritable politique de soins. Le retour au tout sécuritaire, le harcèlement moral des autorités relayées par les médias sur la « dangerosité » des schizophrènes, la judiciarisation de l'internement sans consentement, l'exigence de rendement soutenue par l'industrie pharmaceutique et les sciences cognitivo-comportementales, sans compter les attaques tous azimuts contre la psychanalyse, seul dispositif à ce jour susceptible d'instaurer une relation singulière dans une temporalité singulière, signalent une régression extrêmement grave des acquis de la psychiatrie et trahissent une volonté politique de s'arc-bouter sur une logique d'exclusion. De la multiplication des chambres d'isolement au recours exclusif à la camisole chimique venue en remplacement de soins psychothérapeutiques trop dispendieux pour la Sécurité sociale, les patients se trouvent de plus en plus marginalisés, abandonnés, laissés à eux-mêmes ou, parfois, à la prison[2].

Est-on jamais sorti, moralement, du XIXᵉ siècle? Tout au long de ce livre, cette question m'a tracassée. Tantôt elle me paraissait ridicule — le mouvement désaliéniste et 1968 étaient passés par là —, tantôt pertinente — n'était-on pas en plein retour à l'ordre? Jusqu'à ce que je tombe sur ces mots de Jean Oury, pour caractériser notre époque: «L'antipsychiatrie a pris le pouvoir.» À l'heure du libéralisme à tout crin, de la globalisation et de la logique financière, la formule a peut-être de quoi surprendre. Elle permet en réalité de saisir une collusion idéologique complexe, nouée entre la fin des années 1960 et le début des années 1990, que l'on me pardonnera de résumer très grossièrement: en combattant le pouvoir psychiatrique et un système de soins assimilé à un système de subordination et de colonisation de l'esprit, l'antipsychiatrie aurait fait le lit de l'économie libérale qui, dans une géniale entreprise de récupération, n'a eu qu'à se baisser pour ramasser et liquider, avec les asiles, un héritage coûteux — souvenons-nous de l'Amérique de Reagan fermant les hôpitaux psychiatriques les uns après les autres, pour livrer les patients à leur sort et

---

2. Pour un remarquable état des lieux de la psychiatrie actuelle en France, on se reportera au film de Philippe Borrel, *Un monde sans fous* (67 min), coproduit par Cinétévé et le Forum des images, et diffusé sur France 5 le 13 avril 2010. Au 2 décembre 2010, il était toujours en ligne sur le site de Mediapart, avec l'intégralité des entretiens, dont le montage du film a retenu seulement quelques extraits: http://www.mediapart.fr/content/un-monde-sans-fous-ou-les-derives-de-la-psychiatrie

à la rue. Les motivations radicalement opposées
d'une gauche idéaliste et libertaire, et d'une droite
pragmatique et cynique, se sont trouvées, *in fine*,
servir le même but — ou du moins aboutir au même
résultat.

À l'intérieur d'une société qui parle de « plan
de santé mentale » et entend dépister les « comportements délinquants et anormaux » dès la mater-
nelle en se fondant sur des QCM[3], la parole folle,
avec ses enseignements, ses détours et ses souffrances, peine de plus en plus à se faire entendre
dans un monde globalisé qui n'a plus le temps
d'écouter et d'engager le dialogue. Une médication
agressive, des soins par « thérapie virtuelle » où
l'image et la simulation ont pris le pas sur les mots,
ont abrasé un délire devenu inaudible et illisible.
On se débarrasse d'archives devenues trop encom-
brantes, et depuis l'ouverture des dossiers aux familles des patients, les psychiatres, par mesure de
discrétion et de protection du secret médical, li-
mitent leur commentaire au strict minimum, en se
conformant aux codes élémentaires du tout-puissant DSM-IV (*Diagnostic and Statistical Manual —
Revision 4*), qui s'est imposé comme l'unique nomenclature de référence sur les troubles mentaux.
Si bien qu'un livre comme *L'Homme qui se prenait
pour Napoléon* ne serait pas faisable sur l'époque

---

3. Ces questionnaires à choix multiples, destinés à dépister chez
l'enfant d'éventuels troubles psychiques (dépression, phobie, anxiété,
etc.), sont fondés sur le DSM-IV. L'enfant doit en général répondre par
oui ou par non à des questions posées par l'ordinateur, comme par
exemple : « Es-tu tout le temps triste ? », « As-tu parfois envie de mourir ? », « Veux-tu rester chez tes parents plutôt que d'aller à l'école ? ».

actuelle, faute de matériau disponible. Il suffit pourtant d'interroger quelques psychiatres, psychanalystes ou patients, pour mesurer que l'Histoire fournit bien évidemment autant de matière à délire qu'hier et que l'antique projet d'Esquirol de se fonder sur le discours de la folie pour reconstituer le récit national reste tout aussi envisageable qu'il y a deux siècles. Mais les patients étant de plus en plus réduits au silence, et leurs discours étant de moins en moins consignés, le murmure de la folie tend à se perdre et se dissoudre dans l'indifférence. Pas partout, bien sûr. À la suite du discours prononcé le 2 décembre 2008 par le président de la République, annonçant une série de mesures liberticides (géolocalisation des patients internés d'office, créations d'unités fermées et de 200 chambres d'isolement, soins ambulatoires sans consentement, attribution des pleins pouvoirs au directeur de l'hôpital, etc.), un collectif baptisé « La nuit sécuritaire » s'est formé pour protester, rassemblant près de 30 000 signatures. Parmi les membres du « collectif des 39 » à l'origine de cette initiative, et parmi les signataires, on trouve des psychiatres, des psychanalystes et un personnel soignant qui, à travers une pratique publique ou privée, poursuivent un travail engagé avec les patients et s'attachent à élaborer une œuvre féconde avec les diverses expressions de la folie.

Ceux-là, poursuivant l'œuvre de Freud et de Lacan, creusent aussi le geste inaugural de Pinel, qui fut de reprendre langue avec la folie, brèche ouverte mais aussitôt refermée par le triomphe de l'asile, qui signait l'échec du traitement moral. En 1845, le docteur Moreau de Tours, dans un aveu qui pouvait déjà avoir valeur de mise en garde, écrivait : « Si les malades parfois ont parlé, on n'a pas assez fait compte de ce qu'ils ont dit[4]. » Les archives du XIXe siècle, dont je n'ai utilisé ici qu'une infime partie, prouvent non seulement que le délire, rempart du sujet contre son propre effondrement, a beaucoup à nous dire sur la violence politique, mais que de vouloir le réduire au silence et dissoudre ses traces menace en réalité une société bien plus qu'elle ne la protège.

    4. J. Moreau de Tours, *Du haschisch et de l'aliénation mentale*, Librairie de Fortin, Masson et Cie, 1845, p. 133.

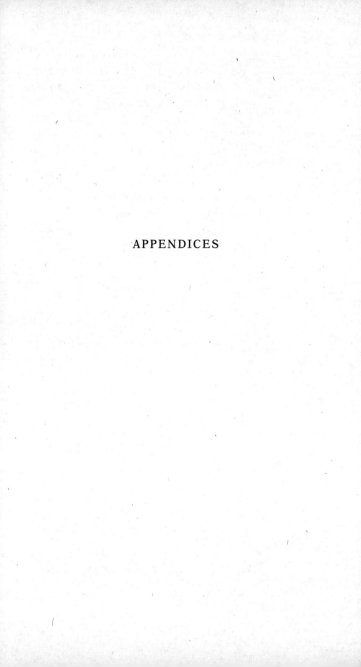

APPENDICES

Liste des abréviations

AAP-HP : Archives de l'Assistance publique-Hôpitaux de Paris.
ADVDM : Archives départementales du Val-de-Marne.
AN : Archives nationales.
AP : Archives de Paris.
APPP : Archives de la préfecture de police de Paris.

Bibliographie sommaire

SOURCES MANUSCRITES

Archives de l'Assistance publique — Hôpitaux de Paris, Paris :
— Série R : Registres d'observations médicales de la Salpê-
trière et de Bicêtre.
— Série Q : Registres de placements de la Salpêtrière et de
Bicêtre.
— Fond Fossoyeux.

Archives départementales du Val-de-Marne, Créteil :
— Série X : Registres d'observations médicales de Charenton.
— Série Q : Registres de placements.

Archives nationales, Paris :
— Série F : sous-séries F^7 (Police) et F^{15} (Hospices et
secours).

Archives de Paris, Paris :
— Série X : Registres d'observations médicales de Sainte-
Anne.

Archives de la Préfecture de Police, Paris :
— Série B, sous série B^A : Communards.
— Série C, sous série C^A : Répertoires analytiques et re-
gistres d'inscription ou d'internement.

Bibliothèque de l'Académie de médecine, Paris :
— Recueil d'observations prises dans le service de M. le Dr Trélat (à la Salpêtrière) par J.-A. Fort, interne.

Bibliothèque nationale de France, cabinet des Estampes, Paris :
— Carnets de dessins de Georges-François-Marie Gabriel.

Louise M. Darling Biomedical Library, Special collections, UCLA, Los Angeles :
— Registres de la maison Belhomme et de la maison Esquirol

SOURCES IMPRIMÉES

Tous les ouvrages cités ont été publiés à Paris, sauf mention contraire.

Sources primaires

Usuels

Annales médico-psychologiques, Masson, 1843-2011.

Annales d'hygiène publique et de médecine légale, Jean-Baptiste Baillière, 1829-1922.

Archives d'anthropologie criminelle, Masson, 1886-1914.

Dictionnaire encyclopédique des sciences médicales, publiée sous la dir. de M.-A. Dechambre, Asselin et Masson, 1864-1889. 100 vol.

Dictionnaire des sciences médicales, par une société de médecins et de chirurgiens, Panckoucke, 1812-1822, 60 vol.

Encyclopédie du XIXe siècle, répertoire universel des sciences, des lettres et des arts, 1838, 25 vol.

Grand Dictionnaire universel du XIXe siècle, par Pierre Larousse, 1865-1890, 17 vol.

Études et ouvrages

ANTOMMARCHI, Dr F., *Derniers momens de Napoléon*, Bruxelles, H. Tarlier libraire, 1825.

BAILLARGER, Jules, *Essai de classification des maladies mentales*, Victor Masson, 1854.

BEAUJEU, Maurice, *Psychologie des premiers Césars*, Lyon, A. Storck, 1893.

BELHOMME, Dr Jacques-Étienne, *Influence des événements et des commotions politiques sur le développement de la folie*, mémoire lu à l'Académie de médecine dans la séance du 2 mai 1848, suivi d'un rapport de M. Londe, dans la séance du 6 mars 1849, Librairie Germer-Baillière, 1849.

BERTIER DE SAUVIGNY, Ferdinand, *Souvenirs inédits d'un conspirateur*, Tallandier, 1990.

BLANCHE, Esprit, *Du danger des rigueurs corporelles dans le traitement de la folie*, A. Gardembas, 1839.

BLOCH, C., *L'Assistance publique. Instruction. Notes sur la législation et l'administration de l'Assistance de 1789 à l'an VIII. Recueil des principaux textes. Notes sur les sources aux Archives nationales*, 1909.

BOURDIN, C. E., *Étude médico-psychologiques : de l'influence des événements politiques sur la production de la folie*, Adrien Delahaye, 1873.

BRIERRE DE BOISMONT, Alexandre, *Des hallucinations ou Histoire raisonnée des apparitions, des visions, des songes, de l'extase, du magnétisme et du somnambulisme*, G. Baillière, 1845.

BRIQUET, Paul, *Traité clinique et thérapeutique de l'hystérie*, J.-B. Baillière et fils, 1859.

BROUSSAIS, F.-J.-V., *De l'irritation et de la folie*, J.-B. Baillière, 1839.

BRU, Paul, *Histoire de Bicêtre*, Lecrosnié et Babé, 1890.

BUCHEZ, P.-J.-B., et ROUX, P.-C., *Histoire de la Révolution française, ou Journal des Assemblées nationales depuis 1789 jusqu'en 1815*, Paulin Libraire, 1836.

CABANÈS, Augustin, *L'Histoire éclairée par la clinique*, Albin Michel, 1921.

—, *Au chevet de l'empereur*, Albin Michel, 1958.

CABANÈS, A., et NASS, L., *La Névrose révolutionnaire*, Albin Michel, 1925.

CABANIS, Pierre-Jean-Georges, *Note sur le supplice de la guillotine*, an IV [1796], réimpr., Orléans, À l'Orient, 2007.

—, *Rapports du physique et du moral de l'homme*, Crapart, Caille et Ravier, an X-1802.

CALMEIL, L.-F., *De la folie considérée sous le point de vue pathologique, philosophique, historique et judiciaire*, J.-B. Baillière, 1845, 2 vol.

CHATEAUBRIAND François-René de, *Mémoires d'outre-tombe*, Gallimard, « Bibliothèque de la Pléiade », 1951, 2 vol.

COLINS, Hippolyte de, *Notice sur l'établissement consacré au traitement de l'aliénation mentale établi à Charenton près Paris, juin 1812*, repr. in Sade, *Journal inédit*, Gallimard, 1970.

COLOMBIER, Jean, et DOUBLET, François, « Instruction sur la manière de gouverner les insensés et de travailler à leur guérison dans les asyles qui leur sont destinés », in *Observations faites dans le département des hôpitaux civils*, 1785, p. 339-392.

CONSTANT-REBECQUE, Benjamin de, *De l'esprit de conquête et de l'usurpation dans ses rapports avec la civilisation*, Hanovre, Hahn, 1814.

DAQUIN, Joseph, *La Philosophie de la folie, ou Essai philosophique sur le traitement des personnes attaquées de folie*, Chambéry, Gorrin père et fils, 1791/ Paris, chez Née de La Rochelle, libraire, 1792.

—, *La Philosophie de la folie, où l'on prouve que cette maladie doit plutôt être traitée par les secours moraux que par les secours physiques ; et que ceux qui en sont atteints, éprouvent d'une manière non équivoque l'influence de la lune*, 2ᵉ édition revue, augmentée et appuyée sur un grand nombre de différentes observations, Chambéry, P. Cléaz, an XII-1804.

DESCURET, J.-B. F., *La Médecine des passions*, Labé, 1844.

DESPINE, Prosper, *De la folie du point de vue philosophique, ou plus spécialement psychologique, étudiée chez le malade et l'homme de santé*, Savy, 1875.

DESPORTES, *Compte rendu au conseil général des hospices et hôpitaux civils de Paris sur le service des aliénés traités dans les hospices de la vieillesse (Hommes et Femmes) [Bicêtre et la Salpêtrière] pendant les années 1825, 1826, 1827, 1828, 1829, 1830, 1831, 1832, 1833*, Imprimerie de Mme Huzard, 1835.

DU CAMP, Maxime, *Paris, ses organes, ses fonctions et sa vie dans la seconde moitié du XIXᵉ siècle*, Hachette, 1869-1876.

—, *Les Convulsions de Paris*, Hachette, 1878-1880, 4 vol.

DUMAS, Alexandre, *Les Mille et Un Fantômes*, précédé de *La Femme au collier de velours* [1849], éd. présentée, établie et annotée par Anne-Marie Callet-Bianco, Gallimard, « Folio », 2006.

ELLIS, W. C., *Traité de l'aliénation mentale*, trad. par Th. Archambauld et enrichi de notes par M. Esquirol, De Just Rouvier, 1840.

ESQUIROL, Jean-Étienne-Dominique, *Des établissements des aliénés en France et des moyens d'améliorer le sort de ces infortunés*, Imprimerie de Mme Huzard, 1819.

—, *De la lypémanie ou mélancolie* [1820], présentation par P. Fedida et J. Postel, Toulouse, Privat, 1977.

—, *Des maladies mentales, considérées sous les rapports médical, hygiénique et médico-légal*, Baillière, 1838, 2 vol. ; rééd.: *Des maladies mentales* [1838], Frénésie éditions, 1989.

—, *Des passions considérées comme causes, symptômes et moyens curatifs de l'aliénation mentale*, Didot jeune, 1805.

—, « Introduction à l'étude des aliénations mentales (Fragments de la première leçon du cours clinique fait à la Salpêtrière sur ces maladies) », *Revue médicale française et étrangère*, nᵒ 8, 1822.

Esquiros, Alphonse, *Paris, ou Les Sciences, les institutions et les mœurs au XIXᵉ siècle*, Comptoir des imprimeurs unis, 1847.

Estrées, Paul d', *Le Théâtre sous la Terreur (théâtre de la peur), 1793-1794*, d'après des publications récentes et d'après les documents révolutionnaires du temps, imprimés ou inédits, Émile-Paul frères, 1913.

Sylvain-Eymard, docteur, *La Politicomanie ou Coup d'œil critique sur la folie révolutionnaire qui a régné en Europe depuis 1789 jusqu'au 2 décembre 1851*, 2ᵉ éd., Garnier frères, 1853.

Fabre, docteur François, *Bibliothèque du médecin-praticien ou Résumé général de tous les ouvrages de clinique médicale et chirurgicale etc.*, vol. IX, *Maladies de l'encéphale, maladies mentales, maladies nerveuses*, J.-B. Baillière, 1849.

Falret, Jean-Pierre, *Des maladies mentales et des asiles d'aliénés*, J.-B. Baillière et fils, 1864.

Flore, Mlle, *Mémoires de Mlle Flore*, Comptoir des imprimeurs unis, 1845, 3 vol.

Fodéré, François Emmanuel, *Traité du délire*, Croullebois, 1817.

Girard de Cailleux, J. H., *Études pratiques sur les maladies nerveuses et mentales*, Baillière, 1863.

Giraudy, Charles-François, *Mémoire sur la Maison nationale de Charenton*, Imprimerie de la Société de médecine, an XII - 1804.

Griesinger, Wilhelm, *Traité des maladies mentales*, trad. de l'allemand par le docteur Doumic, Adrien Delahaye, 1865.

Groddeck, docteur, *De la maladie démocratique, nouvelle espèce de folie*, trad. de l'allemand, G. Baillière, 1850.

Guillois, docteur A., *Étude médico-psychologique sur Olympe de Gouges*, Lyon, 1904.

Hamel, Ernest, *Histoire des deux conspirations du général Malet*, Librairie de la Société des gens de lettres, 1873.

Hugo, Victor, *Choses vues (1830-1848)*, Gallimard, « Folio », 1972.

—, *Les Misérables* [1862], Gallimard, « Bibliothèque de la Pléiade », 1951.

—, *Quatrevingt-treize* [1874], Gallimard, « Folio », 1979.

JACOBY, docteur Paul, *Étude sur la sélection dans ses rapports avec l'hérédité chez l'homme*, Germer-Baillière et Cie, 1881.

LABORDE, Jean-Baptiste-Vincent, *Fragments médico-psychologiques. Les hommes et les actes de l'insurrection de Paris devant la psychologie morbide*, G. Baillière, 1872.

LAMARTINE, Alphonse de, *Histoire de la révolution de 1848*, Perrotin, 1849, 2 vol.

LA ROCHEFOUCAULD-LIANCOURT, duc de, *Rapport, fait au nom du Comité de mendicité, des visites faites dans divers hôpitaux, hospices et maisons de charité de Paris*, Imprimerie nationale, 1790.

LEGRAND DU SAULLE, Henri, *Le Délire de persécution*, Plon, 1871.

LÉLUT, Louis-Francisque, *Du démon de Socrate*, Trinquart, 1836.

—, *L'Amulette de Pascal*, J.-B. Baillière, 1846.

LE PLAY, Frédéric, *Les Ouvriers des deux mondes : études sur les travaux, la vie domestique et la condition morale des populations ouvrières des diverses contrées et sur les rapports qui les unissent aux autres classes*, Société internationale des études pratiques d'économie sociale, 1857-1885.

LEURET, François, *Fragmens psychologiques sur la folie*, Crochard, 1834.

—, *Du traitement moral de la folie*, J.-B. Baillière, 1840.

LISSAGARAY, Prosper-Olivier, *Histoire de la Commune de 1871*, Bruxelles, Librairie contemporaine de Henri Kistemaeckers, 1876.

LOMBROSO, Cesare, *L'Homme de génie*, trad. par Fr. Colonna d'Istria, Félix Alcan, 1889.

—, *Le Crime politique et les révolutions par rapport au droit, à l'anthropologie criminelle et à la science du gouvernement*, trad. par A. Bouchard, Félix Alcan, 1892, 2 vol.

LUNIER, L., *De l'influence des grandes commotions politiques et sociales sur le développement des maladies mentales*, F. Savy, 1874.

MACÉ, Louis-Victor, *Traité pratique des maladies mentales*, J.-B. Baillière et fils, 1862.

MERCIER, Louis Sébastien, *Le Tableau de Paris* [1788], La Découverte, « Poche », 1998.

—, *Le Nouveau Paris*, À Brunswick, chez les principaux libraires, 1800.

MICHEL, Louise, *La Commune*, Stock, 1898.

MICHELET, Jules, *Histoire du XIXᵉ siècle*, Michel Lévy frères, 1875.

—, *Ma jeunesse*, Calmann-Lévy, 1884.

MIRABEAU, *Observations d'un voyageur anglais sur la maison de force appellée Bicêtre*, s. l., 1788.

MOREAU DE TOURS, J., *La Psychologie morbide dans ses rapports avec la philosophie de l'histoire ou De l'influence des névropathies sur le dynamisme intellectuel*, Victor Masson, 1859.

MOREL, Benedict-Augustin, *Traité des maladies mentales*, Victor Masson, 1860.

MULLOIS, Isidore, *La Charité et la misère à Paris*, Paris et Lyon, 1856.

NERVAL, Gérard de, *Œuvres complètes*, t. II, *Les Illuminés*, Gallimard, « Bibliothèque de la Pléiade », 1984.

NODIER, Charles, *Souvenirs, épisodes et portraits pour servir à l'histoire de la Révolution et de l'Empire*, Alphonse Levasseur, 1831.

PARDIGON, François, *Épisodes des journées de juin 1848*, La Fabrique, 2008.

PIGEAUD, Jackie, *Théroigne de Méricourt : la lettre-mélancolie*, Lagrasse, Verdier/L'Éther vague, 2005.

[PINEL, Philippe], *Lettres de Pinel*, précédées d'une notice plus étendue sur sa vie, par son neveu le docteur Casimir Pinel, Victor Masson, 1859.

PINEL, Philippe, *Nosographie philosophique, ou la méthode de l'analyse appliquée à la médecine*, Maradan, an VI [1797], 2 vol.

—, *Traité médico-philosophique sur l'aliénation mentale ou la manie*, Richard, Caille et Ravier, an IX [1800].

—, *Traité médico-philosophique sur l'aliénation mentale,*

2ᵉ éd. entièrement refondue et très augmentée (1809), présenté et annoté par Jean Garrabé et Dora B. Weiner, Les Empêcheurs de penser en rond, 2005.

—, « Réflexions médicales sur l'état monastique », *Journal gratuit*, nᵒ 6, 1790, p. 81-93.

—, « Variété », *Journal de Paris*, 18 janvier 1790, p. 70-72.

PINEL, Scipion, *Physionomie de l'homme aliéné*, Librairie des sciences médicales, 1833.

POTTER, Agathon de, « La peste démocratique (*Morbus democraticus*). Contribution à l'étude des maladies mentales », *Philosophie de l'avenir*, revue du socialisme rationnel, vol. X, 1885-1886, p. 1-99.

RICHARD, David, *La Phrénologie et Napoléon*, Imprimerie Pihan Delaforest, 1835.

RIVET, Mme, *Les Aliénés dans la famille et la maison de santé : étude pour les gens du monde*, Paris, 1875.

SACHAILE, Claude, *Les Médecins de Paris jugés par leurs œuvres, ou Statistique scientifique morale des médecins de Paris*, De la Barre, 1845.

SADE, D. A. F. de, *Journal inédit*, Gallimard, « Folio », 1994.

—, *Lettres inédites et documents*, correspondance publiée par Jean-Louis Debauve, 1900.

SANSON, Charles-Henry, *Mémoires de Sanson (1739-1806), exécuteur des jugements criminels*, Albin Michel, 1911.

STERN, Daniel [Marie d'Agoult], *Histoire de la révolution de 1848*, Gustave Sandré, 1850-1853, 3 vol.

SUE, Jean-Joseph, *Essai sur le supplice de la guillotine et sur la douleur qui survit à la décollation*, s. l., 1796.

TALMA, François-Joseph, *Mémoire de F.-J. Talma* [1849], écrit par lui-même et mis en ordre sur les papiers de sa famille par Alexandre Dumas ; rééd. Montréal, Le Joyeux Roger, 2006.

TENON, Jacques, *Mémoire sur les hôpitaux de Paris*, Ph.-D. Pierres, 1788.

THIERS, Adolphe, *Histoire du Consulat et de l'Empire*, Paulin [puis] Paulin, Lheureux et Cie, [puis] Lheureux, 1845-1869, 21 vol.

TOCQUEVILLE, Alexis de, *Souvenirs*, Calmann-Lévy, 1893.

TRÉLAT, Ulysse, *La Folie lucide*, Adrien Delahaye, 1861.

TUETEY, Alexandre, *L'Assistance publique à Paris pendant la Révolution*, t. I, *Les Hôpitaux et hospices*, Imprimerie nationale, 1845.

VOISIN, Auguste, *Leçons cliniques sur les maladies mentales et sur les maladies nerveuses*, J.-B. Baillière et fils, 1883.

—, *Traité de paralysie générale des aliénés*, J.-B. Baillière, 1879.

VOISIN, Félix, *Des causes morales et physiques des maladies mentales*, J.-B. Baillière, 1826.

Sources secondaires

Livres

ACKERKNECHT, Erwin H., *La Médecine hospitalière à Paris (1794-1848)*, trad. par Françoise Blateau, Payot, 1986.

ARASSE, Daniel, *La Guillotine et l'imaginaire de la Terreur*, Flammarion, 1987.

AUBOIN, Michel, TEYSSIER, Arnaud, et TULARD, Jean, *Histoire et dictionnaire de la police, du Moyen Âge à nos jours*, Robert Laffont, « Bouquins », 2005.

BEAUVOIS, Delphine, *La Criminalité féminine enregistrée au Dépôt de la préfecture de police de Paris sous le Second Empire (1853-1869)*, mémoire de maîtrise sous la dir. de Dominique Kalifa, université de Paris-VII, 1999.

BESSETTE, Jean-Michel, *Il était une fois… la guillotine*, Alternatives, 1982.

BILLARD, Max, *La Conspiration de Malet*, Perrin, 1907.

BOUKOVSKY, Vladimir, *Une nouvelle maladie mentale en U.R.S.S. : l'opposition*, Seuil, « Combats », 1971.

CAIRE, Michel, *Contribution à l'histoire de l'hôpital Sainte-Anne (Paris): des origines au début du XXe siècle*, thèse de médecine, Paris-V, Cochin-Port-Royal, n° 20, 1981, 160-VIII p.

CARUTH, Cathy, *Unclaimed Experience : Trauma, Narratives, and History*, Baltimore, The Johns Hopkins University Press, 1996.

CARUTH, Cathy (éd.), *Trauma : Explorations in Memory*, Baltimore, The Johns Hopkins University Press, 1995.

CASTEL, Pierre-Henri, *L'Esprit malade. Cerveaux, folies, individus*, Ithaque, 2009.

CASTEL, Robert, *L'Ordre psychiatrique. L'âge d'or de l'aliénisme*, Minuit, 1976.

CHEMLA, Patrick (sous la dir. de), *Asile ?*, Ramonville-Sainte-Agne, Érès, 1999.

CHEVALIER, Louis, *Classes laborieuses et classes dangereuses à Paris pendant la première moitié du XIXe siècle*, Plon, 1958.

CLARKE, Joseph, *Commemorating the Dead in Revolutionary France : Revolution and Remembrance, 1789-1799*, Cambridge, Cambridge University Press, 2007.

CLERCQ, Michel de, et LEBIGOT, François, *Les Traumatismes psychiques*, Masson, 2001.

COFFIN, Jean-Christophe, *La Transmission de la folie : 1850-1914*, L'Harmattan, 2003.

[COLLECTIF], *Penser la folie. Essais sur Michel Foucault*, Galilée, « Débats », 1992.

CROCQ, Louis, *Les Traumatismes psychiques de guerre*, Odile Jacob, 1999.

DADOUN, Roger (éd.), *La Folie politique*, Payot, « Traces », 1971.

DAVOINE, Françoise, et GAUDILLIÈRE, Jean-Max, *Histoire et trauma. La folie des guerres*, Stock « L'autre pensée », 2006.

DELEUZE, Gilles, et GUATTARI, Félix, *L'Anti-Œdipe. Capitalisme et schizophrénie 1*, Minuit, 1972/1973.

DIDIER, Marie, *Dans la nuit de Bicêtre*, Gallimard, « L'un et l'autre », 2006.

FANON, Frantz, *Les Damnés de la terre*, Maspero, 1961.

FERRONI, A., *Une maison de santé pour le traitement des aliénés à la fin du XVIIIe siècle : la maison Belhomme*, Paris, thèse de médecine, 1954.

FLEISHMANN, Hector, *La Guillotine en 1793*, Librairie des publications modernes, 1908.

Foucault, Michel, *Folie et déraison. Histoire de la folie à l'âge classique*, Plon, 1961.

—, *Les Anormaux. Cours au Collège de France, 1974-1975*, Gallimard/Seuil, « Hautes Études », 1999.

—, *Dits et écrits*, Gallimard, « Quarto », 2001, 2 vol.

—, *Le Pouvoir psychiatrique. Cours au Collège de France, 1973-1974*, Gallimard/Seuil, « Hautes Études », 2003.

Freud, Sigmund, *Essais de psychanalyse*, Payot, 1968.

Garrabé, Jean (sous la dir. de), *Philippe Pinel*, Le Plessis-Robinson, Synthélabo/Les Empêcheurs de penser en rond, 1994.

Gaubert, Henri, *Conspirateurs au temps de Napoléon Ier*, Flammarion, « L'Histoire », 1962.

Gauchet, Marcel, et Swain, Gladys, *La Pratique de l'esprit humain. L'institution asilaire et la révolution démocratique*, Gallimard, 1980.

Gineste, Thierry, *Le Lion de Florence. Sur l'imaginaire des fondateurs de la psychiatrie, Pinel (1745-1826) et Itard (1774-1838)*, Albin Michel, 2004.

Goffman, Erving, *Asiles*, Minuit, 1968.

Goldstein, Jan, *Consoler et classifier. L'essor de la psychiatrie française*, trad. de l'anglais (États-Unis) par Françoise Bouillot, Le Plessis-Robinson, Synthélabo/Les Empêcheurs de penser en rond, 1997.

Greer, Donald, *The Incidence of the Terror during the Revolution: A Statistical Interpretation*, Cambridge, Harvard University Press, 1935.

Grmek, Mirko, *Les Maladies à l'aube de la civilisation occidentale*, Payot, 1983.

Gueslin, André, et Kalifa, Dominique (sous la dir. de), *Les Exclus en Europe. 1830-1930*, Éd. de l'Atelier, 1999.

Gullickson, Gay L., *Unruly Woman of Paris. Images of the Commune*, Ithaca, Cornell University Press, 1996.

Haustgen, Thierry, *Observations & certificats psychiatriques au XIXe siècle*, Rueil-Malmaison, Ciba, 1985.

Keller, Richard C., *Colonial Madness: Psychiatry in French*

North Africa, Chicago and Londres, The University of Chicago Press, 2007.

LACAN, Jacques, *Écrits*, Seuil, 1966, 2 vol. ; rééd. 1999.

LANTÉRI-LAURA, Georges, *Lecture des perversions : histoire de leur appropriation médicale*, New York/Barcelone, Masson, 1979.

LE BRUN, Annie, *Soudain un bloc d'abîme, Sade*, Jean-Jacques Pauvert, 1986.

—, *On n'enchaîne pas les volcans*, Gallimard, 2006.

— (sous la dir. de), *Petits et grands théâtres du marquis de Sade*, Paris Art Center, 1989.

LELY, Gilbert, *Vie du marquis de Sade*, nouv. éd. entièrement refondue, Jean-Jacques Pauvert, 1965.

LENORMAND, Frédéric, *La Pension Belhomme. Une prison de luxe sous la Terreur*, Fayard, 2002.

LENÔTRE, G., *La Guillotine et les exécuteurs des arrêts criminels pendant la Révolution*, d'après des documents inédits tirés des Archives de l'État, Librairie académique Perrin et Cie, 1910.

—, *Paris révolutionnaire : vieilles maisons, vieux papiers*, 3e série, Librairie académique Perrin, 1922.

LEVER, Maurice, *Donatien Alphonse François, marquis de Sade*, Fayard, 1991.

LIDSKY, Paul, *Les Écrivains contre la Commune*, Maspero, 1970.

MICALE, Mark S., et LERNER, Paul, *Traumatic Pasts : History, Psychiatry and Trauma in the Modern Age, 1870-1930*, Cambridge University Press, 2001.

MOREL, Pierre, *Dictionnaire biographique de la psychiatrie*, Le Plessis-Robinson, Synthélabo/Les Empêcheurs de penser en rond, 1996.

PAUVERT, Jean-Jacques, *Sade vivant*, Robert Laffont, 1990, 3 vol.

PIGEAUD, Jackie, *Aux portes de la psychiatrie. Pinel, l'Ancien et le Moderne*, Aubier, 2001.

PINON, Pierre, *L'Hospice de Charenton*, Liège / Bruxelles, P. Mardaga, 1989.

POSTEL, Jacques, *Genèse de la psychiatrie. Les premiers écrits de Philippe Pinel*, Synthélabo/Les Empêcheurs de penser en rond, 1998.

—, *Éléments pour une histoire de la psychiatrie occidentale*, L'Harmattan, 2007.

POSTEL, Jacques, et QUÉTEL, Claude, *Nouvelle histoire de la psychiatrie*, Toulouse, Privat, 1983.

QUÉTEL, Claude, *Histoire de la folie, de l'Antiquité à nos jours*, Tallendier, 2009.

—, *Images de la folie*, Gallimard, 2010.

RENNEVILLE, Marc, *Le Langage des crânes. Une histoire de la phrénologie*, Institut d'édition Sanofi-Synthélabo / Les Empêcheurs de penser en rond, 2000.

— *La Médecine du crime. Essai sur l'émergence d'un regard médical sur la criminalité en France (1785-1885)*, Presses universitaires du Septentrion, 2000, 2 vol.

RIOT-SARCET, Michèle, et GRIBAUDI, Maurizio, *1848, la révolution oubliée*, La Découverte, 2008.

ROUDINESCO, Élisabeth, *Théroigne de Méricourt. Une femme mélancolique sous la Révolution*, Seuil, « Fiction et Cie », 1989.

SAUCEROTTE, Constant, *Les Médecins pendant la Révolution*, 1887.

SIRONI, Françoise, *Psychologie des violences collectives. Essai de psychologie géopolitique clinique*, Odile Jacob, 2007.

SOURNIA, Jean-Charles, *La Médecine révolutionnaire, 1789-1799*, Payot, « Médecine et société », 1989.

STAROBINSKI, Jean, *Histoire du traitement de la mélancolie des origines à 1900*, Bâle, Laboratoires Geigy, 1960.

SWAIN, Gladys, *Le Sujet de la folie*, Calmann-Lévy, 1977.

—, *Dialogue avec l'insensé*, Gallimard, « Bibliothèque des sciences humaines », 1994.

TULARD, Jean (sous la dir. de), *Dictionnaire Napoléon*, Fayard, 1987, nouv. éd. revue et augmentée, 1999.

— (sous la dir. de), *Dictionnaire du Second Empire*, Fayard, 1995.

WEINER, Dora B., *Comprendre et soigner: Philippe Pinel (1745-1826): la médecine de l'esprit*, Fayard, « Penser la médecine », 1999.

Articles

ACKERKNECHT, Erwin H., « Political Prisoners in French Mental Institutions before 1789, during the Revolution, and under Napoleon I », *Medical History*, vol. XIX, n° 19, 3, juillet 1975, p. 250-255.

ADHÉMAR, Jean, « Un dessinateur passionné par le visage humain : Georges-François-Marie Gabriel (1775-1836) », in *Omagiu lui George Oprescu*, Bucarest, 1961.

BERNARD, Anne-Marie, et HOUDAILLE, Jacques, « Les internés de Charenton. 1800-1854 », *Population*, 49e année, n° 2, mars-avril 1994, p. 500-515.

BIGORRE, Alain, et BOLLOTTE, Gabriel, « L'assistance aux malades mentaux à Paris de 1789 à 1838 », *Annales médico-psychologiques*, vol. CXXIV, n° 4, 1966, p. 463-474.

BIRMES, Philippe, HATTON, Leah, BRUNET, Alain, et SCHMITT, Laurent, « Early Historical Literature for Post-Traumatic Symptomatology », *Stress and Health*, n° 19, 2003, p. 17-26.

BONNAT, Jean-Louis, « Gérard de Nerval, un précurseur du "stade du miroir" (ou l'irraison de la psychose, au service du gouvernement politique, "Le Roi de Bicêtre") », *Cliniques méditerranéennes*, n° 64, 2001, p. 273-284.

CAIRE, Michel, « Un état des fous de Bicêtre en 1792 », *Nervure*, n° 7, 1993, p. 62-67.

—, « Pussin, avant Pinel », *L'Information psychiatrique*, vol. LXIX, n° 6, 1993, p. 529-538.

—, « Du *Morbus democraticus* à l'Idéalisme passionné. Quelques réactions des aliénistes français aux lendemains de la Commune de Paris », *Annales médico-psychologiques*, n° 4, 1990, p. 379-386.

CHEMOUNI, Jacquy, « Psychopathologie de la démocratie », *Frénésie*, vol. II, n° 10, 1992, p. 265-282.

CHEVRIER, Alain, « Psychiatrie et politique : sur la réception en France de *La Maladie démocratique* de Carl Groddeck », *L'Évolution psychiatrique*, vol. LVIII, n° 3, 1993, p. 605-617.

FAUVEL, Aude, « Punition, dégénérescence ou malheur ? », *Revue d'histoire du XIXe siècle*, n° 26-27, 2003, p. 277-304.

FAU-VINCENTI, Véronique, « De la maladie démocratique », *Le Monde diplomatique*, septembre 2010, p. 28.

FORZINETTI-MOTET, « L'hôtel Colbert et les débuts de la maison Belhomme », *Histoire de la médecine*, décembre 1952, p. 27-34.

—, « La maison Belhomme », *Histoire de la médecine*, janvier 1953, p. 47-64.

FROMENTIN, Clément, « Qu'est-ce qui s'écrit de la psychiatrie ? Du "secrétaire de l'aliéné" aux archives de l'asile. Sainte-Anne : une approche de la littératie en psychiatrie », *Psychiatrie, Sciences humaines, Neurosciences*, n° 6, 2008, p. 215-224.

GILBRIN, E., « La lignée médicale des Pinel, leur aide aux prisonniers politiques sous la Terreur et pendant la Restauration », *Histoire des sciences médicales*, n° 11, 1977, p. 69-79.

GLAZER, Catherine, « De la Commune comme maladie mentale », *Romantisme*, n° 48, 1985, p. 63-70.

GODINEAU, Dominique, « Pratiques du suicide à Paris pendant la Révolution française », *French History and Civilization*, vol. I, 2005, p. 126-140.

GOURÉVITCH, Michel, « Qui soignera le divin marquis ? Documents inédits sur les conflits de pouvoirs entre directeur et médecin à Charenton en 1812 », *Perspectives psychiatriques*, vol. II, n° 96, 1984, p. 85-91.

GRMEK, M. D., « Histoire des recherches sur les relations entre le génie et la maladie », *Revue d'histoire des sciences et de leurs applications*, t. XV, n° 1, 1962, p. 51-68.

GUÉRIN, J.-L., COLLET, F., et HOSTIOU, P., « Ulysse Trélat ou la tentation eugéniste », *Revue française de psychiatrie et de psychologie médicale*, janvier 2002.

GULLICKSON, Gay L., « La Pétroleuse : Representing Revolution », *Feminist Studies*, vol. XVII, n° 2, été 1991, p. 240-265.

HAUSTGEN, Thierry, « Les débuts difficiles du Dr Royer-Collard à Charenton. État sommaire de la maison de Charenton sous le rapport du service médical et aperçu des réformes qui y sont nécessaires, Antoine-Athanase Royer-Collard, 1811 », *Synapse*, n° 58, 1989, p. 57-66.

JACOB, Françoise, « Madness and Politics : French Nineteenth-Century Alienists' Response to Revolution », *History of Psychiatry*, n° 6, 1995, p. 421-429.

JEAN, Thierry, « La folie est-elle une question idéologique ? », *Journal français de psychiatrie*, n° 19, 2003, p. 4-8.

JORDANOVA, Ludmilla, « Medical Mediations : Mind, Body and the Guillotine », *History Workshop*, n° 28, automne 1989, p. 39-52.

JUCHET, Jack, « Jean-Baptiste Pussin, "Médecin des folles" », *Soins. Psychiatrie*, n° 142-143, août-septembre 1992, p. 46-54.

KROMM, Jane, « "Marianne" and the Madwomen », *Art Journal*, vol. XLVI, n° 4, hiver 1987, p. 299-304.

MALL, Laurence, « Révolution, traumatisme et non-savoir : la "longue surprise" dans *Le Nouveau Paris* de Mercier », *Études littéraires*, vol. XXXVIII, n° 1, automne 2006, p. 11-23.

POSTEL, Jacques, « Les premières expériences psychiatriques de Philippe Pinel à la maison de santé Belhomme », *Revue canadienne de psychiatrie*, vol. XXVIII, n° 7, novembre 1983, p. 571-575.

QUÉTEL, Claude, et SIMON, Jean-Yves, « L'aliénation alcoolique en France (XIXe siècle et 1re moitié du XXe siècle) », *Histoire, économie et société*, 7e année, n° 4, 1988, p. 507-533.

REVERZY, Jean-François, « Sade à Charenton. Une scène primitive de l'aliénisme », *L'Information psychiatrique*, vol. LIII, n° 10, 1977, p. 1169-1181.

SIBALIS, Michael, « Un aspect de la légende noire de Napoléon : le mythe de l'enfermement des opposants comme fous », *Revue de l'Institut Napoléon*, vol. I, n° 156, 1991, p. 9-24.

—, « L'enfermement de Théodore Desorgues : documents inédits », *Annales historiques de la Révolution française*, nº 284, 1991, p. 243-246.

SOURNIA, Jean-Charles, « Révolution française et troubles mentaux 1789-1799 », *Vesalius*, vol. III, nº 2, décembre 1997, p. 67-73.

SZASZ, Thomas, « The Sane Slave : An Historical Note on the Use of Medical Diagnosis as Justificatory Rhetoric », *American Journal of Psychotherapy*, nº 25, 1971, p. 228-239.

VASAK, Anouchka, « Révolution et aliénation : aux origines du "mal du siècle" », in *Romantisme et Révolution(s). Entretiens de la fondation des Treilles*, Gallimard, 2010, p. 231-250.

VINCIENNE, Olivier, « La maison de santé Belhomme. Légende et réalité », *Paris et Île-de-France. Mémoires publiés par la Fédération des sociétés historiques et archéologiques de Paris et de l'Île-de-France*, vol. XXXVI, 1985, p. 135-208.

VOVELLE, Michel, « Notes complémentaires sur le poète Théodore Desorgues ou quand les inconnus se font connaître », *Annales historiques de la Révolution française*, nº 265, 1986, p. 341-345.

WEINER, Dora B., « The Apprenticeship of Philippe Pinel : A New Document, "Observations of Citizen Pussin on the Insane" », *American Journal of Psychiatry*, vol. CXXXVI, nº 9, septembre 1979, p. 1128-1134.

—, « Philippe Pinel et l'abolition des chaînes : un document retrouvé », *L'Information psychiatrique*, vol. XLVI, nº 2, 1980, p. 245-253.

—, « Un registre inédit de la première clinique psychiatrique à Paris entre 1802 et 1808 : Jean Étienne Dominique Esquirol et ses malades », XXXIᵉ Congrès international d'histoire de la médecine, Bologne, Monduzzi, 1988, p. 543-550.

—, « Philippe Pinel (1745-1826) clerc tonsuré », *Annales médico-psychologiques*, vol. CXLIX, nº 2, 1991, p. 169-173.

WILLIAMS, Roger L., « Revolution and Madness : Blanqui and Trélat », *The Journal of the Historical Society*, vol. V, nº 2, 2005, p. 227-252.

SITES INTERNET

Je ne recommanderai jamais assez le site de Michel Caire sur l'histoire de la psychiatrie en France (http://psychiatrie.histoire.free.fr/) et celui de la Bibliothèque interuniversitaire de médecine et d'odontologie (http://www.bium.univ-paris5.fr/histmed/) auxquels j'ai eu recours quotidiennement pour l'élaboration de ce livre. Criminocorpus, le portail sur l'histoire de la Justice, des crimes et des peines (http://www.criminocorpus.cnrs.fr/) m'a également été précieux.

Index

Remerciements

À chacun de mes livres, je me fais une promesse : celui-là sera le dernier à nécessiter un tel travail de recherche dans les archives, à m'obliger à remplir des formulaires, des demandes d'autorisation, de dérogation, à attendre parfois des mois les réponses de fonctionnaires ou d'ayants droit, à lutter contre la grande machinerie administrative française. Mais le plaisir de la découverte l'emportant toujours sur l'épuisement nerveux que ce travail suppose en amont, chaque fois je récidive. Car chaque fois je trouve sur ma route des femmes ou des hommes qui, d'un mot, débloquent une situation, autorisent et facilitent *in fine* mes recherches. Élise Lewartowski, responsable de l'action culturelle et éducative aux Archives départementales du Val-de-Marne, et Maïlys Mouginot, responsable au service des Archives de l'Assistance publique-Hôpitaux de Paris, savent pourquoi je tiens à faire figurer leur nom en tête de cette page.

De telles recherches demandent avant tout des périodes de temps qui souffriraient beaucoup à être interrompues. Or le métier de professeur est, sous ce rapport, une vocation exigeante. Ce livre n'aurait pu voir le jour sans la générosité de l'Academic Senate de l'Université de Californie-Los Angeles (UCLA) qui m'a donné les moyens nécessaires à son élaboration. Que le professeur Dominic Thomas, directeur du département d'Études françaises et francophones, reçoive également ici, avec l'expression de mon amitié, celle de ma gratitude pour la confiance qu'il m'a témoignée.

Tout au long de ce travail, j'ai trouvé en Jean-Loup Champion un éditeur exceptionnel. Son niveau d'exigence et sa présence attentive m'ont été d'un soutien constant. J'ai aussi grandement bénéficié de la relecture rigoureuse de Philippe Bernier, que je remercie.

Certains passages de ce livre ont fait l'objet de conférences ou d'interventions dans des séminaires, où j'ai pu bénéficier de nombreux commentaires. Je remercie en particulier Gisèle Sapiro, Natania Meeker et Béatrice Mousli, ainsi que Jonathan Strauss, qui m'ont respectivement invitée à présenter mes recherches à l'EHESS le 29 octobre 2009, à l'USC le 28 janvier 2010, et à l'Université de Miami (Ohio) le 11 février 2010, pour m'avoir donné l'occasion d'améliorer ce manuscrit.

Que soient également remerciés, pour leurs informations, leurs conseils ou leurs encouragements : Manuela Aranzabal, Michel Caire, Elena Rasi Caldogno, Laurence Camous, Patrick Chemla et les patients du centre Antonin-Artaud, Clément Fromentin, Marie-Rose Guarniéri, Jean-Louis

Jeannelle, Teresa Johnson, Annie Le Brun, Cécile Vargaftig, Jean-François Vincent et Dora Weiner.

Enfin, et parce que je ne me lasse pas de le répéter, un grand merci à Zrinka Stahuljak.

Liste des illustrations

1. *Fin tragique de Louis XVI, exécuté le 21 janvier 1793 sur la place de Louis XV*, anonyme. Gravure. Paris, musée Carnavalet. © *Musée Carnavalet / Roger-Viollet*

2. *Dialogue : je perds une tête (dit une couronne) j'en trouve une (répond la guillotine)* [exécution de Louis XVI, 21 janvier 1793], anonyme, 1793. Gravure à l'eau-forte coloriée, 11,2 cm × 16,2 cm. Bibliothèque nationale de France, Paris. © *BnF*

3. *Boucles d'oreilles avec guillotine*, époque révolutionnaire. Or et métal doré ; 5,7 cm. Musée Carnavalet, Paris. © *Michel Toumazet / Musée Carnavalet / Roger-Viollet*

4. *Exécution de Marie Antoinette*, anonyme, entre 1793 et 1799. Eau-forte, 13,5 × 8,5 cm. Bibliothèque nationale de France, Paris. © *BnF*

5. *Les Formes acerbes*, Poirier de Dunckerque, 1796. Eau-forte coloriée, 34 cm × 38 cm. Bibliothèque nationale de France, Paris. © *BnF*

6. *Réception de Louis Capet aux Enfers*. [Exécution de Louis XVI, 21 janvier 1793], Villeneuve, 1793. Gravure à l'aquatinte, écusson au pointillé, 26,8 cm × 36,7 cm. Musée Carnavalet, Paris. © *BnF*

7. *Le docteur P. Pinel faisant tomber les chaînes des aliénés*, Tony Robert-Fleury (1838-1911), 1876. Huile sur toile, 1876. Hôpital de la Salpêtrière, Paris. © *RMN / Agence Bulloz*

8. *L'Hôpital de Bicêtre*, gravure en couleurs, 1710. Bibliothèque nationale de France, Paris. © *Archives Charmet / The Bridgeman Art Library*

9. *Planche 31 : Vue de l'hôpital de la Salpêtrière à Paris*, Pérelle, gravure 1680. Gravure, 20 cm × 29 cm. Château de Versailles. © *RMN (Château de Versailles) / Gérard Blot*

10. *La Salpêtrière : loges d'aliénées construites par Viel en 1789*, Georges Charles Guillain et P. Mathieu, 1925, Paris, Masson. © *Wellcome Library, London*

11. *Laujon fils, idiot* dans *Têtes d'aliénés dessinées à Charenton*, Georges-François-Marie Gabriel, vers 1823. Dessin. Bibliothèque nationale de France, Paris. © *BnF*

12. Registre d'observations médicales hommes et femmes (cas particuliers), 1827, Charenton. © *Archives départementales du Val-de-Marne*

13. *Portrait d'Antoine Athanase Royer-Collard (1768-1825)*, Ducarme, xixe siècle. Lithographie. © *Coll. Académie nationale de médecine*

14. *Portrait de F. de Coulmiers, abbé régul.r d'Abbecour : député de la vicomté et prévôté de Paris*, anonyme, 1789. Eau-forte, 23,5 cm × 18 cm. Bibliothèque nationale de France, Paris. © *BnF*

15. *Portrait imaginaire de D.A.F. de Sade*, Man Ray, 1938. Huile sur toile et panneau de bois, 61,5 cm × 46,6 cm. The Menil Collection, Houston, Texas. © *Man Ray Trust* / Adagp, 2011 pour l'œuvre de Man Ray.

16. *Charenton-Saint-Maurice. Ancienne maison des fous*, anonyme, vers 1910. Gravure reproduite sur carte postale. © *Archives départementales du Val-de-Marne*

17. *L'empereur Napoléon Ier se couronnant lui-même*, Jacques-Louis David, début xixe siècle. Crayon noir sur papier beige, 29,2 cm × 25,2 cm. Musée du Louvre, Paris. © *RMN / Thierry Le Mage*

18. *Napoléon s'éveillant à l'immortalité*, François Rude, 1846. Bronze, h. 2,17 m. Musée Noisot, Fixin. © *Willi P. / Explorer*

19. *Militaire se disant roi de Suède* dans *Têtes d'aliénés dessinées à Charenton*, Georges-François-Marie Gabriel, vers 1823. Dessin. Bibliothèque nationale de France, Paris. © *BnF*

20. *Officier, devenu fou par opinion politique* dans *Têtes d'aliénés dessinées à Charenton*, Georges-François-Marie Gabriel, vers 1823. Dessin. Bibliothèque nationale de France, Paris. © *BnF*

21. *Couturière orgueilleuse* dans *Têtes d'aliénés dessinées à Charenton*, Georges-François-Marie Gabriel, vers 1823. Dessin. Bibliothèque nationale de France, Paris. © *BnF*

22. *Les Aliénés d'Ambroise Tardieu, Pl. XIII*, dans *Des maladies mentales considérées sous les rapports médical, hygiénique et médico-légal* d'Esquirol, 1838. © *BIU Santé Paris*

23. *Les Aliénés d'Ambroise Tardieu, Pl. VII*, dans *Des maladies mentales considérées sous les rapports médical, hygiénique et médico-légal* d'Esquirol, 1838. © *BIU Santé Paris*

24. *Les Aliénés d'Ambroise Tardieu, Pl. IV.*: *Théroigne de Méricourt* dans *Des maladies mentales considérées sous les rapports médical, hygiénique et médico-légal* d'Esquirol, 1838. © *BIU Santé Paris*

25. *Portrait d'Étienne Esquirol*, Auguste Pichon, XIXe siècle. Huile sur toile. © *Bibliothèque de l'Académie nationale de médecine*

26. *Le Charenton ministériel*, Honoré Daumier, publié dans *La Caricature* du 31 mai 1832. 33,7 cm × 53,5 cm. Bibliothèque nationale de France, Paris. © *BnF*

27. *Le 15 mai*, Amédée de Noé Cham dans *Assemblée nationale comique*, Auguste Lireux, Michel Lévy Frères, Paris, 1850. Bibliothèque nationale de France, Paris. © *BnF*

28. *Pierre Leroux emprunte ses petits peupliers à un pensionnaire de l'établissement national de Charenton*, Cham. Lithographie. Bibliothèque nationale de France, Paris. © *BnF*

29. *Faim, folie, crime*, Antoine Wiertz, 1853-1854. Huile sur toile. Bruxelles, musées royaux des Beaux-Arts de Belgique, musée Antoine Wiertz, Inv. 1967. © *Bruxelles, musées royaux des Beaux-Arts de Belgique, musée Antoine Wiertz*

30. *La femme émancipée répandant la lumière sur le monde*, 1871, Eugène Girard. Musée Carnavalet, Paris. © *Musée Carnavalet / Roger-Viollet*

31. Hydrothérapie. Hôpital Sainte-Anne. Paris. Jules Gaildreau, 1869, Paris. Gravure. © *Roger-Viollet*

32. La salle de bains du nouvel asile d'aliénés Sainte-Anne. Paris XIVe arrondissement, 1869. Gravure. © *Roger-Viollet*

33. Fauteuils rotatoires dans *Traité sur l'aliénation mentale et sur les hospices des aliénés* de Joseph Guislain, t. 1, Pl. V, 1826, p. 379. Gravure. © *BIU Santé Paris*

34. *Maison Impériale de Charenton*, Léon Gaucherel dans *Les établissements généraux de bienfaisance placés sous le patronage de l'Impératrice* du marquis de La Valette, 1866, p. 72. Lithographie. © *BIU Santé Paris*

35. Vue de Charenton. © *Laure Murat*

DU MÊME AUTEUR

Aux Éditions Gallimard

L'HOMME QUI SE PRENAIT POUR NAPOLÉON : Pour une histoire politique de la folie, 2011. (Folio n° 5570.)

En collaboration avec Nicolas Weill

L'EXPÉDITION D'ÉGYPTE. Le rêve oriental de Bonaparte, « Découvertes », 1998.

Chez d'autres éditeurs

LA LOI DU GENRE : une histoire du « troisième sexe », *Éditions Fayard*, 2006.

PASSAGE DE L'ODÉON : Sylvia Beach, Adrienne Monnier et la vie littéraire à Paris dans l'entre-deux-guerres, *Éditions Fayard*, 2003. (Folio n° 4226.)

LA MAISON DU DOCTEUR BLANCHE : histoire d'un asile et de ses pensionnaires, de Nerval à Maupassant, *Éditions J. C. Lattès*, 2001. (Folio n° 5571.)

COLLECTION FOLIO

Composition Igs
Impression Maury-Imprimeur
45330 Malesherbes
le 20 mars 2013.
Dépôt légal : mars 2013.
Numéro d'imprimeur : 180845.

ISBN 978-2-07-044835-7. / Imprimé en France.